LIVIN G GERMAN

R. W. BUCKLEY, M. A.

Lecturer in German,
Technical College, Coventry

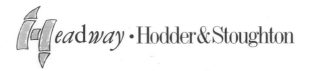

Headway · Hodder & Stoughton

Complete tape-recordings of *Living German* are available from Tutor-Tape Company Ltd, 68 Upper Richmond Road, London SW15 2RP

A cassette containing selected passages is available through your usual bookseller. You should quote: 0 340 40479 5

British Library Cataloguing in Publication Data

Buckley, R. W.
  Living German.—4th ed.
  1. German Language—Grammar 1950–
  I. Title
  438.2′421   PF3112
  ISBN 0 340 28378 5

First published 1957
Fourth edition 1982
Eleventh impression 1992

Typeset by Macmillan India Ltd, Bangalore.

Printed in Great Britain for the educational publishing division of Hodder & Stoughton Ltd, Mill Road, Dunton Green, Sevenoaks, Kent by Clays Ltd, St Ives plc.

PREFACE

THIS course aims at a complete introduction to the German language. It contains a practical vocabulary for speaking and reading ordinary German and covers the essential points of grammar. The material will be found acceptable to both older and younger students, whether studying for pleasure or for examinations.

The text is centred round the life of a German family and deals with a wide range of subjects from television to the kitchen. Most chapters introduce new expressions and grammatical points which are developed in the exercises, of which there is a wide selection. Whether all of these are answered depends on the teaching method employed. Some teachers will make additional exercises of their own; others will perhaps dispense with the English-German translation in the first year. Spoken German forms a major part of the course and short descriptions, summaries, many questions and variations of the text are recommended for language practice.

Part One treats most aspects of elementary grammar and the present tense of verbs. Travel dialogues form a short transition to *Part Two*. These contain no new grammar, fewer exercises but very useful vocabulary for either rapid or intensive reading. *Part Two* deals with all forms of the verb and more advanced grammar practice.

While this text is complete and varied in itself, it is recommended that easy readers and some poetry should be studied as early as possible.

I wish to thank my wife for her help in the preparation of this book and her unfailing patience in helping to revise and check the proofs of each subsequent edition and reprint.

For this third edition, I should also like to thank, among many others, my friend Dr Hellmuth Steger of Kiel in particular for his careful checking and advice. The text remains unchanged except for a small number of minor alterations and improvements. In *Part Two* of this new edition the Gothic print has been replaced by Roman, since the latter now predominates in Germany, and, according to German practice, the 'sz' sign (ß) is used for 'sz'.

R. W. BUCKLEY

PREFACE TO FOURTH EDITION

This book was first written in the post-war period, when the reconstruction of Germany was just beginning. Some of the text and vocabulary has now been updated, to conform with the vast changes which have occurred. The enormous growth in air-travel, motoring, broadcasting and changed social conditions are reflected in new material in the text dealing with these matters, with industry, schooling, customs, political conditions and daily life.

As the method used here is still proving successful and the book in steady demand, this new edition incorporates modern trends, without altering the layout and method; the pageing and chapters are practically as in previous editions and the grammar sections remain untouched. Also, where possible, new reading passages, maps and illustrations have been added. The end-vocabulary has been enlarged by some 450 additions, and in the interests of home-students and language laboratories, a Key to the Exercises has been appended.

I sincerely thank my German friend, Mrs Margit Morby, for her invaluable help in revision.

CONTENTS

Eine Reise nach Deutschland

PRONUNCIATION

These notes are intended only as a guide, especially for those students who have no teacher. The English sounds quoted are only approximately similar.

1. German spelling is quite reliably representative of sound. Almost every written symbol is pronounced, except an **h** which is only a sign of length after vowels.

2. Most consonants are pronounced in a similar way to their English equivalents. The following are exceptions:

   v = English **f.**   Vogel, von, vor.

   w = English **v.**   was, Wasser, Wort, Wind.

   z = English **ts.**   zu, zwei, Zimmer, Katze.

   ch   Breathe at the back of the throat as in the Scottish *loch*, after **a, o, au, u.** Bach, Loch, auch, Buch, machen, kochen, Rauch, suchen.

   ch   Breathe with the tip of the tongue touching the back of the lower front teeth, after **e, i, ä, ö, ü, eu, äu**. ich, nicht, Licht, Bäche, Bücher, Löcher, euch.

   j = English **y** but more vigorous. ja, jung, Jahr.

   r is always sounded, trilled or rolled. It is immaterial whether it is trilled by the tip of the tongue or gutteralised by vibrating the uvula, but it must be pronounced wherever it occurs. Bier, Bruder, Kirche, rot, vier, dort, Mutter, Erde.

   s = English **s** as in *rose* before a vowel. See, singen, Rose, lesen, Liesel, suchen; otherwise like English **s** as in mouse, Haus, Maus, hast, ist.

   ss (sz) = English **s** as in *mouse*.   Klasse, weiss, muss.

   sch = English **sh**.   Schiff, scheinen, Schwein, waschen.

   sp- = German **schp-**, initially.   sprechen, Spiel.

   st- = German **scht-**, initially.   Stein, Stadt, stehen.

   -b at end of word = **p**.   halb, lieb, gab, Korb.

   -d at end of word = **t**.   Bad, Bord, Bild, Rad.

   -g at end of word = **k**.   Tag, Sarg, bog, Zug.

-ig at end of word = **ich**.   Pfennig, hungrig, zwanzig.

qu = English **kv**.   Quelle, Quecksilber.

pf   Both the **p** and the **f** must be given their full value. Pfund, Pferd, Kopf.

kn   Both the **k** and the **n** must be given their full value. Knabe, Knecht.

h is always aspirated initially. Hand, Herr, Hund.

After a vowel it is only a sign of length. In Bahn, gehe, Stroh, **ah, eh, oh** resemble the English exclamations *ah!*, *eh!*, *oh!* Apart from these, and in the combinations **ch, sch, ph** (= ff), **h** has no value. There is no English **th** sound in German. In words like Theater, Thron, Athlet, Methode, **th** is pronounced like the English **t**.

3. Vowels are pure as distinct from the English tendency to diphthongise. The vowel sound in the English *boat* is not really one vowel but two (*bow-ut*); similarly *beer* = *bee-er*. The German equivalents make one continuous sound, Boot, Bier. There is no slide away into another vowel sound, but one pure vowel sound only.

4. If followed by one consonant, a vowel is usually long.
   If followed by two or double consonants, a vowel is usually short.
   A double vowel is pronounced in the same way as one long one.
   a long   as in English *calm*. kam, Tag, aber, Wagen, habe, sage.
   a short   as above but short. Mann, kann, Katze, alt, warm. The mouth must be wide open and the tongue low down for both sounds.
   e long   as in English *say* (without the *y*). sehen, See, mehr.
   e short   as in English *vet*. Wetter, wenn, beste, es. The tongue is slightly more tense than in English. Do not move it until the sound is finished.
   e slurred in final syllables, as in English *brother*. Frage, Kirche, Himmel, Bruder, Mutter (roll the **r**).
   i a little more tense than in English and higher and with the tongue more forward in the mouth. ist, ich, bin, will.
   o long with rounded lips and open mouth. so, Boot, Brot, gross, Rose.
   o short   as above but short. Sonne, von, Gott, Dorf.
   u long   as in English *hoot*. Hut, gut, Buch, suchen, Schuh.

u short   as above but short. Hund, Mund, Butter, Mutter.

ie is a long **i** pronounced slightly more tensely than **ee** in English *deep*. die, dies, dieser, wie, hier.

5. *Diphthongs*

   au   as in English *brown*. braun, blau, Frau, Haus, Baum.

   eu   as in English *Troy*. treu, neu, deutsch, Freund.

   ei, ai, ey, ay   as in English *mine*. mein, Main, sein, Saite, Rhein, Meyer, Haydn.

6. *Modification* (*Umlaut*)

   There are no accents in German. The modification sign (¨) is placed over **a, o, u, au,** to approximate their sound to an **e**. These sounds are pronounced as follows:

   ä (ae) long   longer than English **e** in *get*. Mädchen, Schäfer, gäbe.

   ä (ae) short   like English **e** in *get*. Kätzchen, Männer, Pässe.

   ö (oe)   The tongue is in position as for **ä,** but the lips are rounded. Köln, schön, Goethe.

   ü (ue)   The tongue is in position as for **ie,** but the lips are rounded. fünf, Güte, glücklich, fürchtet.

   y is generally pronounced like **ü**. Typ, Physik.

   äu   like **eu**. Bäume, Träume, Räuber.

7. *Stress*

   Sentence stress is very similar to English with a tendency to emphasise the important words, but with a sing-song lilt.

   Individual words have root stress as in English:

   Énglisch, Éngländer, Brúder, Kírche, Wásser, bésser, Ántwort, ántworten, Fréund, únfréundlich, begínnen, Glück, glücklich, únglücklich.

   A number of words borrowed from other languages keep approximately their foreign pronunciation with different stress:

   Proféssor, Professóren, Musík, musikálisch, Zigarétte, Studént, Interésse, interessiéren, Etúi.

8. In general, German speech is more energetic than English. The lips are moved more, articulation is clearer and breathing more

vigorous. This makes for precision in the consonants and purity in the vowels. It is worth while to try to produce German sounds from the front of the mouth, as far as possible. There is no liaison in German. All initial stressed vowels and some medial ones are pronounced with a conscious effort (the "glottal stop").

9. Practise these sounds, don't bother about the meaning:
Hier ist die Liesel. Was will sie? Der Seemann liebt die See. Man badet im Wasser. Der Wind kommt und der Sturm kommt. Der Bruder ist unglücklich in Deutschland. Unfreundliche Leute sind hier. Der Rhein ist klein in der Schweiz. Zwei Beine sind besser als ein Bein. Sprechen Sie Deutsch? Zwanzig schöne Männer segeln das Schiff. Gehen Sie an Bord? Der Vater und die Mutter und der Bruder stehen hier. Die Maus läuft in das Haus. Diese Kätzchen laufen in die Löcher. Mein Mädchen liest ein Buch. Die Witwe hat acht Töchter.

10. Refer to the map opposite and the one on page 14 and read aloud the following. The similarity of many words in both languages makes the passage readily understandable. The stress is marked and a few key words listed below the map:
England ist ein Land in Európa. Es liegt im Westen. Deútschland ist auch in Európa. Westdeútschland liegt in Westeurópa, aber Ostdeútschland liegt im Osten von Europa. Westdeutschland ist eine Republik und heisst die Bundesrepublik Deútschland (B.R.D.). Ostdeutschland ist auch eine Republik und heisst die Deutsche Demokrátische Republik (D.D.R.). Europa ist ein Kontinent, Schweden ist ein Land, Hamburg ist eine Stadt, Rom ist eine Haúptstadt. Köln ist auch eine Stadt in Deutschland. Es liegt am Rhein. Bonn liegt auch am Rhein und ist die Haúptstadt von Westdeutschland.

VOCABULARY

die Karte *the card, chart*
eine Landkarte *a map*
eine Stadt *a town*
die Hauptstadt *the capital*
Bund(-es) *union, federation*
es heisst *it is called*

es liegt *it lies, is situated*
aber *but, however*
auch *also, as well*
nicht *not*   wo *where*
im Westen (Osten) *in the west(east)*
am Rhein *on the Rhine*

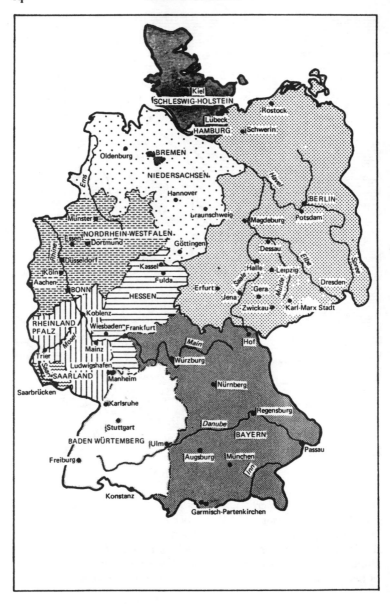

DAS DORF MIESBACH

HIER ist das Dorf Miesbach.
Miesbach ist ein Dorf.
Ist Miesbach ein Dorf?
Ja, es ist ein Dorf.
Das Dorf ist alt.

Das ist das Haus.
Ist das ein Haus?
Ja, es ist ein Haus.
Das Haus ist alt.

Das ist die Kirche.
Ist das eine Kirche?
Ja, es ist eine Kirche.
Ist die Kirche alt?
Ja, sie ist alt.

Das ist die Strasse.
Ist das eine Strasse?
Ja, es ist eine Strasse.
Ist die Strasse auch alt?
Ja, sie ist auch alt.

Das ist der Wagen.
Ist das ein Wagen?
Ja, es ist ein Wagen.
Ist der Wagen alt?
Nein, er ist nicht alt:
er ist neu.

Das ist der Baum.
Ist das ein Baum?
Ja, es ist ein Baum.
Ist der Baum alt?

Ja, er ist sehr alt, und er ist auch gross.

Das ist der Mann.
Er ist auch alt.
Er ist gross.
Er ist gross und alt.

Das ist eine Frau.
Sie ist schön.
Ist die Frau alt?
Nein, sie ist nicht sehr alt.

Das ist das Kind.
Es ist nicht gross: es ist klein.
Ist das Kind klein?
Ja, es ist klein.

Ist das Kind alt?
Nein, es ist nicht alt, es ist jung.
Ist ein Dorf gross?
Nein, es ist nicht gross, es ist klein. Kein Dorf ist gross.
Ist die Frau jung?
Nein, sie ist nicht jung und auch nicht alt.
Ist die Strasse gross?
Nein, sie ist nicht gross, sondern klein.
Ist der Mann jung?
Nein, er ist nicht jung, sondern alt.
Ist der Baum gross?
Ja, er ist gross und er ist auch alt.

Dieser Mann ist sehr gross.
Diese Frau ist nicht sehr gross.
Dieses Kind ist schön.

Dieser Baum ist auch sehr gross.
Diese Kirche ist sehr alt.
Dieses Dorf ist auch sehr alt.

Hier ist der Seemann.
Ein Seemann ist ein Mann.
Er ist ein Mann.
Ist die Frau eine Deutsche?
Nein, sie ist keine Deutsche.
Ist das Kind ein Seemann?
Nein, es ist kein Seemann.

Hier ist das Boot.
Ein Boot segelt.
Ist ein Wagen ein Boot?
Nein, er ist kein Boot, er
segelt nicht.

Dies ist die Sonne.
Die Sonne scheint.
Scheint die Sonne heute?
Nein, die Sonne scheint heute nicht.

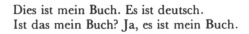

Dies ist mein Buch. Es ist deutsch.
Ist das mein Buch? Ja, es ist mein Buch.

Ist das mein Haus? Nein, es ist nicht mein Haus.
Ist dies mein Wagen? Nein, dies ist nicht mein Wagen.
Ist dies meine Kirche? Nein, dies ist nicht meine Kirche.
Ist meine Frau hier? Nein, sie ist nicht hier.
Ist das sein Kind? Nein, das ist nicht sein Kind.
              Das ist kein Kind. Das ist ein Mann.

Der Wagen ist klein; die Kirche ist gross; dieser Seemann ist ein
Mann; ein Boot segelt; die Sonne scheint; es ist warm; es ist nicht
kalt; mein Haus ist neu; diese Strasse ist klein; das Kind ist jung;
meine Frau ist nicht sehr alt; kein Kind ist sehr gross; mein Buch ist
deutsch; diese Kirche ist deutsch; dieses Dorf ist auch deutsch; dieser
Wagen ist nicht alt, er ist neu;

Der Deutsche wohnt in Deutschland; er spricht Deutsch.
Der Engländer wohnt in England; er spricht Englisch.
Ein Franzóse wohnt in Fránkreich; er spricht Französisch.
Ein Italiéner wohnt in Itálien; er spricht Italiénisch.

VOCABULARY

Deutschland *Germany*: deutsch *German*: der (die) Deutsche *the German*: England *England*: englisch *English*: der Engländer *the Englishman*: Frankreich *France*: französich *French*: der Französe *the Frenchman*: Italien *Italy*: italienisch *Italian*: der Italiener *the Italian*

der Baum *the tree*	nicht *not*
der Mann *the man*	ein Baum *a tree*
der Seemann *the sailor*	ein Mann *a man, husband*
der Wagen *the cart, car*	dieser Seeman *this sailor*
die Frau *the woman, wife*	dieser Wagen *this cart*
die Kirche *the church*	eine Frau *a woman*
die Sonne *the sun*	eine Kirche *a church*
die Strasse *the street*	keine Sonne *no sun*
das Boot *the boat*	diese Strasse *this street*
das Buch *the book*	dieses Boot *this boat*
das Dorf *the village*	mein Buch *my book*
das Haus *the house*	ein Dorf *a village*
das Kind *the child*	sein Haus *his house*
das ist *that is*	kein Kind *no child*
hier ist *here is*	alt *old*
er ist *he is*	gross *big*
dies ist *this is*	jung *young*
es ist *it is*	kalt *cold*
sie ist *she is*	klein *small*
er segelt *he sails*	neu *new*
es scheint *it shines*	schön *fine lovely*
sie spricht *she speaks*	warm *hot*
sie wohnt *she lives*	sehr *very*
auch *also, too*	sondern *but, on the contrary*
heute *to-day*	und *and*
ja *yes*	
nein *no*	

GRAMMAR

Gender, Nominative Case, Questions
1. All nouns have capital letters: der Mann, die Sonne, das Boot.

2. Gender

There are three genders in German. They are shown by the definite article (English 'the'): **der** (masculine), **die** (feminine), **das** (neuter). The indefinite article (English 'a') also differs according to gender: **ein** (masculine), **eine** (feminine), **ein** (neuter).

The gender of every noun must be known. The gender of nouns is not decided by sex divisions as in English, but is often quite arbitrary, e.g. **das Kind** is neuter, **der Wagen** is masculine.

3. *Nominative Case*

Dieser declines with endings like **der, die, das.**

masc.	fem.	neut.
dieser Wagen	diese Frau	dieses Dorf

Kein, sein and **mein** decline with endings like **ein, eine, ein.**

masc.	fem.	neut.
mein Baum	meine Frau	sein Boot
kein Mann	keine Sonne	kein Kind

Kein means *no, not a,* or *not any.*

Sie ist kein Kind — *She is not a child.*

Hier ist kein Wasser — *There isn't any water here.*

('Nicht ein' is *not* used.)

4. *Questions*

A question is formed by inverting the word order, putting the subject after the verb.

Die Frau ist alt. — *The woman is old.*

Ist die Frau alt? — *Is the woman old?*

Scheint die Sonne? — *Is the sun shining?*

Spricht sie Deutsch? — *Does she speak German?*

5. *Pronouns*

Ist der Baum gross? **Er** ist gross.

Ist die Strasse alt? **Sie** ist alt.

Ist das Kind jung? **Es** ist jung.

As objects are either masculine, feminine or neuter, 'it' is translated as either **er** (he), **sie** (she) or **es** (it).

AUFGABEN (*Exercises*)

A. Put **der, die** or **das** before the following nouns:
Seemann, Dorf, Strasse, Boot, Mann, Kind, Frau, Kirche,
Haus, Baum, Wagen, Buch.

B. Put **ein** or **eine** before the nouns in Exercise A.

C. Reply in German:

   e.g. Ist der Seemann alt? Ja, er ist alt.
    1. Ist die Frau schön?
    2. Ist das Boot klein?
    3. Ist die Sonne warm?
    4. Ist ein Kind klein?
    5. Ist mein Buch deutsch?
    6. Ist sein Kind jung?
    7. Ist dieses Dorf alt?

D. Reply in German:

   e.g. Ist Miesbach gross? Nein, es ist nicht gross sondern klein.
    1. Ist der Seemann jung?
    2. Ist die Strasse gross?
    3. Ist der Mann jung?
    4. Ist dieser Baum klein?
    5. Ist die Sonne kalt?
    6. Ist dieses Boot gross?
    7. Ist sein Kind alt?

E. Reply in German:

   e.g. Was (what) ist dies? Dies ist ein Buch.
    1. Was ist Miesbach?
    2. Was ist ein Seemann?
    3. Was macht (does) die Sonne?
    4. Was macht ein Boot?
    5. Wie (how, what . . . like) ist die Sonne?
    6. Wie ist dieses Dorf?
    7. Wie ist die Kirche?
    8. Wie ist der Wagen?

9. Was ist gross?
10. Was ist alt?
11. Was spricht (*a*) der Engländer, (*b*) der Franzose, (*c*) der Italiener?
12. Wo wohnt (*a*) der Ostdeutsche, (*b*) die Westdeutsche, (*c*) der Franzose?

DER SEEMANN

Hier ist ein Bild.

Der Tag ist warm und schön; das Wasser ist blau; die Sonne scheint. Der Himmel ist auch blau und die Luft ist klar.

Das Schiff segelt; es ist ein Segelschiff; es ist nur klein; ein Mast und ein Segel! Das Schiff segelt gut, denn der Wind ist freundlich und nicht kalt, und das Wasser ist klar. Das Boot segelt von Deutschland nach England. Welches Land ist das? Jenes Land ist Deutschland.

Nur ein Mann ist an Bord. Er ist ein Seemann und auch der Kapitän. Dieser Seemann segelt und macht alles an Bord. Er ist glücklich, denn die See ist still und der Wind freundlich. Welche See ist das? Das ist die Nordsee.

Aber, was ist das? Eine Wolke. Jene Wolke ist schwarz. Und wie ist der Himmel? Der Himmel ist blau, aber er wird grau. Wie wird der Wind? Der Wind wird frisch und kalt. Was macht der Seemann? Er segelt nicht mehr. Er macht nichts. Der Wind macht alles. Das Wasser ist nicht mehr klar, es wird unfreundlich. Es ist nicht mehr still. Welcher Wind ist kalt? Der Nordwind ist kalt.

Ein Sturm kommt. Jener Himmel ist nicht blau und klar; er wird schwarz. Der Wind ist nicht freundlich; er wird stark. Jene See ist nicht blau; sie wird grau. Aber der Seemann ist nicht unglücklich. Sein Schiff ist gut und stark. Die See ist unfreundlich und der Himmel schwarz, aber Gott ist dort. Er ist freundlich und macht alles gut. Das Boot kommt an das Land, wenn Gott will.

VOCABULARY

der Gott *God*
der Himmel *the sky, heaven*
der Kapitän *the captain*
der Mast *the mast*
der Sturm *the storm*
der Tag *the day*
der Wind *the wind*
die Luft *the air*
die See *the sea*
die Wolke *the cloud*
das Bild *the picture*
von Deutschland *from (of) Germany*
nach England *to England*
das Land *the land*
das Schiff *the ship*
das Segel *the sail*
das Segelschiff *the sailing-ship*
das Wasser *the water*
Nord – *north, northern*, c.f. Ost- Süd- West- (used in compounds)
der Süden *the south*, der Norden, der Westen, der Südosten, etc
aber *but*
alles *everything*
an Bord *on board*
denn *for, because*
dort *there*
blau *blue*

freundlich *friendly, kind*
frisch *fresh*
glücklich *happy, lucky*
grau *grey*
gut *good, well*
jener *that*
schwarz *black*
stark *strong*
still *quiet, peaceful*
unfreundlich *unkind*
unglücklich *unhappy*
welcher *which*
er kommt *he comes*
sie macht *she makes, does*
es scheint *it shines, seems*
er segelt *he sails*
er wird *he becomes, grows*
mehr *more, longer*
nichts *nothing*
nur *only*
was *what*
wenn Gott will *God willing*
wer *who*
wie *how, what . . . like*
wo *where*

GRAMMAR

1. **Jener** (that) (rarely used except when contrasting with dieser) and **welcher** (which) have the same endings as **dieser**.

masc.	fem.	neut.
jener Mann	jene Frau	jenes Boot
welcher Tag	welche Strasse	welches Bild

2. **Er segelt** means 'he sails', 'he is sailing', 'he does sail'.

There is only ONE simple form of the Present Tense in German whereas English has three.

> Scheint die Sonne? *Does the sun shine?*
> Ja, sie scheint. *Yes, it is shining.*
> Der Kapitän segelt heute. *The captain sails to-day.*
> Sie wohnt hier. *She lives, does live, is living here.*

AUFGABEN

A. Put the definite article (**der, die** or **das**) before the following nouns:

> Wasser, See, Mann, Gott, Wind, Boot, Schiff, Sturm, Seemann, Wolke, Sonne, Luft, Land, Bild, Kapitän.

B. Insert the indefinite article (**ein, eine, ein**) before the nouns in Exercise A.

C. Put **dieser, welcher, kein, sein, mein** alternately before the nouns in Exercise A and translate each.

D. Supply a suitable adjective to complete the following sentences:
e.g. Das Wasser ist —. Das Wasser ist still (klar, warm, *etc.*).

1. Der Himmel ist —.   2. Gott ist —.
3. Das Boot ist —.   4. Die Sonne ist —.
5. Das Land ist —.   6. Die See ist —.
7. Dieser Wind ist —.   8. Mein Mann ist —.
9. Sein Segel ist —.   10. Die Wolke wird —.

E. Put a pronoun (**er, sie** or **es**) instead of the noun in the sentences of Exercise D:

   e.g. Das Wasser ist still. Es ist still.

F. Reply in German:

   1. England ist ein Land. Was ist Deutschland?
   2. Dieser Mann ist ein Seemann. Was ist der Kapitän?
   3. Dieses Schiff ist ein Boot. Was ist ein Segelschiff?
   4. Der Tag ist schön. Ist der Tag auch warm?
   5. Der Himmel ist blau. Wie ist das Wasser?
   6. Wie ist der Wind?
   7. Wie ist die See?
   8. Wie ist der Himmel?
   9. Wie ist die Luft?
   10. Wo ist der Kapitän? Ist er an Bord?
   11. Wo ist der Seemann?
   12. Wo ist das Bild? Ist es hier?
   13. Wo ist das Land? Ist es auch hier?
   14. Wer ist freundlich? Ist der Seemann freundlich?
   15. Wer ist an Bord?
   16. Wer ist Kapitän?
   17. Wer segelt?
   18. Was ist klar?
   19. Was wird grau?
   20. Was wird unfreundlich?
   21. Was ist warm?
   22. Wer wird nicht unglücklich?
   23. Was kommt an das Land?
   24. Was scheint?
   25. Welcher Mann macht alles?

G. 'Ein Sturm kommt.' Describe this in German.

H. Translate into German:

   1. The water is cold. 2. His boat is old. 3. That man is very kind. 4. The church is small. 5. Is the sky blue? 6. The captain is not on board. 7. Who is sailing from Germany to England? 8. The sun is not shining to-day. 9. The sailor does everything on

board. 10. This child is very young. 11. In eastern England it is cold, when the wind comes. 12. Where does this German woman live? 13. The sun shines in southern Italy. 14. My mother is French, but she lives in England. 15. Who is this man? Is he the captain?

DIE FAMILIE

LIESEL liebt das Bild in Kapitel Zwei.

Sie liebt den Seemann, sie liebt das Schiff und sie liebt die See. Aber, wer ist Liesel?

Liesel Schulz ist klein: sie ist ein Kind.

Sie ist acht Jahre alt. Sie hat einen Bruder.

Ihr Bruder Karl ist nicht alt: er ist auch nicht jung: er ist achtzehn Jahre alt.

Liesel hat auch eine Schwester. Ihre Schwester Paula ist schon zwanzig Jahre alt. Sie ist sehr hübsch.

Liesel ist ein Mädchen, Paula ist ein Fräulein, Karl ist ein Teenager. Er ist kein Junge, er ist zu alt: er ist kein Mann, er ist zu jung: er wird ein Mann.

Sein Vater, Herr Anton Schulz, ist ein Mann.

Seine Mutter, Frau Marie Schulz, ist eine Frau.

Dieser Mann, Anton, und diese Frau, Marie, sind Mann und Frau.

Sie, ihre Tochter Paula, ihr Sohn Karl und ihr Kind Liesel sind eine Familie.

Sie wohnen in Miesbach. Miesbach ist keine Stadt, sondern ein Dorf. Dieses Dorf ist nicht gross, sondern klein.

Ihr Haus aber ist gross.

Diese Familie hat einen Hund. Dieser Hund ist gross und braun und freundlich. Er heisst 'Wotan.' Die Familie liebt ihren Hund, aber Liesel liebt ihn sehr. Er liebt sie auch und macht alles, was sie sagt. Sie sagt: "Wotan, komm her!" und er kommt. Sie sagt: "Wotan, mach schön!" und er sitzt.

Möhrchen, die Katze, ist nicht so freundlich, aber Paula liebt sie. Die Katze liebt niemand—nur vielleicht den Teenager Karl. Wotan ist ein Haushund, und die Katze ist auch nützlich. Sie fängt oft eine Maus. Wotan fängt nichts: er hat einen Stuhl, wo er schläft. Er ist klug.

VOCABULARY

der Bruder *brother*
der Herr *gentleman, Mr.*
der Hund *dog*
der Junge *boy, lad*
der Teenager *adolescent*
der Sohn *son*
der Stuhl *chair*
der Vater *father*
die Familie *family*
die Katze *cat*
die Maus *mouse*
die Mutter *mother*
die Schwester *sister*
die Stadt *town*
die Tochter *daughter*
das Fräulein *young lady, Miss*
das Jahr *year*

das Kapitel *chapter*
das Mädchen *girl*
acht *eight*
achtzehn *eighteen*
hübsch *pretty*
ihr *her, their*
klug *clever*
nützlich *useful*
zwanzig *twenty*
zwei *two*
ganz *quite*
niemand *nobody*
oft *often*
schon *already*
vielleicht *perhaps*
zu *to, too*

Verbs

er sitzt *he sits, is sitting, does sit*
er wohnt *he lives*
er hat *he has*
sie liebt *she loves*
sie sagt *she says*
er schläft *he sleeps*
sie fängt *she catches*
er ist *he is*
er heisst *he is called, his name is*

sie sitzen *they sit, are sitting, do sit*
sie wohnen *they live*
sie haben *they have*
sie lieben *they love*
sie sagen *they say*
sie schlafen *they sleep*
sie fangen *they catch*
sie sind *they are*
sie heissen *they are called, their name(s) is (are)*

Expressions

komm her! *come here!*
alles, was er macht *all that he does*

mach' schön! *sit up!*
auch nicht *not . . . either*

GRAMMAR

1 . *Accusative Case*

    a. Ihren Bruder; ihre Schwester; ihr Haus.

        Ihr (her) has the same endings to show gender as **sein** and **kein**.

    b. Sie liebt den Seemann; sie liebt das Schiff; sie liebt die See. The person or thing that she loves is called the direct object in grammar. The accusative case is used for the direct object. Just as, in English, HE becomes HIM in the objective case and SHE changes to HER (I like HIM; he loves HER), so, in German, **der** changes to **den**. Similarly **dieser** becomes **diesen, welcher** changes to **welchen, ein** beccmes **einen, kein** becomes **keinen**, etc.

        The masculine alone changes in the accusative case.

        The accusative is the same as the nominative case for feminine and for neuter nouns.

Masculine

Nom. der Mann, dieser Hund, welcher Wagen, ein Sohn.
Acc. den Mann, diesen Hund, welchen Wagen, einen Sohn.

Feminine

Nom. }   die Frau, diese Katze, welche Strasse, meine
Acc. }   Mutter.

Neuter

Nom. }
Acc. }   das Kind, dieses Boot, welches Jahr, ein Buch.

    c. Pronouns

	masc.	fem.	neut.	pl.	interr.
Nom.	**er**(he)	**sie**(she)	**es**(it)	**sie**(they)	**wer?**(who?)
Acc.	**ihn**(him)	**sie**(her)	**es**(it	**sie** (them)	**wen?** (whom?)

d. Note the use of the nominative and accusative cases:

nom.	nom.	acc.
Dieser Hund ist braun.	Er hat **einen Hund**.
Die Kirche ist hier.	Das Dorf hat **eine Kirche**.
Das Kind ist klein.	Er liebt **das Kind.**
Ein Vater ist alt.	Der Hund liebt **den Vater.**
Wotan ist **ein Hund**.	Er liebt **ihn**.
Sie ist meine **Mutter**.	Das Kind liebt **sie**.
Das ist **ein Boot**.	Niemand liebt **es**.

The nominative shows the subject and usually comes before the verb. The accusative shows the object and usually comes after the verb. A noun following the verb *to be* is in the nominative case as well as the noun preceding the verb.

2. Er sitzt, sie sitzen.

The verb ends in **-t** after **er** (he), **sie** (she) or **es** (it).

The verb ends in **-en** after **sie** (they), except for **sie sind** (they are).

AUFGABEN

A. Read the following nouns with the definite article in the nominative and accusative cases (e.g. der Bruder, den Bruder):

Bruder, Sohn, Tochter, Fräulein, Hund, Haus, Dorf, Kind, Schwester, Mann, Himmel, Wind, Tag, Stuhl, Maus, Schiff.

B. Repeat the first eight nouns of Exercise A with **kein**, and the last eight with **ihr**, instead of the definite article.

C. Supply a suitable word in German:

1. Das Haus ist—.
2. Dieser Baum ist—.
3. Sein Dorf ist—.
4. Eine Katze ist—.
5. Dieser Hund heisst—.
6. Ein Seemann ist——.
7. Meine Mutter ist—.
8. Ihr Kind ist—.
9. Liesel ist ein—.
10. Die Tochter heisst—.
11. Ein Teenager wird——.
12. Er ist achtzehn Jahre—

D. Put pronouns for nouns in the following:

e.g. Der Mann liebt das Kind. Er liebt es.

1. Die Mutter liebt das Kind.
2. Das Kind liebt den Vater.
3. Der Vater hat ein Haus.
4. Die Sonne scheint nicht.
5. Die Katze fängt eine Maus.
6. Der Hund hat einen Stuhl.
7. Das Fräulein hat keinen Mann.
8. Der Seemann liebt sein Schiff.

E. Sentences 4 and 7 in Exercise D are negative. Rewrite the others, making them negative by inserting **nicht** in the right place, or by changing **ein** to **kein**.

F. Reply in German.

1. Was ist Liesel? 2. Was liebt sie? 3. Wen liebt sie? 4. Was ist Paula? 5. Was liebt Paula? 6. Wie heisst ihr Bruder? 7. Was hat Herr Anton Schulz? 8. Wer hat einen Sohn? 9. Ist dieser Sohn alt? 10. Wen liebt der Hund? 11. Wie ist der Hund? 12. Ist die Mutter alt? 13. Wer ist jung? 14. Was macht die Katze? 15. Was ist Miesbach? 16. Ist das Haus klein? 17. Liesel sagt. "Wotan, komm her!" Was macht Wotan? 18. Liesel sagt: "Mach schön!". Was macht Wotan? 19. Hat Karl eine Frau? 20. Hat das Dorf eine Kirche? 21. Wer liebt sein Schiff? 22. Hat das Kind ein Buch? 23. Hat das Schiff einen Mast? 24. Wer hat einen Hund?

G. Describe in German the members of the Schulz family.

H. Translate into German:

1. He has a dog. 2. She loves her child. 3. Nobody loves the cat. 4. Has her father a house? 5. This boy has no brother. 6. His father is not a sailor. 7. Have they a dog? 8. Nobody likes this picture. 9. Her sister is called Liesel. 10. That lady does not have a daughter but she has a son. 11. This young lady is quite pretty. 12. My daughter is a teenager; she is only eighteen.

WAS MACHT DIE FAMILIE?

ANTONS Haus hat einen Garten. Dieser Garten ist schön, wenn die Sonne scheint. Hier spielt Liesel. Sie ist glücklich, sie lacht und singt.

Hier spielt auch die Katze, denn die Katze ist jung. Sie ist ein Kätzchen. Aber der Hund spielt nicht: er ist zu alt: er schläft.

Anton spielt nicht, wenn Liesel spielt: er arbeitet. Er ist Lehrer. Das Dorf hat eine Schule und Anton ist dort der Schullehrer. Er ist Dorfschullehrer.

Aber Anton spielt abends: er spielt Klavier: er ist musikalisch. Auch sein Sohn, Karl, ist musikalisch und spielt Violine. Marie spielt kein Instrument: sie singt.

Was macht die Mutter, wenn Anton arbeitet und Liesel spielt? Sie arbeitet auch. Sie hat viel Arbeit, denn das Haus ist nicht klein.

Das Haus hat acht Zimmer. Jedes Kind hat sein Schlafzimmer aber Anton und Marie haben nur ein Schlafzimmer.

Marie macht das Haus sauber. Sie macht jedes Bett und dann macht sie jedes Schlafzimmer sauber: und sie kocht. Das Haus hat eine Küche, wo die Mutter kocht. Die Küche ist schön und sauber.

Jedes Kind hat ein Schlafzimmer, aber das Haus hat nur ein Wohnzimmer. Das Wohnzimmer ist da, wo man wohnt und sitzt. Hier spielt Anton Klavier. Hier singt Marie abends. Sie singen und spielen, denn die Familie hat kein Fernsehgerät.

Das Haus hat auch nur ein Esszimmer. Das Esszimmer ist da, wo man isst und trinkt. Marie kocht, und die Familie isst und trinkt. Was trinkt man?

Der Vater trinkt Wein oder Bier; die Mutter trinkt gern Kaffee; Paula und Karl trinken gern Tee, und Liesel trinkt Milch.

Der Tag ist schön, aber der Tag hat ein Ende. Die Sonne scheint nicht mehr. Dann ist es Abend, und dann kommt die Nacht. Abends spielt Liesel nicht. Sie schläft. Was macht Marie? Sie macht nichts;

sie sitzt. Was macht Karl? Er hat auch eine Arbeit; er studiert. Er studiert gern Englisch, denn er ist Student. Er arbeitet Tag und Nacht.

VOCABULARY

der Abend *evening*
der Garten *garden*
der Kaffee *coffee*
der Lehrer *teacher*
der Student *student*
der Tee *tea*
der Wein *wine*
die Arbeit *work*
die Küche *kitchen*
die Milch *milk*
die Nacht *night*
die Schule *school*
die Violine *violin*
das Bett *bed*
das Bier *beer*
das Ende *end*
das Esszimmer *dining room*
das Fernsehgerät *T. V. set*
das Instrument *instrument*
das Kätzchen *kitten*
das Klavier *piano*
das Schlafzimmer *bedroom*
das Wohnzimmer *living room*
das Zimmer *room*

musikalisch *musical*
sauber *clean*
abends *in the evening*
dann *then*
denn *for*
gern(-e) *willingly*
oder *or*
viel *much, a lot (of)*
er arbeitet *he works*
sie essen *they eat*
er isst *he eats*
sie kocht *she cooks*
sie singt *she sings*
er spielt *he plays*
er studiert *he studies*
sie trinken *they drink*
man trinkt *one drinks*
er spielt abends *he plays in the evenings*
sie singt gern *she likes to sing*
er studiert gern *he likes to study*
sie lacht *she laughs*
Sie haben gern *they are fond of*

Most German words have root stress, but notice the stress on the final syllable of Instrum**ent**, Klav**ier**; on the third syllable of Vio**li**ne; and on the third syllable to musi**ka**lisch.

GRAMMAR

1. *Compound Nouns*

das Dorf, die Schule, der Lehrer:	der Dorfschullehrer
das Haus, der Hund:	der Haushund
die See, der Mann:	der Seemann
wohnen, das Zimmer:	das Wohnzimmer
die Katze, -chen:	das Kätzchen
die Magd, -chen:	das Mädchen
die Frau, -lein:	das Fräulein
der Hund, -lein:	das Hündlein (*little dog*)
die Schwester, -lein:	das Schwesterlein (*little sister*)

A compound noun has the gender of its last part.
Diminutives (**-chen, -lein** = dear, little) are neuter.

2. Jedes Kind; jeder Mann; jede Frau.
   Jeder (every) has the same endings as **der, dieser, welcher.**

3. er wohnt *he lives*; es trinkt *it drinks*; sie hat *she has*.
   sie wohnen *they live*; sie trinken *they drink*; sie haben *they have*.

   The 3rd person singular of the verb ends in **-t** (er, sie, es -t). The 3rd person plural of the verb ends in **-en** (sie, -en), but note **sie sind** = *they are*.

AUFGABEN

A. Give the accusative case of:

    der Tag, die Küche, das Bett, dieser Abend, diese Nacht, dieses Klavier, mein Hund, meine Tochter, mein Dorf, kein Schiff, keine Katze, sein Zimmer, diese Milch, dieser Kaffee, kein Tee, jeder Lehrer, jedes Zimmer, sein Bier.

B. Put the correct ending (where necessary):

1. Dies- Tag hat kein- Ende.
2. Dies- Student hat kein- Buch.
3. Mein- Vater trinkt kein- Wein.
4. Mein- Mutter trinkt dies- Wein.
5. Dies- Kätzchen liebt d- Teenager.
6. D- Violine ist ein- Instrument.

7. Sie haben ein- Lehrer.
8. D- Kätzchen wird ein- Katze.
9. Sie lieben d- Arbeit.
10. D- Hund trinkt kein- Milch.

C. Give the plural of (e.g. or wohnt, sie wohnen):
   er lacht; er singt; er arbeitet; sie kocht; sie sitzt; er studiert; es
   hat; sie wohnt; er spielt; es segelt.

D. Reply in German:

1. Wann (when) ist der Garten schön?
2. Ist Möhrchen eine Katze?
3. Warum (why) spielt der Hund nicht?
4. Wer singt gern?
5. Was macht der Vater, wenn Liesel spielt?
6. Was macht die Mutter?
7. Was macht der Vater abends?
8. Welches Instrument spielt Marie?
9. Wer macht das Haus sauber?
10. Wer macht das Bett?
11. Wo wohnen Anton und Marie?
12. Was ist ein Wohnzimmer?
13. Was trinkt der Vater?
14. Was trinken Paula und Karl?
15. Wer trinkt Kaffee?
16. Wie ist der Kaffee?
17. Wie ist die Sonne?
18. Scheint die Sonne abends?
19. Welche Arbeit macht Karl?
20. Wann studiert er?
21. Was studiert er gern?
22. Was hat jedes Kind?
23. Wann ist der Tag schön?
24. Wer spielt Klavier?
25. Wann kommt das Schiff an das Land?

E. Translate into German:

1. Which instrument does he play? 2. The boy likes
studying. 3. They drink milk. 4. The bedroom is large and

clean. 5. Every house has a kitchen as well. 6. What is the mother cooking? 7. They work day and night. 8. What do they like drinking? 9. Who likes playing the piano? 10. This student studies his book in the evening. 11. They have no T.V. set.

DIE FAMILIE MACHT MUSIK

Das Ende des Tages kommt. Das ist auch das Ende der Arbeit. Die Arbeit der Familie ist heute fertig.

Anton ist musikalisch, und jedes Kind spielt ein Instrument. Das Instrument des Sohnes ist die Violine, und Paula spielt gern Klavier. Der Vater ist Meister jedes Instruments. Was für ein Instrument spielt er heute? Heute spielt er Cello.

Sie probieren ein Trio von Mozart. Die Musik des Trios ist schön. Die Mutter hört sie gern. Wotan aber ist kein Freund der Musik. Er liebt den Ton der Violine nicht: er heult. Liesel lacht und sagt: "Wotan singt auch."

Dann kommt das Ende des Stückes, und Marie singt ein Lied. Welches Lied singt sie? Der Name jenes Liedes ist *Der Erlkönig* (Es heisst *Der Erlkönig*). Der Komponist dieses Liedes ist Schubert (Der Komponist heisst Schubert). Dann singen alle ein Volkslied. Ein Volkslied ist ein Lied des Volkes.

Jeder Musiker wird durstig: das Hausmädchen der Familie bringt etwas zu trinken. Frau Schulz nimmt eine Tasse Kaffee; Anton trinkt ein Glas Bier; Paula und Karl nehmen ein Glas Milch und essen auch ein Stück Kuchen.

Dann singen sie noch ein Lied, sagen 'Gute Nacht' und gehen alle zu Bett.

Die Arbeit Wotans hat kein Ende. Was für eine Arbeit hat der Hund? Er geht nicht zu Bett; er bewacht das Haus.

VOCABULARY

der Erlkönig *the Erl-king*
der Freund *friend*
der Komponist *composer*
der Meister *master*
der Musiker *musician*
der Name(n) *name*
der Spieler *player*
der Ton *note, sound*
die Musik *music*
die Tasse *cup*
die Tür *door*
das Hausmädchen *servant*
das Glas *glass*
das Lied *song*
das Stück *piece*
das Trio *trio*
das Volk *people, nation*
das Volkslied *folk song*
durstig *thirsty*
fertig *ready, finished*
ein Glas Bier *a glass of beer*
da there *then*

etwas *something, some*
noch *still, yet*
noch ein *another*
noch nicht *not yet*
von *from, of, by*
bewachen *to watch, guard*
gehen *to go, walk*
heissen *to be called, be named*
heulen *to howl*
lachen *to laugh*
nehmen *to take*
probieren *to try*
was für ein Lied? *what sort of song*
Gute Nacht! *Good night!*
er spielt gern *he likes to play*
sie hört gern *she likes to hear*
sie hat gern *she likes, is fond of*
ein Stück Kuchen *a piece of cake*
eine Tasse Tee *a cup of tea*
etwas zu trinken *something to drink*
zu Bett *to bed*

Note the stress in Músiker, Musík, Komponíst, bewácht, probíeren.

GRAMMAR

Genitive Case

1. The genitive case is used to denote possession, ownership, 'of.'

The English possessive adds **-'s,** and the German ends in **-s** (**-es**) in the masculine and neuter. The feminine article, **die,** becomes **der** in the genitive. Feminine nouns do not add **-s**.

	masc.	*fem.*	*neut.*
Nom.	der Tag	die Frau	das Kind
Gen.	des Tages	der Frau	des Kindes
Nom.	dieser Mann	diese Frau	dieses Kind
Gen.	dieses Mannes	dieser Frau	dieses Kindes
Nom.	ein Freund	eine Tasse	ein Glas
Gen.	eines Freundes	einer Tasse	eines Glases
Nom.	kein Sohn	keine Tochter	kein Jahr
Gen.	keines Sohnes	keiner Tochter	keines Jahres

2. Not only do the article and similar words change, but also the noun adds **-s** (**-es**) in the genitive masculine and neuter. An **-s** is normally added if it is easy to pronounce. If **-s** would be hard to pronounce, **-es** is added. Nouns ending in **-s** and **-z** must add **-es** in the genitive.

> der Vater, des Vaters; der Tee, des Tees; der Tag, des Tag (**-e**)s; das Ende, des Endes; das Glas, des Glases; der Kuchen, des Kuchens; jedes Jahr, jedes Jahr(**-e**)s.

Feminine nouns do not change in the singular:

> die Frau, der Frau; die Katze, der Katze; die Freundin, der Freundin; jede Tasse, jeder Tasse.

3. The genitive case of **wer** (who) is **wessen** (whose).

4. In English the tendency is to put the possessive words first. In German it is usual to put them after:

> His father's house = Das Haus seines Vaters.
> A mother's work = Die Arbeit einer Mutter.
> *Seines Vaters Haus* is an equally correct rendering, but this so-called Saxon Genitive is used mostly in poetry and then usually with masculine and neuter nouns. It would also be good German to say *einer Mutter Arbeit,* but the student is advised to make the genitive come after the noun it applies to, except for proper nouns: *Goethes Freund* or *der Freund Goethes*. There is no apostrophe.

AUFGABEN

A. Give the genitive case of these nouns (e.g. das Haus—des Hauses):

> der Tag, der Freund, das Lied, das Zimmer, die Küche, die Mutter, ein Mann, ein Hund, eine Katze, eine Frau, sein Kind, ein Mädchen, ihr Bruder, seine Schwester, welche Tochter, mein Kuchen, dieses Glas, jedes Stück, sein Bier, meine Arbeit.

B. Fill in suitable words:

1. Der Kapitän des Schiffes ist—.
2. Der Vater des Kindes ist—.
3. Der Name dieser Familie ist—.
4. Der Komponist des Liedes heisst—.
5. Die Frau dieses Mannes heisst—.
6. Karls Instrument ist ——.
7. Paula spielt —.
8. Wotan ist der Name ——.
9. Liesel ist der Name ——.
10. Anton ist der Vater ——.

C. Reply in German:

1. Wer ist musikalisch?
2. Wer spielt Klavier?
3. Was spielt Anton?
4. Was macht der Hund?
5. Was singt Frau Marie?
6. Wie heisst das Lied?
7. Was bringt das Hausmädchen?
8. Was trinkt man?
9. Wer bewacht das Haus?
10. Liebt Wotan die Musik?
11. Was ist der Name der Katze?
12. Wessen Trio spielen sie?
13. Wessen Tochter ist Paula?
14. Was ist der Name der Königin?
15. Was hört Marie gern?

16. Trinkt Anton gern Wasser?
17. Was ist der Name eines Instruments?
18. Welches Instrument spielt Anton?
19. Der Hund heult; was macht Liesel?
20. Was essen Karl und Paula?

D. Describe the musical evening in your own words in German.

E. Translate into German:

1. The end of the piece is beautiful. 2. The name of the player is Karl. 3. They eat a piece of cake. 4. The father of the family is named Anton. 5. The servant brings a cup of coffee. 6. That is the end of the day. 7. A mother's work has no end. 8. The composer of that song is very young. 9. They say good-night and go to bed. 10. My dog is watching the door of the bedroom. 11. Not every family has a T.V. set.

6

KARLS GEBURTSTAG

Es ist heute Karls Geburtstag. Seine Freundin, Leni Fritsch, bringt dem Teenager ein Paket, gibt es ihm und wünscht ihm: "Alles Gute zum Geburtstag!"

Karl sagt zu ihr, "Danke schön." "Bitte schön," antwortet ihm Leni und fragt: "Warum öffnen Sie das Paket nicht?" Paula holt ihm ein Messer, und er öffnet das Paket. Es ist ein Zigarettenetui. "Silber," sagt Karl, "O, wie schön! Ich danke Ihnen, Leni. Sie sind sehr freundlich." Leni ist zufrieden, und Karl ist glücklich.

Dann kommt der Vater und gibt seinem Sohn ein Geschenk—eine Schallplatte. Karl dankt seinem Vater und auch der Mutter, denn sie gibt ihm ein Buch.

"Welches Buch haben Sie da, Karl?" fragt Leni. "Das ist ein Wörterbuch, Englisch-Deutsch und Deutsch-Englisch; es ist sehr praktisch," antwortet Karl. "Ja, Sie studieren immer Englisch, nicht wahr, Karl?" "Nicht immer," antwortet ihr der Jüngling, "aber ich studiere viel und spreche schon etwas."

Dann kommt Paula und gibt ihrem Bruder ein Geschenk—einen Schlips. Auch das Kind Liesel schenkt ihm Zigaretten. Er nimmt alles sehr gern: er ist sehr glücklich.

Dann sitzen alle: die Mutter klingelt und das Hausmädchen bringt der Mutter die Kaffeekanne. "Bitte, holen Sie mir noch eine Tasse," sagt Frau Marie. Das Hausmädchen bringt sie ihr.

"Nehmen Sie Zucker und Milch, Leni?" fragt die Mutter. "Bitte schön, Frau Schulz, ich nehme nur Milch," antwortet Leni.

"Rauchen Sie eine Zigarette, Leni?" sagt der Vater. "Danke, Herr Schulz, aber ich rauche nicht," sagt Leni.

"Das ist gut," sagt die Mutter. "Ja, das ist sehr gut," sagt Karl, "denn die Zigaretten sind teuer."

So sprechen sie und die Zeit vergeht schnell. Leni trinkt ihren Kaffee und hört ein Musikstück, denn Karl probiert seine Schallplatte. Dann sagt sie: "Auf Wiedersehen." Karl bringt ihr den Mantel und sie geht nach Hause. Karl geht mit ihr.

VOCABULARY

der Geburtstag *the birthday*
der Mantel *overcoat*
der Schlips *tie*
der Zucker *sugar*
die Freundin *girl friend*
die Kaffeekanne *coffee pot*
die Schallplatte *record, disc*
die Zeit *time*
die Zigarette *cigarette*
das Geschenk *gift*
das Messer *knife*
das Paket *parcel*
das Silber *silver*
das Wörterbuch *dictionary*
das Zigarettenetui *cigarette case*
praktisch *practical, useful*
schnell *quick(ly)*
teuer *dear*
zufrieden *satisfied, content*
immer *always*
mit *with*; mit ihr *with her*
zu *to*
antworten *to answer*
bringen *to bring*

danken *to thank*
  ich danke *I thank*
  Sie danken *you thank*
fragen *to ask*
geben *to give*
  er gibt *he gives*
  Sie geben *you give*
holen *to fetch*
klingeln *to ring*
öffnen *to open*
rauchen *to smoke*
schenken *to present, give*
sprechen *to speak*
  er spricht *he speaks*
vergehen *to go by, pass (of time)*
wünschen *to wish*
Danke schön! *Thank you!*
Danke! *No, thanks!*
Bitte schön! *If you please, don't mention it!*
Alles Gute zum Geburtstag! *Happy birthday!*
Auf Wiedersehen! *Goodbye!*
nach Hause *home, homewards*
noch eine Tasse *another cup*

GRAMMAR

1. *Dative Case*

   a. The dative case shows the receiver of the object. In this case the articles and similar words have the ending **-m** for the masculine and neuter and **-r** for the feminine.

	masc.	fem.	neut.	pronoun
Nom.	der Mann	die Frau	das Kind	er sie es
Dat.	dem Mann(-e)	der Frau	dem Kind(-e)	ihm ihr ihm

Similarly with **dieser, jener, jeder, welcher**.

	masc.	*fem.*	*neut.*	*pronoun*
Nom.	ein Wind	eine Wolke	ein Haus	wer?
Dat.	einem Wind	einer Wolke	einem Haus	wem?

Similarly with **kein, mein, sein, ihr,** etc.

In the dative case feminine nouns do not add anything; masculine and neuter nouns of one syllable may add **-e.**

b. When there are two noun objects, the indirect (dative) precedes the direct (accusative): the person precedes the thing:
Die Mutter gibt **ihrem Sohn** ein Wörterbuch.
Er holt **seiner Freundin** den Mantel.

2. Ich danke, ich studiere, ich spreche, ich nehme, ich habe.
After ich (I) the verb stem adds **-e** (*exception:* ich bin).
Sie dank**en,** Sie studier**en,** Sie sprech**en,** Sie nehm**en,** Sie hab**en.**
Sie means *you*, both singular and plural. After **Sie** the verb stem adds **-en** *(exception:* Sie sind).
Sie (you) always has a capital **S** to distinguish it from **sie** (they); **ich** has a small **i**.
It must be emphasised again that there are three English renderings for the one form of the Present Tense in German.
ich studiere = *I study, do study, am studying.*
Sie nehmen =*you take, are taking, do take.*

3. Feminine equivalents are made by adding **-in** to masculine words and modifying where possible, e.g.
der Freund, *the friend*; die Freundin, *the girl friend.*
der Hund, *the dog*; die Hündin, *the bitch.*
der Lehrer, *the teacher*; die Lehrerin, *the woman teacher.*

AUFGABEN

A. Give the dative case of all words in Exercises A and B of Chapter 3.

B. Put in suitable words (1–6 accusative case; 7–12 dative) to complete the following sentences:

1. Leni bringt ihrem Freund—.
2. Paula holt ihrem Bruder—,
3. Das Fräulein wünscht seinem Freund—.
4. Karl sagt dem Fräulein: "—".
5. Liesel gibt dem Hund—.
6. Das Hausmädchen bringt der Mutter—.
7. Paula gibt—einen Schlips.
8. Liesel gibt—ein Paket Zigaretten.
9. Die Mutter schenkt—ein Wörterbuch.
10. Das Dienstmädchen bringt—eine Kaffeekanne.
11. Karl holt—einen Mantel.
12. Marie gibt—ein Glas Bier.

C. In the following, change **er** or **sie** (3rd person singular) to **ich** (1st person singular), remembering also to change the ending of the verb.

> er bringt den Kaffee; sie spielt Klavier; er öffnet das Paket; er ist ein Teenager; er gibt dem Lehrer ein Buch; er sagt seinem Freund kein Wort; sie hat nichts zu essen; er holt ein Glas Milch; er ist Student; er sitzt still; sie macht den Tee; er hat keinen Hund.

D. Repeat Exercise C, changing the person to the 2nd (Sie) and making the necessary changes in the verb endings.

E. Reply in German:

> 1. Wessen Geburtstag ist es? 2. Was gibt der Vater seinem Sohn? 3. Was schenkt die Mutter ihrem Sohn? 4. Was gibt Paula ihm? 5. Was schenkt Liesel ihm? 6. Wer ist Karls Freundin? 7. Was bringt sie ihm? 8: Wem gibt sie es? 9. Wer raucht nicht? 10. Trinken Sie gern Bier? 11. Nimmt Leni Zucker? 12. Nehmen Sie Zucker? 13. Wem gibt Marie eine Tasse Kaffee? 14. Was studiert Karl? 15. Was studieren Sie?

F. Write in German a short account of the gifts which Karl gets on his birthday and from whom.

G. Translate into German:

    1. I am studying German. 2. She gives her brother a tie. 3. Thank you very much. 4. Don't mention it. 5. The child gives her brother cigarettes. 6. The mother brings her son a cup of coffee. 7. 'Goodbye,' says he to his friend. 8. Do you like smoking these cigarettes? 9. He brings her her coat. 10. They give the child a glass of milk in the evening.

DER SCHNEIDER

HEUTE ist der Schneider da. Er ist klein und dick und schlau.

Frau Schulz sagt zu dem Schneider: "Sie machen einen Anzug für Karl, ein Kostüm für Paula und einen Mantel für Liesel. Ich will auch einen Anzug für Anton haben, aber er sagt immer 'Nein, ich habe schon einen'." "Das stimmt," sagt der Schneider.

Dieser Schneider arbeitet nach Mass. Er nimmt bei jedem Kind Mass, und schreibt alles auf.

Er bringt sein Paket, öffnet es und zeigt dem Vater und der Mutter seinen Stoff. Die Farbe dieses Stoffes ist braun.

Karl sieht den Stoff und sagt: "Ich habe diesen Stoff sehr gern; er passt auch gut zu Paulas Schlips."

"Das stimmt," antwortet der Schneider, und lacht.

Aber Paula lacht nicht. Sie sagt: "Ich habe diesen Stoff nicht gern: auch ist die Farbe zu dunkel: sie steht mir nicht."

Die Mutter sagt: "Paula hat recht. Das Tuch ist gut aber es steht ihr nicht. Zeigen Sie mir, bitte, noch ein Tuch, mein Herr."

Der Schneider holt noch ein Stück und zeigt es der Mutter. Paula sieht es auch. "Ja," sagt sie, "das ist schön, das ist fein. Es ist blau und steht mir gut. Es ist Wolle aus England."

Der Vater sagt: "Paula hat recht. Das Tuch ist schön. Und auch der Preis ist schön. Aber es macht nichts, wir nehmen es, nicht wahr, Mutti?"

Die Mutter lacht und antwortet: "Wir kaufen nicht oft, aber wir kaufen gut. Es ist nicht zu teuer, und wir sind dann alle zufrieden."

"Das stimmt," sagt der Schneider. "Ich bin auch zufrieden."

"Wann ist das Kostüm fertig?" fragt Paula. "Ich mache es bald fertig," sagt der Schneider. "Montag?" fragt Paula noch einmal. "Montag passt mir auch," sagt Karl.

"Das stimmt," sagt der Schneider, nimmt sein Tuch, holt seinen Mantel und seinen Hut, sagt der Familie: "Guten Tag,"und geht nach Hause.

"Das Tuch ist gut. Der Preis ist nicht zu hoch, nicht wahr?" sagt Paula. "Das stimmt," sagt der Vater und alle lachen.

VOCABULARY

der Anzug *the suit*
der Montag *Monday*
der Preis *price, prize*
der Schneider *the tailor*
der Stoff *stuff, cloth*
die Farbe *colour*
die Wolle *wool*
das Kleid *dress*
das Kostüm *costume*
das Mass *measure*
das Recht *right*
das Tuch *cloth*
bei (with dat.) *at, with, for*
braun *brown*
dick *fat*
dunkel *dark*
fein *fine, grand*
hoch *high*
schlau *sly, cunning*
wahr *true, real*
aus *out, out of, from, made of*
bald *soon*
für *for*

mir *to me, me*
kaufen *to buy*
passen (with dat.) *to suit, fit*
passen zu *to match*
sehen *to see* er sieht *he sees*
stehen *to stand, suit*
stimmen *to tune, to be right*
das stimmt *that's right*
zeigen *to show*
er arbeitet nach Mass *he works to measure*
er nimmt bei jedem Kind Mass *he measures each child*
er schreibt alles auf *he writes it all down*
es macht nichts *it does not matter*
Guten Tag! *Good day!*
nicht wahr? *isn't it? isn't that so?*
noch einmal *once more*
sie hat recht *she is right*

GRAMMAR

1. Summary of all cases, singular

Masc.:

Nom.	der Mann	dieser Wind	ein Anzug	kein Preis
Acc.	den Mann	diesen Wind	einen Anzug	keinen Preis
Gen.	des Mannes	dieses Windes	eines Anzugs	keines Preises
Dat.	dem Mann(e)	diesem Wind(e)	einem Anzug	keinem Preis(e)

Fem.:

Nom. *Acc.* } die Frau	diese Farbe	eine Mutter	seine Gabe
Gen. *Dat.* } der Frau	dieser Farbe	einer Mutter	seiner Gabe

Neut.:

Nom. *Acc.*	das Kleid	dieses Tuch	ein Zimmer	ihr Haus
Gen.	des Kleides	dieses Tuches	eines Zimmers	ihres Hauses
Dat.	dem Kleid(e)	diesem Tuch(e)	einem Zimmer	ihrem Haus(e)

Pronouns

	he	*she*	*it*	*I*	*you*	*they*	*who*
Nom	er	sie	es	ich	Sie	sie	wer
Acc.	ihn	sie	es	mich	Sie	sie	wen
Gen.	(.	.	*not often found*		.	.	.)	wessen
Dat.	ihm	ihr	ihm	mir	Ihnen	ihnen	wem

2. When there are two noun objects, the indirect precedes the direct, i.e. the dative comes before the accusative.

> Sie gibt ihrem Bruder eine Krawatte.

> Er zeigt der Mutter das Tuch.

When there are two pronoun objects, the accusative comes before the dative.

> Er zeigt es ihr.

> Geben Sie es mir.

With one pronoun and a noun, the pronoun precedes in any case.

> Er gibt es seiner Schwester.

> Er gibt ihr eine Zigarette.

3. *Verbs, Present Tense*

a. *Infin.:* machen *to make*   sagen   sein   haben   werden   sehen

Sing.:	ich mache *I make, am making*	sage	bin	habe	werde	sehe
	Sie machen *you make, do make*	sagen	sind	haben	werden	sehen
	er, sie, es macht *he, she, it makes*	sagt	ist	hat	wird	sieht
Pl.:	wir machen *we* ⎫ Sie machen *you* ⎬ *make, do make, are making* sie machen *they* ⎭	sagen	sind	haben	werden	sehen

Notice the irregularities of the verbs, **sein, haben, werden,** also that some verbs (called 'strong verbs') change their vowel in the 3rd person singular, e.g. **er sieht, er nimmt, er gibt.** The verb has the same form as the infinitive in all persons of the plural and the 2nd person singular. The 1st person singular ends in **-e**. The 3rd person singular ends in **-t**.

b. As in English, the Present is frequently used for the Future Tense, where there is a definite intention indicated.

Ich mache es fertig — *I am getting it ready. — I shall have it ready.*

Wann gehen Sie nach Hause?—*When are you going home?— When will you be going home?*

4. Any adjective may also be used as an adverb.

Sie singt **gut.** *She sings well.*

Er spielt **schön.** *He plays nicely.*

Es passt **gut.** *It fits well. It suits nicely.*

Sie gehen **schnell.** *They go quickly.*

AUFGABEN

A. Give all the cases (singular) of the following:
der Anzug, der Schneider, die Familie, keine Arbeit, das Bett, dieses Haus, welche Farbe, mein Mantel, dieser Preis, jener Stoff, welches Kleid, kein Ende, ihr Mann.

B. Give all persons, singular and plural, of the following verbs:
sagen, antworten, wünschen, öffnen, sein, haben, werden, holen, nehmen, sehen, geben, fangen, kaufen, gehen.

C. Fill in the gaps with the correct endings, where necessary:
1. D — Mantel passt d — Kind nicht.
2. D — Schneider macht ein — Anzug für Karl.
3. Er zeigt d — Mutter sein — Stoff.
4. Mein — Vater gibt sein — Hund ein — Kuchen.
5. D — Fräulein bringt sein — Freund ein — Zigarettenetui.
6. D — Hausmädchen holt d — Mutter ein — Kaffeekanne.
7. D — Farbe d — Mantels ist blau.
8. D — Name d — Hundes ist Wotan.
9. Karl holt ihr d — Hut und d — Mantel.
10. Der Preis d — Stoffes ist hoch.

D. Reply in German:
1. Was macht ein Seemann?
2. Was macht ein Schneider?

3. Was macht ein Musiker?
4. Welche Farbe hat der Himmel?
5. Welche Farbe hat dieses Buch?
6. Welche Farbe hat Ihr Anzug?
7. Ist dieses Buch teuer?
8. Welches Buch ist gut?
9. Warum macht der Schneider keinen Anzug für Anton?
10. Was macht er für Paula?
11. Was macht er für Liesel?
12. Wem zeigt er seinen Stoff?
13. Wie ist der Stoff für a) Karl? b) für Paula?
14. Warum hat Paula Karls Stoff nicht gern?
15. Was antwortet der Schneider immer?
16. Der Schneider ist klein: was ist er auch?
17. Welcher Stoff kommt aus England?
18. Wann macht der Schneider das Kostüm fertig?
19. Welcher Stoff ist nicht zu teuer?
20. Was studieren Sie?
21. Spielen Sie Klavier?
22. Essen Sie gerne Kuchen?
23. Haben Sie einen Hund?
24. Sind Sie Montag hier?
25. Give the answers to questions 21–24 in the 1st person pl. (we).

E. Reconstruct in your own words in German, "Der Schneider zeigt der Familie seinen Stoff."

F. Translate into German:

      1. I am buying a book. 2. Do you see the sailor? 3. He shows her the cloth. 4. You are right. 5. That is right. 6. This boy takes the cake. 7. I like buying a hat. 8. The cloth is not too dear, is it? 9. The tailor fetches his coat. 10. He does not open the parcel. 11. He is not doing anything. 12. It doesn't matter. 13. We like eating cake and drinking wine. 14. Does this tailor work to measure? Yes, my suit fits very well, doesn't it?

8

LIESEL LERNT

Liesel schreibt ihre Aufgabe:

"Katzen und Hunde sind nicht immer Freunde, aber unsere Tiere sind Kameraden. Tiere sind gut und lieben Mädchen, Frauen und Männer. Tiere . . . "

Liesel schreibt nicht mehr, sondern beisst ihre Feder (einen Kugelschreiber). Sie liest auch nicht. Liesel ist nur ein Kind und Kinder machen viele Fehler, wenn sie schreiben und sprechen. Der Vater lehrt sie, gutes Deutsch sprechen.

Heute lehrt er sie den Plural. Er sieht zuerst ihre Aufgabe. Er liest, was sie schreibt und sagt: "Gut! Man lernt den Plural jedes Wortes, denn nicht alle Regeln stimmen: aber Deutsch hat nur drei Endungen. Zuerst nehmen wir die Endung **-n** (**-en**). Fünf Beispiele, bitte, Liesel!"

Liesel sagt:

"die Endung,	Plural, die Endungen
die Katze,	Plural, die Katzen
die Frau,	Plural, die Frauen
die Schwester,	Plural, die Schwestern
die Wolke,	Plural, die Wolken."

"Sehr gut," sagt der Vater. "Nun, nehmen wir die Endung **-e.** Bitte, fünf Beispiele, Liesel!"

Das Kind sagt:

"der Hund,	Plural, die Hunde
der Freund,	Plural, die Freunde

der Tag,   Plural, die Tage
der Sohn,   Plural, die Söhne
das Schiff,   Plural, die Schiffe."

"Schön! Und nun, der Plural **-er**?" fragt der Vater.
Liesel gibt noch fünf Beispiele:

"das Bild,   Plural, die Bilder
das Kind,   Plural, die Kinder
das Haus,   Plural, die Häuser
das Glas   Plural, die Gläser
der Mann,   Plural, die Männer."

"Gibt es noch einen Plural?" fragt der Vater. Liesel antwortet
nicht.
  "Probieren wir einmal," sagt er. "Was bin ich?"
  "Vater," lacht Liesel.
  "Und der Plural von Vater?"
  "Ich habe nur einen Vater."
  "Natürlich, aber ich habe auch einen Vater und Leni hat einen
Vater. Wie heissen sie?"
  "Väter," antwortet Liesel endlich.
  "Richtig," sagt der Vater.
  "Und so ist es auch mit:

der Fehler,   Plural, die Fehler
der Mantel,   Plural, die Mäntel
der Bruder,   Plural, die Brüder
das Segel,   Plural, die Segel
das Zimmer,   Plural, die Zimmer."

"Genug," lacht ihr Vater. "Gibt es noch einen Plural im
Deutschen?" "Nein," sagt Liesel.
  "Was isst meine Liesel gern?" "Bonbons!"
  "Bonbons, mit –s?" "Ja, das ist auch ein Plural.
Es ist ein Fremdwort, nicht wahr?" "Ganz richtig, mein Kind.
Es ist französisch. Und hier sind die Bonbons!"

VOCABULARY

der Fehler *mistake*
der Kamerad *comrade, friend*
der Kugelschreiber *ball pen*
der Plural *plural*
die Endung *ending*
die Feder *feather, pen*
die Regel *rule, law*
das Beispiel *example*
das Bonbon *sweet*
das Wort *word*: das Fremdwort
  foreign word
genug *enough*
natürlich *natural(ly), of course*
richtig *right, correct*
rot *red*
unser (*declines like* mein) *our*
es gibt (*with acc.*) *there is*

endlich *at last, finally*
nun *now, now then*
zuerst *at first*
zuletzt *last*
beissen *to bite*
lehren *to teach*
lernen *to learn*
lesen *to read*
  er liest *he reads*
schreiben *to write*
im Deutschen *in German*
man sagt *one says, it is said*
nehmen wir *let us take*
noch einen Plural *another*
  plural
probieren wir einmal *just let's*
  try

GRAMMAR

Plural of Nouns

1. In English most nouns add **-s** to form the plural, though there are some exceptions, e.g. man, men; mouse, mice; etc.
   In German there are four different types of plurals of nouns:
   1. ending in **-e**.
   2. ending in **-er**.
   3. ending in **-(e)n**.
   4. having no ending.
   Also, many nouns modify a vowel in the plural.

   The plural of every noun should be learnt individually. A simple rough guide to plurals can be made from the following lists, but note that they provide a rough guide only and not rules. A complete list follows of plurals of all the nouns met in this book so far, classified according to gender: compound nouns have the plural of their last component: for Kaffeekanne, see **Kanne**; Fernsehgerät is like Gerät, etc.

Feminine

Sing.	Pl.	Sing.	Pl.	Sing.	Pl.
Sonne	Sonnen	Arbeit	Arbeiten	Regel	Regeln
Wolke	Wolken	Violine	Violinen	Freundin	Freundinnen
Frau	Frauen	Gabe	Gaben	Tür	Türen
Katze	Katzen	Farbe	Farben	Mutter	Mütter
Feder	Federn	Platte	Platten	Tochter	Töchter
See	Seen	Zigarette	Zigaretten		
Schwester	Schwestern	Kanne	Kannen	Maus	Mäuse
Familie	Familien	Zeit	Zeiten	Luft	Lüfte
Küche	Küchen	Endung	Endungen	Stadt	Städte

NEARLY ALL FEMININE NOUNS ADD -(e)n IN THE PLURAL. Very few modify a vowel.

Masculine

Sing.	Pl.	Sing.	Pl.	Sing.	Pl.
Tag	Tage	Preis	Preise	Mantel	Mäntel
Wind	Winde	Kapitän	Kapitäne	Schneider	Schneider
Sturm	Stürme	Mast	Maste	Schreiber	Schreiber
Sohn	Söhne	Schlips	Schlipse	Teenager	Teenager
Hund	Hunde	Fehler	Fehler	Junge	Jungen
Wein	Weine	Name(n)	Namen	Herr	Herren
Platz	Plätze	Musiker	Musiker	Kamerad	Kameraden
Stuhl	Stühle	Himmel	Himmel	Komponist	Komponisten
Freund	Freunde	Meister	Meister	Student	Studenten
Ton	Töne	Vater	Väter	Mann	Männer
Anzug	Anzüge	Bruder	Brüder	Gott	Götter
Stoff	Stoffe	Spieler	Spieler	Seemann	Seeleute

MOST MASCULINE NOUNS ADD -e. Some modify. Those ending in -el, -en, -er add nothing. Some male beings and male professions add -n. The plural of -mann in most compound nouns is -leute.

Neuter

Sing.	Pl.	Sing.	Pl.	Sing.	Pl.
Bild	Bilder	Lied	Lieder	Mädchen	Mädchen
Buch	Bücher	Glas	Gläser	Fräulein	Fräulein
Land	Länder	Kleid	Kleider	Zimmer	Zimmer
Kind	Kinder	Tuch	Tücher	Segel	Segel
Dorf	Dörfer	Wort	Wörter	Kapitel	Kapitel
Haus	Häuser		*(detached words)*		
			Worte *(continuous words)*		

Neuter

Sing.	Pl.	Sing.	Pl.	Sing.	Pl.
Boot	Boote	Instrument	Instrumente	Bett	Betten
Schiff	Schiffe	Stück	Stücke	Ende	Enden
Jahr	Jahre	Klavier	Klaviere		
Bier	Biere	Paket	Pakete		
Gerät	Geräte	Papier	Papiere		
Mass	Masse	Geschenk	Geschenke		

MANY NEUTER NOUNS ADD **-er** AND MODIFY A VOWEL. Many add **-e**. Those ending in **-el, -en, -er, -chen** and **-lein** do not add anything.

2. Most words borrowed from other languages have their own foreign plural,

e.g. der Kaffee, der Tee, das Zigarettenetui, das Bonbon add **-s**.

3. *Declension of Nouns, Articles, etc. in the Plural*

Gender is not shown in the plural. **Der, die** and **das** are simplified into the common plural **DIE**. Similarly the plural of all genders of **dieser (-e, -es)** is **DIESE**, of **kein, KEINE**.

Sing.:	die Frau	der Tag	das Glas	der Mantel
Plural:				
Nom. } *Acc.* }	die Frauen	die Tage	die Gläser	die Mäntel
Gen.	der Frauen	der Tage	der Gläser	der Mäntel
Dat.	den Frauen	den Tagen	den Gläsern	den Mänteln

Sing.:	dieser Baum	kein Mast	welches Lied	sein Bett
Plural:				
Nom. } *Acc.* }	diese Bäume	keine Maste	welche Lieder	seine Betten
Gen.	dieser Bäume	keiner Maste	welcher Lieder	seiner Betten
Dat.	diesen Bäumen	keinen Masten	welchen Liedern	seinen Betten

The following decline like **dieser** in the plural:

welcher, jener, jeder, aller, mein, sein, kein, ihr, unser.

The form of the noun in the accusative and genitive plurals is the same as in the nominative plural, BUT ALL DATIVE PLURALS END IN **-n** (excepting foreign words which end in **-s**).

There is, of course, no plural of **ein**. It is simply omitted. Thus the plural of **ein Glas** is **Gläser**, of **ein Mann, Männer**.

AUFGABEN

A. Give in two columns, the nominative singular with the definite
   article, and the nominative plural of the following nouns:

   Jahr, Stadt, Dorf, Mann, Sturm, Gott, Tag, Wolke, Boot,
   Land, Bruder, Schwester, Mutter, Tochter, Vater, Mädchen,
   Kind, Bett, Zimmer, Maus, Wein, Kanne, Musiker, Arbeit,
   Gabe, Paket, Freundin, Buch, Mantel, Anzug, Schneider,
   Preis, Feder, Kleid, Farbe.

B. Reply in German:
   1. Wie alt ist Liesel?
   2. Wie alt ist Paula?
   3. Wie viele Stoffe zeigt der Schneider?
   4. Wie viele Kinder hat Frau Schulz?
   5. Was gibt Liesel ihrem Bruder?
   6. Welche Wörter haben die Endung -s im Plural?
   7. Machen Sie oft Fehler?
   8. Welche Tiere sind Freunde?
   9. Was fangen Katzen?
   10. Wie viele Zimmer hat das Haus?
   11. Haben alle Häuser acht Zimmer?
   12. Sind alle Dörfer klein?
   13. Hat der Himmel heute Wolken?
   14. Haben Frauen Hausarbeit gern?
   15. Welche Instrumente spielt Karls Vater?
   16. Wer macht Kostüme und Anzüge?
   17. Was sind England und Deutschland?
   18. Was sind Wotan und Möhrchen?
   19. Was sind blau und schwarz?
   20. Was sind Hamburg und Frankfurt?

C. Write these sentences in the plural:
   1. Die Mutter liebt das Kind.
   2. Der Vater des Kindes spielt nicht.
   3. Die Katze bringt dem Kinde eine Maus.
   4. Die Tochter holt ihrer Mutter das Kleid.

5. Der Bruder liest sein Buch.
6. Der Preis des Stoffes ist hoch.
7. Der Schneider gibt seinem Sohn ein Bonbon.

D. Translate into German:

    1. These words are German. 2. How many students are here? 3. Which boys smoke cigarettes? 4. Cats and dogs are animals. 5. The houses of the village are small. 6. The towns are not very big. 7. I give my friends books and pictures. 8. Does this tailor make your suits? 9. Red, white and blue are the colours of our country. 10. The boy's friends bring him presents. 11. Songs without words.

READING PASSAGE

Haus und Möbel

Antons Haus hat acht Zimmer, einen Garten und eine Garage. Alle Zimmer haben Lampen, Bilder und Teppiche. Aber die Küche und das Badezimmer haben keinen Teppich: dort liegt Linoleum.

Das Wohnzimmer ist sehr schön. Hier ist ein Klavier, denn Anton macht gern Musik. Hier ist auch ein Stuhl für jedes Kind, ein Lehnstuhl und auch ein Sofa, aber kein Fernsehgerät.

Anton sitzt nicht oft dort, denn er arbeitet viel. Abends macht er seine Schularbeiten im Studierzimmer (Arbeitszimmer). Hier ist ein Schreibtisch, ein Stuhl und ein Bücherschrank.

Karl studiert auch, denn er ist Student. Aber das Studierzimmer ist nur klein, darum arbeitet er in seinem Schlafzimmer. Dort ist es nicht sehr warm. Darum liegt er im Bett und liest seine Bücher. Das Esszimmer ist das Zimmer, wo man isst und trinkt. Die Familie isst nur abends dort, denn die Küche ist gross. Auch hat man morgens wenig Zeit und nur abends sind alle da.

Die Küche ist ganz neu und sauber. Alles ist sehr modern; der Herd, der Kühlschrank und die Waschmaschine. Marie ist glücklich, wenn sie dort arbeitet, denn von hier aus sieht sie auch den Garten, wenn sie kocht. Hier hat sie auch das Radio.

Im Schlafzimmer sind ein Bett, ein Kleiderschrank und ein Spiegel. Jedes Kind hat sein Schlafzimmer, aber Anton und Marie, die Eltern, haben nur ein Schlafzimmer. Dieses hat ein Doppelbett. Die Kinder haben Einzelbetten.

DER BAUCHREDNER

EIN Seemann kommt eines Tages in ein Wirtshaus. Er trinkt sehr gerne Wein oder Bier: aber er ist arm, er hat kein Schiff. Er hat auch kein Geld.

Sein Problem ist: wie trinkt man Wein ohne Geld? Dieser Seemann ist schlau: er ist ein Bauchredner. Er hat einen Hund. Wenn der Seemann spricht, so scheint der Hund zu sprechen.

Der Wirt sagt zu ihm: "Trinken Sie etwas, mein Herr?" "Ja, gerne," antwortet der Seemann, "aber mein Freund trinkt auch gerne."

"Wo ist Ihr Freund? Ich sehe hier keinen Freund."

"Mein Hund ist mein Freund natürlich. Fragen Sie ihn doch, was er trinkt!"

"Und er antwortet? er spricht?" sagt der Wirt erstaunt. "Fragen Sie ihn doch!" antwortet der Seemann.

Also fragt der Wirt den Hund: "Was trinkt der Hund?" Der Hund öffnet das Maul, und der Bauchredner sagt: "Ein Glas Wein, bitte."

So öffnet der Wirt eine Flasche Wein und füllt dem Hund ein Glas. Er füllt auch eins für den Seemann.

Der Wirt sagt: "Dieser Hund ist schlau. Ich mag ihn. Verkaufen Sie ihn mir, bitte!" Der Seemann sagt: "Nein, dieser Hund ist mein Freund. Ich verkaufe meine Freunde nicht."

Der Hund sagt dann: "Das ist richtig. Mein Seemann ist gut. Er verkauft mich nicht." Der Wirt ist sehr erstaunt und sagt: "Ich gebe Ihnen zwanzig Mark für den Hund." Der Seemann gibt keine Antwort, aber der Hund scheint "Nein" zu sagen.

Endlich verkauft der Seemann den Hund für hundert Mark. Der Wirt ist zufrieden und öffnet noch eine Flasche. "Nun, wie spricht mein Hund?" fragt er. Der Hund schweigt.

Zuerst sagt der Hund nichts, denn der Seemann trinkt den Wein. Aber endlich ist kein Wein mehr da. Dann sagt der Hund: "Herr Seemann, Sie sind nicht gut. Sie sind kein Freund. Ich mag Sie, aber

Sie mögen mich nicht mehr. Jetzt spreche ich kein Wort mehr."

"Ist das wahr?" fragt der Wirt. "Spricht er jetzt nicht mehr?" "Sie hören, was er sagt!" "So geben Sie mir mein Geld wieder!"

"Nein, das geht nicht. Das ist jetzt Ihr Hund. Aber ich gebe Ihnen zehn Mark für Ihren Hund und bezahle auch den Wein. Was kostet der Wein?" "Neunzig Mark." "Gut," antwortet der Seemann und nimmt seinen Hund wieder.

So ist jedermann zufrieden. Der Seemann hat seinen Wein und seinen Hund. Der Wirt hat sein Geld. Und der Hund hat seinen Herrn.

VOCABULARY

From now onwards the plurals of nouns are quoted in brackets thus: der Wirt (-e) = der Wirt, *plural:* die Wirte; das Maul(-̈er) = das Maul, *plural:* die Mäuler.

der Bauchredner(-) *ventriloquist*
der Wirt(-e) *landlord*
die Flasche(-n) *bottle*
die Mark(-) *mark*
das Geld(-er) *money*
das Maul(-̈er) *mouth, snout*
das Problem(-e) *problem*
das Wirtshaus(-̈er) *inn*
erstaunt *astonished*
zehn *ten*
neunzig *ninety*
hundert *a hundred*
tausend *a thousand*
bezahlen *to pay*
füllen *to fill*
mögen *to like, may*
scheinen *to seem*
schweigen *to be silent*
verkaufen *to sell*

also *and so, so*
für *for*
doch *but, yet, really, indeed*
Ihr (*same endings as* mein) *your*
jedermann *everybody*
jetzt *now*
mehr *more*
ohne *without*
wenn *when, if*
schweigen Sie doch! *do be quiet!*
das geht nicht *that won't do*
er scheint zu sprechen *he seems to speak*
geben Sie mir das Geld wieder *give me the money back*
fragen Sie ihn doch *do ask him*
ich mag ihn *I like him*

GRAMMAR

1. *Order of words*

   a. The verb normally comes immediately after the subject as the second element of the sentence.

   Ein Seemann **kommt** eines Tages in ein Wirtshaus.
   A sailor comes one day to an inn.
   Er **hat** kein Geld.
   He has no money.
   Ich **sehe** hier keinen Freund.
   I see no friend here.

   b. But if any words other than the subject come first, the second element must still be the verb. The subject will then come after the verb (inverted order).

   Eines Tages **kommt** ein Seemann in ein Wirtshaus.
   One day a sailor comes to an inn.
   Heute **hat** er kein Geld.
   To-day he has no money.
   Hier **sehe** ich keinen Freund.
   Here I see no friend.
   So **öffnet** er eine Flasche.
   So he opens a bottle.
   "Was trinken Sie?" **fragt** er.
   "What will you drink?" he asks.

   c. In a question the verb comes first, preceding the subject.
   Ist das wahr? *Is that true?*
   Spricht der Hund? *Does the dog speak?*
   Geht sie nach Hause? *Is she going home?*

   d. In the imperative (command) the verb precedes the pronoun, 'Sie.'

   Geben Sie! *Give!*   Fragen Sie ihn!   *Ask him!*
   Trinken Sie das Bier!   *Drink the beer!*
   The difference between the question **Trinken Sie**? and the imperative **Trinken Sie**! lies only in the question mark or in the tone of the voice.
   Similarly the 1st person plural imperative shows inversion.
   Nehmen wir! *Let us take.*
   Probieren wir! *Let us try.*

2. *Use of Cases*

  a. The nominative case is used for the subject of the sentence, the person or thing doing the action or governing the verb.

    Dieser Seemann ist gut.

    Der Wirt öffnet eine Flasche.

    Ich spreche kein Wort.

    The nominative is also used in the predicate as a complement after the verbs **sein** (to be) and **heissen** (to be called), i.e. for an equivalent of the subject.

    Dieser Seemann ist **ein Bauchredner**.

    Der Vater ist **ein Mann**.

    Miesbach ist **ein Dorf**.

    Dieses Lied heisst **der Erlkönig**.

  b. The accusative case is used to denote the object of a verb, the person or thing directly affected by the action.

    Der Wirt öffnet **eine Flasche**.

    Er verkauft **den Hund**.

    Der Seemann liebt **sein Schiff**.

    Ich liebe **ihn**.

  c. The genitive case is used to show possession (of).

    Die Farbe **des Weins** ist rot.

    Das Problem **des Seemannes** ist schwierig.

    Der Garten **des Hauses** ist gross.

    Leni ist eine Freundin **der Familie**.

    The genitive is also used for expressions of indefinite time.

    eines Tages *one day*;   des Nachts (*irreg. gen.*) *at night*.

  d. The dative case is used for the indirect object, the receiver of the direct object.

    Er verkauft **dem Wirt** den Hund.

    Die Mutter gibt **ihrem Sohn** ein Wörterbuch.

    Das Hausmädchen holt **der Mutter** eine Tasse.

    The dative precedes the accusative (the indirect precedes the direct object), except when there are two pronouns, in which case the accusative comes first. When there is a pronoun and noun, the pronoun precedes.

    Geben Sie es **ihm**. *But* Geben Sie **mir** den Hund.

    Er gibt es seiner Mutter.

The dative of the personal pronoun is used after practically all verbs of saying, giving, thanking and the like.

Antworten Sie **mir**! Answer me!

Sagen Sie **ihr**! Tell her!

Geben Sie es **ihnen**! Give it to them.

But the verbs **lehren, nennen** and **heissen** (used transitively) govern two accusatives, of the person and the thing.

Er lehrt sie den Plural. *He teaches her the plural.*

Er heisst ihn einen Hund. *He calls him a dog.*

e. It is clear from the above that cases show the relationship between words quite logically. The cases are used grammatically after prepositions.

Ein Seemann geht **in ein Wirtshaus**. *A sailor goes into an inn.*

Er bezahlt ihm zehn Mark **für den Hund**. *He pays him ten marks for the dog.*

These uses are dealt with in the next three chapters.

AUFGABEN

A. Go carefully through the text of Chapter 9, giving orally the case of every noun and stating why it is that case.

   e.g. "ein Seemann," nominative case, subject of the verb "kommt."

   "eines Tages," genitive case, expression of indefinite time.

   "kein Schiff," accusative case, object of the verb "hat."

B. Translate and then rewrite the following sentences, putting the words in italics at the beginning of the sentences, and seeing that the verbs are in the correct positions:

1. Ich spreche *jetzt* kein Wort mehr.
2. Der Wirt fragt, "*Ist das wahr?*"
3. Ich sehe *hier* keinen Freund.
4. Der Seemann verkauft *endlich* seinen Hund.

5. Ein Schneider kommt *eines Tages* mit seinem Tuch.
6. Die Familie wohnt *in Miesbach.*
7. Er füllt *auch* ein Glas für das Kind.
8. Der Seemann sagt, "*Das geht nicht.*"
9. "Mir passt auch *Montag*," sagt Karl.
10. Sie fängt *oft* eine Maus.

C. Rewrite as questions and then translate:

1. Der Seemann ist schlau. 2. Die Familie liebt ihren Hund. 3. Karl spielt gern Klavier. 4. Sie verkaufen ihr Haus. 5. Das ist nicht wahr. 6. Er heisst Wotan. 7. Die Familie wohnt in Miesbach. 8. Das Kind isst gern Bonbons. 9. Sie nimmt Zucker und Milch. 10. Sie schreiben Ihre Aufgabe.

D. Give the Imperative form of the following verbs and translate, e.g. (Holen—) mir Ihr Buch = Holen Sie mir Ihr Buch = Fetch me your book.

1. (Geben—) mir einen Kuchen.
2. (Nehmen—) bitte, ein Stück Papier.
3. (Gehen—) nicht in das Wirtshaus.
4. (Sagen—) kein Wort.
5. (Machen—) das Bett.
6. (Schreiben—) Ihre Aufgabe.
7. (Sehen—) doch meinen Hund.
8. (Trinken—) zuerst Ihre Medizin.
9. (Essen—) dann ein Bonbon.
10. (Geben—) dem Fräulein eine Zigarette.

E. Translate into German:

1. Bring me my coat, please. 2. The landlord opens a bottle of wine. 3. My boy is not working now. 4. To-day I am going home. 5. Are you selling your house? 6. The sailor is most astonished. 7. Give me ten marks for the dog. 8. Please give my friend a glass of water. 9. The girls write their exercises every Monday. 10. Cats and dogs are not always friendly. 11. Do be quiet, I'm reading my book. 12. I have no money: I'll pay tomorrow. I don't like that, please pay me today.

FRAU SCHULZ MACHT EINKÄUFE

SEIT acht Jahren wohnt die Familie Schulz in Miesbach, d.h. seit der Geburt Liesels. Aber viele Freunde der Familie wohnen in Lippstadt, nur fünf Kilometer weit von Miesbach. Jeden Freitag geht die Mutter nach Lippstadt. Sie geht zu ihren Freundinnen und macht zugleich Einkäufe in den Läden.

Sie geht früh aus dem Hause. Es ist nur fünf Minuten zu der Haltestelle des Omnibusses. Der Bus hält der Kirche gegenüber. Aber heute fährt sie nicht mit dem Bus. Heute fährt der Arzt mit seinem Auto nach Lippstadt, und Marie fährt mit ihm.

Sie kommt um acht Uhr zu dem Arzt. Der Arzt holt eben seinen Wagen aus der Garage und kommt ihr entgegen. Unterwegs sprechen sie von Musik, denn der Arzt ist auch musikalisch, und nach zehn Minuten kommen sie nach Lippstadt.

Der Herr Doktor fährt bis zum Krankenhaus, und Marie steigt dort aus dem Wagen, denn ihre Freundin wohnt nicht weit vom Krankenhaus. Ihre Freundin sieht sie vom Fenster, öffnet die Tür und kommt ihr entgegen.

Marie trinkt eine Tasse Kaffee bei ihrer Freundin, dann nach dem Kaffee gehen die zwei Damen zu den Läden und dort machen sie Einkäufe. Im Supermarkt kauft sie ein Pfund (500 Gramm) Butter, ein Kilo Zucker, 500 Gramm Wurst, zwei Brote und hundert Gramm Kaffee. Dann kauft sie ein Pfund Fleisch beim Metzger. Ausser diesen Esswaren kauft Marie auch Bonbons, Zigaretten, zwei Paar Strümpfe und eine Bluse. Aber die kauft sie nicht im Supermarkt sondern im Kaufhaus. Hier macht ihre Freundin auch Einkäufe—Strumpfhosen, einen Hut und eine Handtasche.

VOCABULARY

der Arzt (¨e) *doctor*
der Einkauf(¨e) *purchase*
der Hut(¨e) *hat*

der Laden(¨) *shop*
der Metzger(-) *butcher*
der Omnibus(-se) *bus*

der Supermarkt(-̈e) *supermarket*
der Strumpf(-̈e) *stocking*
die Bluse(-n) *blouse*
die Dame(-n) *lady*
die Essware(-n) *eatables, food*
die Geburt(-en) *birth*
die Handtasche(-n) *handbag*
die Haltestelle(-n) *stop*
die Minute(-n) *minute*
die Strumpfhose(-n) *tights*
die Uhr(-en) *clock, watch, o'clock*
die Tür(-en) *door*
die Wurst(-̈e) *sausage*
das Fenster(-) *window*
das Auto(-s) *car*
das Kilometer(-) *kilometer*
das Krankenhaus(-̈er) *hospital*
das Brot(-e) *bread, loaf*
das Pfund(-) *pound*
das Kaufhaus(-̈er) *big stores*
eben *just*
unterwegs *on the way*
weit *far, distant*
zugleich *at the same time*
früh *early*

halten (er hält) *to stop, hold*
fahren (er fährt) *to drive, go*
steigen *to climb, get in (out)*
aus *out of, from*
ausser *besides*
bei *with, at the house of, at, on*
entgegen *towards*
gegenüber *opposite*
mit *with*
nach *towards, to, after*
seit *since*
von *from, of, by*
zu *to, at*
bis zu *up to*

} *prepositions followed by dative case*

das (Kilo-)gramm(-) *(1000) gram*
jeden Freitag *every Friday*
sie macht Einkäufe *she shops, goes shopping*
um acht Uhr *at eight o'clock*
vom *contraction of* von dem
cf. im = in dem, beim = bei dem
d.h. (das heisst) *i.e. (that is)*
geschickt *capable*

GRAMMAR

Prepositions with the Dative Case:

1. **Mit, von, zu, nach, bei, seit, aus, ausser, entgegen, gegenüber.**
   Note their use as follows:
   Sie fährt **mit dem** Arzt. *She goes with the doctor.*
   Er fährt **von dem** Dorf. *He drives from the village.*
   Das Buch ist **von diesem** Manne. *The book is by this man.*
   Ich gehe **zu meinem** Bruder. *I am going to my brother.*
   Das Auto fährt **nach der** Stadt. *The car is going to the town.*

Der Seemann trinkt **nach der** Arbeit. *The sailor drinks after work.*

Ich wohne **bei meinem** Onkel. *I live at my uncle's house.*

Das Haus ist **bei der** Kirche. *The house is near the church.*

Ich arbeite **seit** acht Jahren. *I have been working for eight years.*

Sie kommt **aus dem** Haus. *She is coming out of the house.*

Dieses Tuch ist **aus** Papier. *This cloth is made of paper.*

Niemand ist dort **ausser meinen** Kindern. *Nobody is there except my children.*

Sie wohnt **mir gegenüber.** *She lives opposite me.*

Er geht **ihr entgegen.** *He goes towards her.*

(The last two prepositions follow the noun they govern.)

2. **Mit ihm** = with him; **von ihm** = by him; **zu ihnen** = to them.
   With it = **damit;** from it = **davon**; to them (things) = **dazu.**
   Similarly **dabei, daraus, danach,** etc. for things, not persons.

3. In the same way, **womit** = with what; **wovon** = from what, by what; **woraus** = out of what.
   Similarly **wobei, wozu, wonach,** etc. But **mit wem** = with whom; **von wem** = by whom, for persons.

4. *Order of words*

Seit fünf Jahren	wohnt	die Familie in Miesbach.
Die Familie	wohnt	seit fünf Jahren in Miesbach.
In Miesbach	wohnt	die Familie seit fünf Jahren.

Whether a sentence begins with the subject or with a time or place expression, the verb always occupies the second position in the sentence.

AUFGABEN

A. Reply in German:

1. Wie weit ist die Stadt von Miesbach?
2. Wann geht Marie nach Lippstadt?
3. Was macht sie dort?
4. Wo hält der Bus?
5. Was holt der Arzt aus der Garage?

  6. Wer fährt nach der Stadt?
  7. Wer wohnt dem Krankenhaus gegenüber?
  8. Was macht Marie bei ihrer Freundin?
  9. Was kauft sie (a) im Supermarkt, (b) beim Metzger
  10. Wie viele Strümpfe machen ein Paar?
  11. Welche Einkäufe macht die Freundin?
  12. Was kauft (a) Marie, (b) ihre Freundin, im Kaufhaus?

B. Fill in the correct endings to the words after prepositions in the following sentences:

  1. Ich spreche von mein- Arbeit.
  2. Ich wohne seit acht Jahr- in England.
  3. Wer wohnt bei d- Doktor?
  4. Er schreibt mit ein- Feder.
  5. Wir spielen nach d- Arbeit.
  6. Das Schiff segelt nach d- Land.
  7. Das Kind spielt mit sein- Vater.
  8. Die Garage ist d- Haus gegenüber.
  9. Unsere Freundin fährt aus d- Stadt.
  10. Der Hund geht sein- Herrn entgegen.
  11. Ausser d- Kind war die ganze Familie da.
  12. Er spricht von sein- Freund.

C. Rewrite Exercise B in the plural, remembering that all dative plurals end in -n.

D. Put the adverbial phrase of time or place, which is in italic, at the beginning of each sentence and invert the order of subject and verb:

  1. Der Arzt holt seinen Wagen *aus der Garage.*
  2. Die Familie macht Musik *jeden Montag.*
  3. Wir kaufen zehn Zigaretten *jeden Tag.*
  4. Mein Freund sieht *zuerst* meine Aufgabe.
  5. Sie kommen *in zehn Minuten* nach Lippstadt.
  6. Der Schneider wohnt *seit zwei Jahren* hier.
  7. Der Schneider wohnt seit zwei Jahren *hier.*
  8. Der Schneider kommt *eines Tages* zu der Familie.
  9. Man spricht *hier* Deutsch.

10. Nach der Arbeit fahre ich *nach Hause.*
11. Man kauft Damen- und Herrenkleider *im Kaufhaus.*
12. Der Metzger hat *heute* keine Wurst.

E. Retell in your own words in German Marie's Friday programme.

F. Translate into German:

1. The doctor drives out of the garage. 2. I live with my friends. 3. He is talking about the landlord. 4. This tailor has been living (say, lives) here for two years. 5. She goes with her friend. 6. The sailor drinks out of the bottle. 7. I do not drink out of bottles. 8. After work I go home. 9. My friend comes from this village. 10. Tights are not too expensive in this department store. 11. Every housewife likes shopping in a supermarket. 12. Some Germans like eating sausage every day.

READING PASSAGE

Frei

Peter ist ein Junge von zwölf Jahren. Er hat kein Geld. Es ist aber Sonntag; er hat den Tag frei. Jeden Sonntag gibt's Konzerte in der Stadt und Peter hört gern Musik. Sein Vater gibt ihm eine Mark und Peter geht zu Fuss in die Stadt. Er kommt endlich zum Konzertsaal. Hier steht auf einem Anschlag 'Eintritt frei'. Das Konzert kostet nichts, daher geht er hinein. Er hört zwei Symphonien von Mozart und ist sehr zufrieden.

Unterwegs nach Hause wird er hungrig und kommt zu einem Restaurant. Dort steht auf einem Anschlag 'Plätze frei'. Daher tritt der Junge hinein. Der Kellner kommt zu ihm und fragt, "das Essen?" "Ja, bitte," sagt Peter. Der Kellner bringt ihm das Essen und auch die Rechnung -80 (achtzig) Pfennig. Peter lernt; die Plätze sind frei, das Essen aber nicht. Er versteht seinen Fehler, lacht und bezahlt die Rechnung.

IM RESTAURANT

GEGEN Mittag gehen unsere zwei Damen die Hauptstrasse entlang. Sie kommen zum Restaurant Wagner und treten durch die Tür. Der Saal ist voll. Sehr viele Leute sitzen um die Tische. Sie finden zuerst keinen Platz, denn alle Plätze sind schon besetzt. Aber der Kellner macht für sie einen Tisch frei.

"Was bestelle ich für Sie?" fragt Marie. "Ich bin nicht hungrig," antwortet Frau Thoma. "Ich esse nur eine Portion Fisch ohne Kartoffeln." "Werden Sie zu dick?" fragt Marie und lacht. "Nein! Ich habe nichts gegen das Essen, aber ich habe keinen Hunger. Bitte, keine Vorspeise und kein Bier."

Marie liest die Speisekarte und bestellt Fisch für ihre Freundin und bittet den Kellner um Schweinefleisch. Es ist heute kein Schweinefleisch da, also bekommt sie statt des Schweinefleisches ein Paar Würstchen mit Kartoffelsalat. Sie bestellt auch ein Glas Bier und als Nachspeise zweimal Apfeltorte. Wegen ihres Hungers isst sie zwei Portionen Würstchen.

Der Kellner bringt das Essen zu den Damen. "Guten Appetit!" sagt Marie. "Mahlzeit!" antwortet ihre Freundin. Während des Essens spielt ein Orchester im Radio. Die Musik ist schön. Aber trotz der Musik sprechen die zwei Damen ohne Pause.

Alles Gute hat ein Ende: nur die Wurst hat zwei. Schon nach einer Stunde ist es Zeit zu gehen. Frau Thoma will bezahlen. "Um Gottes willen!" sagt Marie. "Ich esse zwei Portionen, und Sie nehmen nichts. Ich bezahle, natürlich... Herr Kellner!" Der Kellner, kommt nicht. "Herr Ober!" ruft sie. Dann kommt der Kellner, und sie bezahlt die Rechnung.

Marie will zunächst noch eine Freundin besuchen, aber es beginnt zu regnen. "Wir fahren mit einer Taxe," sagt Frau Thoma. "Sehr gern," antwortet Marie. "Denn unsere Freundin wohnt ausserhalb der Stadt." Sie winkt, und ein Wagen hält. "Wohin?" fragt der Fahrer. "Zur Hansastrasse, jenseits des Krankenhauses." Innerhalb zehn Minuten sind sie bei ihrer Freundin. Während der Fahrt sprechen sie noch immer.

VOCABULARY

der Appetit *appetite*
der Eingang(-̈e) *entrance*
der Fisch(-e) *fish*
der Fahrer(-) *driver*
der Kellner(-) *waiter*
der Mittag(-e) *midday*
der Platz(-̈e) *place, space*
der Saal (Säle) *room, hall*
der Salat(-e) *salad*
die Fahrt(-en) *drive, trip*
die Hauptstrasse(-n) *main road*
die Kartoffel(-n) *potato*
die Mahlzeit(-en) *meal*
die Pause(-n) *interval, pause*
die Portion(-en) *helping*
die Rechnung(-en) *bill*
die Speisekarte(-n) *menu*
die Nachspeise(-n) *dessert*
die Vorspeise *hors d'oeuvre*
die Stunde(-n) *hour*
die Taxe(-n) *taxi*
das Essen(-) *meal, food*
das Orchester(-) *orchestra*
das Restaurant(-s) *restaurant*
das Schweinefleisch *pork*
das Würstchen(-) *small sausage*
hungrig *hungry*
voll *full*
wohin *where to, whither*
zunächst *next, to begin with*
zur *contraction of* zu der

beginnen *to begin*
bestellen *to order*
bitten (um) *to ask (for)*
finden *to find*
regnen *to rain*
rufen *to call, exclaim*
stehen *to stand*
treten (er tritt) *to tread, step*
winken *to wave, sign*

durch *through* ⎫
entlang *along* ⎪
für *for* ⎬ *prepositions*
gegen *against* ⎪ *followed by*
ohne *without* ⎪ *acc. case*
wider *against* ⎪
um *around, about* ⎭

diesseits *this side of* ⎫
jenseits *that side of* ⎪
innerhalb *inside* ⎪
ausserhalb *outside* ⎪
statt (anstatt) ⎬ *prepositions*
  instead of ⎪ *with gen.*
trotz *in spite of* ⎪ *case*
um . . . willen *for* ⎪
  the sake of ⎪
während *during* ⎪
wegen *on account* ⎪
  of, for ⎭

Wo ist er? *Where is he?*
Wohin geht er? *Where is he going to?*
Woher kommt er? *Where does he come from?*

Guten Appetit! Mahlzeit! are expressions used before a meal,
meaning, '*I hope you enjoy your food.*'

Sie sprechen noch immer. *They are still talking.*
Ist dieser Stuhl frei (besetzt)? *Is this chair vacant (occupied)?*
Er macht einen Tisch frei. *He clears a table.*
Herr Ober! (*It is usual to refer to all waiters as* Herr Ober.)
Herr Oberkellner = *head waiter.* im Radio *on the radio*
zweimal Apfeltorte *two helpings of apple tart.*

GRAMMAR

1. *Preposition with the Accusative Case:*

für, um, durch, ohne, gegen, wider, entlang.

Note their use as follows:
    Er arbeitet für meinen Vater. *He works for my father.*
    Wir sitzen um den Tisch. *We are sitting round the table.*
    Wir fahren durch das Dorf. *We are driving through the village.*
    Er kommt ohne sein Buch. *He comes without his book.*
    Er spricht nicht gegen seinen Freund. *He does not speak against his friend.*
    Er fährt die Strasse entlang. *He drives along the street.*
    Entlang follows the noun it governs.

2. *Prepositions with the Genitive case:*

Während, wegen, trotz, statt, diesseits, jenseits, ausserhalb, innerhalb.

Note their use as follows:
    Sie spielt während des Tages. *She plays during the day.*
    Statt des Schweinefleisches bringt der Kellner Fisch. *Instead of pork the waiter brings fish.*
    Diesseits des Dorfes liegt das Haus. *This side of the village lies the house.*
    Die Dame wohnt ausserhalb der Stadt. *The lady lives outside the town.*
    Trotz des Windes segelt er gut. *In spite of the wind he sails well.*
    Wegen seiner Mutter geht er nicht aus. *Because of his mother, he does not go out.*
    Wegen may follow the noun it governs:
    Seiner Mutter wegen geht er nicht aus.

AUFGABEN

A. Reply in German:

1. Wann gehen die zwei Damen zum Restaurant?
2. Was macht man im Restaurant?
3. Wer findet einen Platz für sie?
4. Ist Marie hungrig?   5. Was isst sie?
6. Warum isst Frau Thoma keine Kartoffeln?
7. Warum hat Marie zwei Portionen?
8. Wann spielt das Orchester?
9. Wer bezahlt das Essen?
10. Wen besuchen die Damen?
11. Wie kommen sie zu ihr?   12. Wo wohnt sie?

B. Give the right case ending on the word after the preposition:

1. Der Hund läuft durch d- Garten.
2. Ich habe nichts gegen dies- Herrn.
3. Der Wagen fährt d- Strasse entlang.
4. Der Schneider macht ein Kleid für mein- Schwester.
5. Die Männer sitzen um d- Tisch.
6. Wir machen die Aufgabe wider unser- Willen.
7. Diese Frau fährt ohne ihr- Mann.
8. Ich wohne innerhalb d-Stadt.
9. Der Student lernt trotz sein- Fehler.
10. Wegen d- Kindes geht er nicht aus d- Zimmer.
11. Während d- Regens spielt er Klavier.
12. Statt d- Buches liest er eine Zeitung.
13. Diesseits d- Hauses ist ein Baum.
14. Ausserhalb d- Stadt sind zwei Dörfer.

C. Give the definite article nominative and genitive singular and nominative plural with the following words:

Würstchen, Auto, Fenster, Strumpf, Kirche, Garage, Arzt, Stadt, Minute, Stunde, Eingang, Fahrer, Rechnung.

D. Give the right case of the article and translate:

nach d-Fahrt; durch d-Stadt; ohne ein- Strumpf; mit ein-Hut; aus d- Fenster; während d- Essens; von d- Auto; ausserhalb d- Kirche; innerhalb d- Garage; um d- Haus; durch d- Eingang;

trotz d- Windes; für d- Hund; ausserhalb d- Wirtshauses; ohne ein- Wort.

E. Was machen die Damen im Restaurant? Schreiben Sie 50 Worte.

F. Translate into German:

   1. During the rain we sit inside the car. 2. Instead of a coat he makes a suit for my father. 3. The boys run out of the house and through the garden. 4. This lady is coming with her husband. She never goes without him. 5. The students are sitting round the table. 6. He does not drive quickly through the village. 7. After her work my mother likes to sit with my father. 8. In spite of his mistakes he speaks good German. 9. What do you pay for these apples? 10. Take your (the) hand from your (the) pocket.

READING PASSAGE

Der Autofahrer

Die Szene ist die Hauptstrasse einer Stadt in Deutschland. Es ist Morgen und viele Leute gehen zur Arbeit. Jedes Auto und jeder Autobus fährt schnell. Nur ein Auto steht da und fährt nicht. Der Autofahrer hat eine Panne.

Dieser Autofahrer ist kein Mechaniker; er weiss nicht, was los ist. Er nimmt das Handbuch und studiert es, aber er versteht es nicht. Da kommt ein Polizist und fragt: "Was ist denn los?" "Ich weiss nicht, Herr Polizist; ich habe eine Panne," sagt der Fahrer. "Diese Hauptstrasse ist kein Parkplatz," antwortet der Polizist. "Holen Sie einen Mechaniker! Dort am Ende der Strasse ist eine Werkstatt".

Der Polizist bewacht das Auto und der Fahrer sucht die Werkstatt und holt einen Mechaniker. Dieser nimmt einen Schraubenschlüssel, macht eine Reparatur und schon nach einer Minute läuft der Motor wieder. Der Fahrer ist sehr zufrieden. "Was kostet die Reparatur?" "Zehn Mark!" antwortet der Mechaniker. Da wird der Fahrer unzufrieden. "Das finde ich wirklich zu teuer. Sie arbeiten nur eine Minute. Warum zehn Mark?"

Der Mechaniker lacht: "Meine Arbeit kostet nur eine Mark; aber ich weiss, was los ist; das kostet noch neun Mark."

IM KRANKENHAUS

Was tut indessen unser Freund, der Arzt?

Er fährt in das Krankenhaus und lässt seinen Wagen vor der Tür. Er geht in sein Büro, hängt seinen Mantel an die Wand und setzt sich auf einen Stuhl an den Tisch. Er öffnet seine Briefe.

Um neun Uhr ist Klinik. Die Schwester klopft an die Tür. "Herein!" sagt der Doktor. Sie kommt in sein Büro und grüsst, "Guten Morgen, Herr Doktor." Sie bringt ihm eine Liste der Patienten und legt die Liste auf den Tisch. "Gott sei Dank, nur zwanzig," sagt der Arzt, "dann sind wir zu Mittag fertig."

Sie gehen in die Klinik im (in dem) zweiten Stockwerk. Dort im Warteraum warten die Eltern mit ihren Kindern, denn Doktor Horn ist Spezialist für Kinderkrankheiten. Die Kinder haben ihn gern, denn er ist sehr freundlich und auch noch jung.

Jetzt beginnt die Klinik. Doktor Horn sitzt in seinem Zimmer an dem Tisch. Vor ihm steht die Schwester. Neben ihm auf dem Tisch liegen seine Instrumente. Über dem Tisch ist eine elektrische Lampe, und unter dem Tisch, auf dem Fussboden ist Spielzeug für die Kinder, denn nicht alle Kinder sind krank.

"Ich habe Schmerzen," sagt eine kleine Patientin. "Was für Schmerzen?" fragt der Arzt. "Augenschmerzen!" Er untersucht ihre Augen. Dann zeigt sie ihm die Zunge. Er fühlt ihren Puls und misst die Temperatur. Er untersucht Nase, Mund und Ohren. Alles in Ordnung! Er gibt ihr keine Medizin, sondern ein Bonbon.

Eine Schwester bringt noch ein Kind herein. "Geht's besser, Toni?" fragt der Arzt. "Ja, Herr Doktor, nur nicht in der Nacht. Am (an dem) Tage ist alles gut." "Hier hinter dem Ohr ist eine Geschwulst—tut das weh?" "Nein, Herr Doktor . . ."

So geht es bis zwölf Uhr. Der Arzt merkt alles, nur nicht die Zeit. Die Kinder sind glücklich, und er macht sie gesund.

VOCABULARY

der Brief(-e) *letter*
der Fussboden (-̈) *floor*

der Mund(-̈er) *mouth*
der Patient(-en) *patient*

der Puls(-e) *pulse*
der Schmerz(-en) *pain*
der Tisch(-e) *table*
der Warteraum(͞e) *waiting room*
die Geschwulst(͞e) *lump*
die Klinik (-en) *clinic*
die Krankheit(-en) *illness*
die Lampe(-n) *lamp*
die Liste(-n) *list*
die Medizin *medicine*
die Nase(-n) *nose*
die Schwester, Kranken-
  schwester (-n) *sister, nurse*
die Temperatur *temperature*
die Wand (͞e) *wall*
die Zunge(-n) *tongue*
das Auge(-n) *eye*
das Büro(-s) *office*
das Ohr(-en) *ear*
das Spielzeug *toy*
das Stockwerk(-e) *storey, floor*
elektrisch *electric*
gesund *healthy, well*
krank *ill*

indessen *meanwhile*
Alles in Ordnung *All O.K.*

fühlen *to feel*
hängen (er hängt) *to hang*
klopfen *to knock*
lassen (er lässt) *to let, leave*
laufen (er läuft) *to run*
legen *to put, place*
merken *to notice*
messen (er misst) *to measure*
sich setzen *to sit down*
tun (er tut) *to do, make*
untersuchen *to examine*
warten *to wait*

an *on, to, at* ⎫
auf *on, upon* ⎪ *prepositions*
hinter *behind* ⎪ *followed*
in *in, to* ⎪ *by*
neben *near, by, beside* ⎬ *accusative*
über *above, over* ⎪ *= motion,*
unter *beneath, under* ⎪ *by dative*
vor *before, in front of* ⎪ *= rest*
zwischen *between* ⎭

Gott sei Dank! *Thank the Lord!*
es geht besser *things are improving*
in der Nacht *at night*
am Tage *in the day-time*

das tut weh *that hurts*
herein! (= kommen Sie herein!)
  come in

er misst DIE Temperatur *he takes HER temperature*

GRAMMAR

Prepositions with Accusative or Dative Case

1. These prepositions govern the accusative when movement is
implied. They govern the dative when there is no movement.

in, an, auf, vor, hinter, neben, zwischen, über, unter.

Observe their use as follows:

Der Arzt geht in **das Zimmer**   Der Arzt sitzt in **dem Zimmer**

Der Hund läuft unter **den Tisch**   Der Hund liegt unter **dem Tisch**

Movement	*Rest*
Wohin? Whereto?	**Wo?** Where?
Ich gehe in das Büro	Ich bin im (in dem) Büro
Er hängt den Mantel an die Wand	Der Mantel hängt an der Wand
Die Katze springt auf den Tisch	Die Katze liegt auf dem Tisch
Das Auto fährt vor das Haus	Das Auto wartet vor dem Haus
Das Kind geht hinter den Stuhl	Das Kind steht hinter dem Tisch
Sie legt die Feder unter das Buch	Die Feder ist unter dem Buch
Der Seemann segelt über die See	Der Himmel ist über der See
Sie setzt sich neben den Doktor	Sie sitzt neben dem Doktor
Der Kellner stellt den Tisch zwischen die zwei Damen	Der Tisch steht zwischen dem Stuhl und der Wand
In all these, movement is implied	In all these there is no movement; there is rest.

2. Note the contractions **ins** (in das), **im** (in dem), **ans** (an das), **aufs** (auf das), **am** (an dem).

AUFGABEN

A. Reply in German:

(Nos. 1–7 have movement, and therefore require prepositions with the accusative.)
1. Wohin geht der Arzt?
2. Wohin hängt er seinen Mantel?
3. Wohin setzt er sich?
4. Wer klopft an die Tür?
5. Wohin legt die Schwester die Liste?
6. Wohin springt die Katze?
7. Wer geht hinter den Stuhl?
(Nos. 8–14 have no movement, therefore they require prepositions with dative.)
8. Wo ist das Spielzeug?
9. Wer wartet im Warteraum?
10. Wer steht neben dem Arzt?
11. Wo wartet der Wagen?
12. Wo liegt die Klinik?
13. Was hat Toni hinter dem Ohr?
14. Was liegt auf dem Tisch?
15. Was für Schmerzen hat die kleine Patientin?
16. Wie untersucht sie der Arzt?
17. Was gibt ihr der Arzt?
18. Wer sitzt mit den Kindern im Warteraum?
19. Wer bringt die Kinder zum Arzt?
20. Wen macht der Arzt gesund?

B. Insert an article or similar suitable word in the correct case after the prepositions in the following sentences:

1. Das Auto ist in — Garage.
2. Die Frau tritt an — Fenster.
3. Der Arzt fährt in — Stadt.
4. Der Hund liegt vor — Tisch.
5. Der Tisch ist neben — Fenster.

6. Die Katze springt auf — Tisch.
7. Die Patientin ist in — Zimmer.
8. Ich stehe an — Tür.
9. Die Kinder laufen über — Strasse.
10. Das Spielzeug ist unter — Stuhl.
11. Das Haus liegt zwischen — Kirche und — Wirtshaus.
12. Der Kellner bringt das Schweinefleisch zu — Herren.

C. Give the 1st person singular and plural of the following verbs:

e.g. er klopft; ich klopfe, wir klopfen.
Er lässt; er hängt; er öffnet; er ist; er schläft; er wartet; er hat es
gern; er geht; er sitzt; er tut; sie läuft; er misst.

D. Translate into German:

At night; in the day-time; meanwhile; at first; thank you; don't
mention it; that's right; you are right; isn't that so? another glass,
please; put my book on the table; I have a pain in my eyes; show
me your tongue.

E. Was tut der Arzt am Morgen?

Jeder Student sagt etwas, z.B.
1. Er fährt in die Stadt. 2. Er lässt seinen Wagen vor dem
Krankenhaus, u.s.w. (und so weiter = *and so on*).

READING PASSAGE

Der Briefträger

Während des Frühstücks lesen wir die Zeitung. Aber Liesel wartet
auf den Briefträger. Sie hört ihn kommen. Da läuft sie aus dem
Esszimmer hinaus, durch die Haustür bis an die Gartentür. Der
Briefträger wartet schon da mit der Post.

Sie steckt einen Brief in die Tasche, einen anderen unter ihre
Bluse, und hält die anderen in der Hand. Dann kommt sie wieder ins
Esszimmer zurück. Trotz unserer Bitten und Fragen gibt sie uns
nicht gleich unsere Briefe. Wir raten: wer hat Post?

Dann zeigt sie uns endlich die Briefe und gibt sie uns. Nun ist sie
aber noch nicht fertig. Sie bittet um die Briefmarken, geht auf ihr
Schlafzimmer und klebt die Marken in ihr Album.

DIE JAGD

EIN Bauer im Dorfe, Herr Fritsch, Lenis Vater, hat eine Krankheit und schickt nach Herrn Doktor Horn, dem Arzt. Der Arzt kommt zu ihm und macht ihn gesund. Der Arzt will kein Geld aber er will jagen. "Haben Sie ein Gewehr?" fragt der Bauer. "Nein," sagt der Arzt. "Schiessen Sie?" fragt der Bauer. "Nein," antwortet wieder der Arzt. "Also ich gebe Ihnen ein Gewehr und ich zeige Ihnen, wie man schiesst."

Die zwei Männer gehen auf die Jagd. Der Bauer trägt ein Gewehr. Der Arzt trägt ein Gewehr und auch einen Sportanzug. Sie jagen in einem Wald nicht weit von Miesbach.

Der Arzt ist kein Jäger und auch kurzsichtig, daher steht der Bauer neben ihm und hilft ihm. Sie stehen im Walde. Plötzlich hören sie einen Lärm hinter einem Baum, und etwas kommt durch die Büsche. Der Arzt hebt das Gewehr und schiesst.

Ein Schrei! Blut ist auf dem Boden und an den Bäumen. Der Arzt ist sehr zufrieden. Er sagt zum Bauer: "Schiesse ich gut?" "Jawohl, Herr Doktor, Sie schiessen trefflich." "Und wie heisst das Tier?" fragt der Arzt. "Ich will sehen," sagt der Bauer, geht hinter den Baum und sieht den Körper. "Es heisst Herr Braun, mein Nachbar," antwortet er.

Der Arzt wird blass. "Ist er tot?" fragt er erstaunt. "Nein," lacht der Bauer. "Alles geht gut!" "Aber das Blut?" "Das sind nur Himbeeren; er sammelt sie jeden Tag im Walde."

VOCABULARY

der Bauer(-n) *peasant, farmer*
der Busch(ーe) *bush, shrub*
der Jäger(-) *hunter*
der Körper(-) *body*
der Lärm *noise*
der Nachbar(-n) *neighbour*

der Schrei(-e) *scream, shout*
der Wald (ーer) *wood, forest*
die Himbeere(-n) *raspberry*
die Jagd(-en) *hunt, chase*
das Blut *blood*
das Gewehr(-e) *gun, rifle*

blass *pale*	jagen *to hunt*
tot *dead*	sammeln *to collect*
trefflich *excellent*(*ly*)	schicken *to send*
kurzsichtig *short-sighted*	schiessen *to shoot*
plötzlich *sudden*(*ly*)	tragen (er trägt) *to carry, wear*
auf die Jagd gehen *to go hunting*	wollen (er will) *to wish, want to*
heben *to lift, raise*	
helfen (er hilft) (*with dat.*) *to help*	

AUFGABEN

A. Give the nominative and genitive singular, and nominative plural, with the definite article, of:

Wald, Gewehr, Baum, Krankheit, Tisch, Brief, Boden, Wand, Lampe, Ohr, Krankenhaus, Wagen, Hund, Buch, Schneider, Tuch, Tochter, Glas, Brot, Stoff, Tasse, Fenster, Kellner, Anzug, Schule, Abend, Nacht, Freund, Freundin.

B. Give the 1st and 3rd persons singular and the 2nd person plural of the following verbs (e.g. halten: ich halte, er hält, Sie halten):

Machen, schiessen, sagen, sprechen, antworten, lassen, schreiben, sehen, gehen, fahren.

C. Insert a suitable word with the correct ending or add the correct ending where necessary:

1. Der Seemann kommt an — Land.
2. Mein Vater fährt in — Dorf.
3. Dieser Herr trägt kein- Mantel: er ist auch ohne — Hut.
4. Ich rufe mein- Hund aber die Katze kommt statt — Hundes.
5. Der Bauer hört ein- Schrei und schiesst mit sein- Gewehr.
6. Das Tier springt über — Stuhl.
7. Ein Fisch schläft in — Wasser.
8. Wir schlafen in unser- Schlafzimmer.
9. Trotz — Regens fährt der Wirt in — Stadt.
10. Kommen Sie mit Ihr- Frau!
11. Die Strasse läuft durch — Wald.
12. Herr Schulz arbeitet in sein — Zimmer.

13. Unser Freund, der Schneider, wohnt ausserhalb — Dorfes.
14. Der Arzt arbeitet am Freitag in d- Klinik.
15. Er fährt jed- Freitag in — Klinik.
16. Wir schlafen in — Nacht.
17. Der Schneider hat dies- Stoff unter — Tisch.
18. Dieser Junge wohnt bei mein- Schwester.
19. Der Student legt d- Papier unter sein- Buch.
20. Das Bild hängt an d- Wand.

D. In sentences 11–20 of Exercise C change the word order by
    putting the prepositional phrase at the beginning and inverting
    the subject-verb order, e.g. 16. In der Nacht schlafen wir.

E. "Der Doktor geht auf die Jagd." Jeder Student macht seinen
    Beitrag (*contribution*), wie folgt: 1. Der Arzt will jagen. 2. Der
    Bauer fragt: "Haben Sie ein Gewehr?" etc.

F. Translate into German:

      1. The doctor does not want any money. 2. Things are
    going better now. 3. An electric lamp hangs over the
    table. 4. Where do you come from? 5. Where are you going
    to? 6. Is there a seat vacant, please? 7. The housewife likes to
    go shopping. 8. We like to hear the orchestra in the
    café. 9. There are no pictures hanging on our walls. 10. Do
    you go to town every Friday? 11. My friend lives in town.

READING PASSAGE

Die Grundschule

Mit sechs Jahren besucht jedes deutsche Kind regelmässig eine
Elementarschule, die sogenannte Grundschule. Hier lernt es vier
Jahre lang. Das Hauptfach ist Deutsch (Lesen und Schreiben);
andere Fächer sind Religion, Rechnen, Geschichte, Erdkunde
(Geographie), Naturlehre, Singen, Zeichnen, Turnen und
Handarbeiten. Nach einer Prüfung und Gesprächen zwischen
Lehrern und Eltern kommen die begabten Kinder in eine
Oberschule; die mittelmässigen in eine Hauptschule und die
anderen in die Volksschule.

VARIATIONEN EINES THEMAS

EIN reicher Bauer im Dorfe hat eine schwere Krankheit. Er schickt nach seinem guten Freund, Herrn Doktor Horn. Dieser gute Arzt kommt zu ihm und macht ihn gesund. Der Arzt ist reich und will kein Geld, aber er will jagen.

"Haben Sie ein gutes Gewehr?" fragt der reiche Bauer.

"Nein, nur ein schlechtes Gewehr," sagt der Arzt. "Also, ich gebe Ihnen ein gutes Gewehr und zeige Ihnen, wie man schiesst."

Die beiden Männer gehen auf die Jagd. Sie jagen in einem grossen Wald nicht weit von dem kleinen Dorf Miesbach. Der freundliche Bauer steht neben seinem neuen Freund und hilft ihm. Sie stehen in der Mitte des grossen Waldes.

Plötzlich hören sie einen grossen Lärm hinter einem dicken Baum, und etwas kommt durch die kleinen Büsche. Der Arzt hebt sein neues Gewehr und schiesst.

Ein lauter Schrei! Rotes Blut ist auf dem dunklen Boden und an den grünen Bäumen. Unser wilder Jäger sagt zum klugen Bauern: "Schiesse ich nicht gut? Wie heisst das arme Tier?"

Der Freund unseres wilden Jägers geht hinter den dicken Baum, sieht den Körper seines armen Nachbars und antwortet: "Der Name des armen Tieres ist Herr Braun, mein Nachbar."

VOCABULARY

die Mitte(-n) *middle*
die Variation(-en) *variation*
das Thema (Themen) *theme, subject*
arm *poor*
beide *both*

grün *green*
laut *loud*
reich *rich*
schlecht *bad(ly)*
schwer *heavy, hard, difficult*
wild *wild*

GRAMMAR

Declension of Adjectives

The preceding passage is a variation of the text of Chapter 13 with adjectives added.

1. An adjective is inflected when preceding the noun it qualifies (attributive adjective).

Ein reicher Bauer; der reiche Bauer; rotes Blut; etc.

When an adjective comes after the verb *to be* (predicative adjective), it has no inflection.

Der Bauer ist reich; das Blut ist rot.

Adjectival inflections are a formula for showing case and gender. Where the case is obvious from the definite article, the adjective does not need a positive ending. **Eines** is obviously genitive case, therefore the adjective is relieved of its duty of showing the case and adds the "weak" ending **-en.**

2. *Declension of Adjectives, First Class*

	masc.	*fem.*
Sing.		
nom.	der alte Baum	die gute Frau
acc.	den alten Baum	die gute Frau
gen.	des alten Baumes	der guten Frau
dat.	dem alten Baum	der guten Frau
Plural		
nom.	die alten Bäume	die guten Frauen
acc.	die alten Bäume	die guten Frauen
gen.	der alten Bäume	der guten Frauen
dat.	den alten Bäumen	den guten Frauen

	neut.
Sing.	
nom.	das kleine Haus
acc.	das kleine Haus
gen.	des kleinen Hauses
dat.	dem kleinen Haus

Plural

nom.	die kleinen Häuser
acc.	die kleinen Häuser
gen.	der kleinen Häuser
dat.	den kleinen Häusern

The adjective has similar endings after **dieser, jener, jeder, welcher**.

3. *Declension of Adjectives, Second Class*

	masc.	*fem.*
Sing.		
nom.	ein grosser Mann	eine kleine Feder
acc.	einen grossen Mann	eine kleine Feder
gen.	eines grossen Mannes	einer kleinen Feder
dat.	einem grossen Mann	einer kleinen Feder
Plural		
nom.} *acc.* }	keine grossen Männer	meine kleinen Federn
gen.	keiner grossen Männer	meiner kleinen Federn
dat.	keinen grossen Männern	meinen kleinen Federn

	neut.
Sing.	
nom.	ein altes Dorf
acc.	ein altes Dorf
gen.	eines alten Dorfes
dat.	einem alten Dorf
Plural	
nom.} *acc.* }	unsere alten Dörfer
gen.	unserer alten Dörfer
dat.	unseren alten Dörfern

The adjectives have similar endings after **mein, sein, kein, ihr, unser**.

4. *Declension of Adjectives, Third Class (Strong)*

	masc.	*fem.*
Sing.		
nom.	alter Freund	schöne Frau
acc.	alten Freund	schöne Frau
gen.	alten Freundes	schöner Frau
dat.	altem Freund	schöner Frau
Plural		
nom.⎱ *acc.*⎰	alte Freunde	schöne Frauen
gen.	alter Freunde	schöner Frauen
dat.	alten Freunden	schönen Frauen

	neut.
Sing.	
nom.	gutes Kind
acc.	gutes Kind
gen.	guten Kindes
dat.	gutem Kinde
Plural	
nom.⎱ *acc.*⎰	gute Kinder
gen.	guter Kinder
dat.	guten Kindern

5. *Summary of Rules, Declension of Adjectives*

a. When an adjective comes after the verb *to be*, it has no endings:
   Das Dorf ist alt. Meine Mutter ist gut.
   Coming before a noun, the adjective shows gender and number
   by adding an inflection. There are three declensions:
   1. When the adjective comes after **der, dieser,** etc.
   2. When the adjective comes after **ein, mein,** etc.
   3. When no other inflected word precedes.

b. In the first and second classes, the adjective ends in **-en,** except
   in the nominative masculine and the nominative and accusative feminine and neuter cases.

c. In the third class the adjective has the endings of the definite article, except in the genitive masculine and neuter. Here the **-s** ending on the noun shows genitive case, therefore the adjective has the "weak" (**-en**) ending.

AUFGABEN

A. Decline the following in all cases, singular and plural, setting them out as in Section 2, 3 or 4:

> der junge Mann, die schwarze Katze, das rote Kleid, ein neuer Wagen, eine kleine Strasse, ein schlechtes Kind, mein roter Hut, seine gute Aufgabe, ihr armes Kind, dieser lange Tag, jene klare Wolke, welches deutsche Wort, lieber Freund, frische Luft, helles Bier.

READING PASSAGE

Liesel macht Einkäufe

Eines Nachmittags hat Liesels Mutter Besuch und hat nichts Leckeres zum Tee. Daher geht Liesel zum Bäckerladen im Dorf, um zwei Brote, ein Pfund Butter und allerlei Gebäck zu kaufen. Natürlich geht Wotan mit ihr. Liesel nimmt das frische Brot vom Bäcker und wählt ein halbes Dutzend schöne Kuchen. Sie legt alles in ihren Korb; aber sie geht langsam nach Hause, denn der Korb ist so schwer.

Auf dem Weg nach Hause kommt ein grosser, schwarzer Hund auf sie zu. Zuerst spielt er mit Wotan, aber dann riecht er das frische Gebäck im Korb. Der Hund ist hungrig und beisst nach den Kuchen. Liesel hat keine Angst vor Hunden, aber ein Kuchen fällt zu Boden. Der böse Hund hebt ihn auf und läuft schnell damit weg. Wotan bellt und folgt ihm.

Die arme Liesel ist sehr jung: sie weint und läuft direkt nach Hause ohne ihren Hund. Aber als sie zur Haustür kommt, weint sie nicht mehr. Denn dort steht der treue Wotan und hat den Kuchen im Maul. Das kluge Tier steckt den Kuchen in den Korb. Liesel lacht, küsst Wotan auf das Maul und bringt der Mutter den vollen Korb, ohne ein Wort davon zu sagen. (Denn sie weiss, dass auch Wotan nichts sagt.)

AUS LIESELS HEFT

Mathematik

1. *Die Zahlen*

1 eins		16 sechzehn
2 zwei		17 siebzehn
3 drei		18 achtzehn
4 vier		19 neunzehn
5 fünf		20 zwanzig
6 sechs		21 einundzwanzig
7 sieben		22 zweiundzwanzig
8 acht		30 dreissig
9 neun		40 vierzig
10 zehn		50 fünfzig
11 elf		60 sechzig
12 zwölf		70 siebzig
13 dreizehn		80 achtzig
14 vierzehn		90 neunzig
15 fünfzehn		100 hundert

200 zweihundert
201 zweihunderteins
292 zweihundertzweiundneunzig
345 dreihundertfünfundvierzig
1000 tausend
2000 zweitausend
6000 sechstausend
7896 siebentausendachthundertsechsundneunzig
1066 tausendsechsundsechzig
1955 neunzehnhundertfünfundfünfzig   (tausendneunhundertfünfundfünfzig)
1,000,000 eine Million

2. *Die Zeit und die Tage*

Jede Stunde hat sechzig Minuten und jede Minute hat sechzig Sekunden. Der Tag hat vierundzwanzig Stunden und im Monat sind dreissig oder einunddreissig Tage. Im Februar sind natürlich nur achtundzwanzig Tage.

In der Woche sind sieben Tage. Sie heissen: der Sonntag, Montag, Dienstag, Mittwoch, Donnerstag, Freitag Sonnabend (Samstag).

Die zwölf Monate des Jahres heissen: der Januar, Februar, März, April, Mai, Juni, Juli, August, September, Oktober, November, Dezember.

3. *Aufsatz über die Jahreszeiten*

Es gibt vier Jahreszeiten — den Sommer, den Winter, den Frühling und den Herbst.

Im Winter ist es kalt, weil wir Eis und Schnee und viel Regen haben. Die ganze Erde schläft in ihrem Mantel von Schnee und Eis. Die Tage sind kurz, und die Nächte sind lang, weil die Sonne wenig (nicht viel) scheint. Die Bäume haben keine Blätter.

Im Frühling ist es weniger kalt, weil die Tage wärmer und länger werden. Das Gras wächst und wird grün, und andere Pflanzen beginnen zu wachsen. Die Blätter auf den Bäumen werden grün.

Im Sommer sind die Tage länger als die Nächte. Die Sonne scheint warm. Die Kinder spielen draussen, wenn sie keine Schule haben. Die Äpfel werden reif, und die Blumen sind schön.

Im Herbst werden die Tage wieder kürzer. Die Bauern ernten ihr Korn und ihre Kartoffeln. Die Blätter fallen von den Bäumen und bedecken die Erde. Weil es kälter wird, trage ich im Herbst dickere und wärmere Kleider.

VOCABULARY

der Apfel(⸚) *apple*
der Aufsatz(⸚e) *essay*
der Frühling(-e) *Spring*
der Herbst(-e) *Autumn*
der Monat(-e) *month*
der Regen(-) *rain*
der Schnee *snow*
der Sommer(-) *Summer*
der Winter(-) *Winter*
die Erde(-n) *earth*

die Jahreszeit(-en) *season*
die Mathematik *mathematics*
die Pflanze(-n) *plant*
die Sekunde(-n) *second*
die Stunde(-n) *hour*
die Woche(-n) *week*
die Zahl(-en) *number*
die Zeit(-en) *time*
das Blatt(⸚er) *leaf*
das Eis *ice*

das Gras (-er) *grass*
das Heft(-e) *exercise book*
das Korn(-er) *corn*
als *than*
ander *other*
draussen *outside*
kurz *short*

lang *long*
reif *ripe*
weil *because*
wenig *little*
bedecken *to cover*
ernten *to harvest*
wachsen (er wächst) *to grow*

GRAMMAR

1. *Cardinal Numbers*

   a. Numeral adjectives do not decline:
   zwei Männer, vier Frauen.

   b. **Ein** declines except in compounds:
   ich habe einen Hund.
   ich habe einundzwanzig Hunde.
   When **ein** has no other number or noun following, it becomes
   eins, hunderteins.

   c. It is usual to write numerals, however long, as one word:
   tausendvierhundertzweiundachtzig.

2. The comparative is formed by adding **-er** to the positive adjective
   or adverb. Most, especially those of one syllable, modify in
   comparison: **wenig, weniger; warm, wärmer; lang,
   länger**.
   Der Sommer ist wärmer **als** der Winter. *Summer is warmer
   than winter.*
   Der Tag ist länger **als** die Nacht. *Day is longer than night.*

3. Wenn sie keine Schule **haben**. *When they have no school.*
   Weil die Sonne nicht viel **scheint**. *Because the sun does not shine
   much.*
   After **wenn** (when, if) and **weil** (because, as) the verb comes
   at the end of the clause.

AUFGABEN

A. Lesen Sie diese Zahlen auf deutsch:

   6; 8; 11; 23; 54; 69; 85; 92; 121; 387; 432; 1172; 1498; 3264;
   15478; 256781; 1897536; 34809758; 94; 52; 33; 58; 19; 5.

B. Beantworten Sie auf deutsch:

   1. Wie viele Studenten sind in dieser Klasse?
   2. Was ist dieses Jahr?
   3. Wie viele Zigaretten rauchen Sie am Tage?
   4. Wie alt ist Karl?
   5. Wie viele Tage hat der April? der Mai? der Dezember?
   6. Was macht zweimal vier? dreimal vier? fünfmal vier?
   7. Wieviel ist neunmal acht? neunmal neun? neunmal zehn?
   8. Was sind vier und sechs? sechs und zehn? zehn und neun?
   9. Wieviel sind neunzehn und achtzig? einundvierzig und elf?
   10. Wieviel ist vier weniger zwei? acht weniger eins? zehn
       weniger drei? einundzwanzig weniger neun? hundert
       weniger eins?
   11. Wann sind die Tage lang?
   12. Wie sind die Tage im Winter?
   13. In welcher Jahreszeit fallen die Blätter?
   14. Wann beginnen die Pflanzen zu wachsen?
   15. Wo findet man Eis? Wann?
   16. Was ernten die Bauern im Herbst?
   17. Wie viele Tage hat eine Woche?
   18. Wie heissen die Tage der Woche?
   19. Wie heissen die Monate des Jahres?
   20. Wie viele Tage sind im Jahre?
   21. Wie viele Stunden hat jeder Tag?

C. Insert a suitable verb, notice its position and translate:

   1. Die Blätter fallen, weil sie alt —.
   2. Der Seemann trinkt nicht, weil er kein Geld —.
   3. Ein Tag ist schön, wenn die Sonne —.
   4. Ich esse Brot, wenn ich keinen Kuchen —.
   5. Die Erde schläft, wenn sie einen Mantel von Schnee—.
   6. Niemand liebt die Katze, weil sie nicht treu —.
   7. Wir gehen nicht ins Boot, weil der Himmel grau —.

D. Translate into German:

1. The days are shorter in autumn. 2. It is warmer in summer. 3. We have less ice in spring, because it is warmer. 4. I am older than you. 5. He wears warmer clothes when it is cold. 6. My garden is longer than our street. 7. When I have no meat, I eat fish. 8. Because she is hungry, she orders two more sausages. 9. When the days are short, we go to bed early. 10. Karl practises a new piece, because he likes it.

READING PASSAGE

Gespräch auf dem Postamt

der Kunde (*customer*): Haben Sie ein Telegrammformular, bitte?
der Beamte (*clerk*): Die hängen dort an der Wand.

K: Darf (*may*) ich mir eins nehmen, bitte? (*füllt das Formular aus und überlässt (hands) es dem Beamten*)
Wann bekommt der Empfänger mein Telegramm?

B: Von hier nach Düsseldorf braucht (*takes*) es anderthalb Stunden. Wir haben jetzt sieben Uhr zwanzig: sagen wir um neun Uhr.

K: Ich möchte (*should like*) auch an meine Frau Geld schicken. Wie mache ich das?

B. Am besten mit einer Postanweisung (*postal order*) am Schalter (*counter*) Nummer sechs.

K: Danke schön. Und Briefmarken? Wo bekomme ich die?

B: Ja! Hier. Wie viele möchten Sie?

K: Zwei nach England, eine nach Kanada; auch drei für Briefe und vier für Postkarten fürs Inland.

B: Nach England kostet ein Brief 80 Pfennig. Nach Kanada mit Luftpost 1,20 Mark; drei zu zwanzig Pfennig und vier zu fünfzehn. Macht alles zusammen vier Mark zwanzig Pfennig.

K: Danke schön. Darf ich Ihnen die Briefe überlassen?

B: Nein, das geht nicht. Werfen Sie die Briefe in den Briefkasten.

KARL ERZÄHLT EINE ANEKDOTE

KARL ist älter als Liesel, aber das älteste Kind in der Familie ist Paula. Der Vater ist am ältesten. Mit anderen Worten: Paula ist jünger als der Vater aber nicht so jung wie Liesel. Liesel ist das jüngste Kind in der Familie.

Paula spielt besser Klavier als Karl, aber Anton spielt am besten. Er ist der beste Spieler. Marie hat den Hund gern; sie hat die Katze lieber, aber sie hat ihre Kinder am liebsten.

Der Vater ist klüger als Karl und Paula ist schöner als er, aber Karl ist am freundlichsten. Karl hat von seinem Vater die Gabe, Anekdoten zu erzählen. Karls Anekdoten sind interessanter und kürzer als die seines Vaters.

Eines Abends nach dem Kaffee ist Leni da und sagt: "Karl, welche ist Ihre amüsanteste Anekdote?" Karl lacht und sagt: "Kennen Sie die vom Amerikaner in Köln?" "Nein!" Also erzählt Karl:

"Ein Amerikaner besucht einmal Köln. Dieser Herr ist ein sehr netter Kerl; er hat jedoch einen Fehler: er prahlt zu viel. Sein Kölner Freund zeigt ihm die ältesten Gebäude der schönen Rheinstadt. Der Ausländer findet alles kleiner als in seinem Lande. Der Deutsche zeigt ihm den berühmten Kölner Dom.

"Wie heisst denn diese kleine Kirche?" fragt der Amerikaner.

"Das ist der Kölner Dom," antwortet der Deutsche.

"Die Marienkirche in Boston ist viel grösser und höher als dieser Dom. Auch ist Eisenbeton besser als Stein. Kennen Sie unseren Wolkenkratzer, das Woolworth Gebäude? Das ist das grösste Gebäude in der Welt."

Der Deutsche wird müde: er wird es satt und sucht eine praktische Antwort. Jetzt kommen sie zum Rhein. Dort ist die Rheinbrücke, die längste von allen Rheinbrücken.

"Wie heisst die Brücke dort?" fragt der Amerikaner.

"Welche Brücke?" fragt der Deutsche. "Ich sehe keine Brücke." Der Fremde zeigt ihm die Brücke. "Ach so," antwortet der Kölner. "Die ist neu. Ich war gestern hier, und dort war keine Brücke."

KÖLNER DOM

Der Amerikaner ist gar nicht so dumm. Er lacht und sagt: "Ich verstehe. Ich habe alles besser als Sie, aber Sie haben mich zum besten."

So endet Karls Anekdote, und die ganze Familie lacht über das Wortspiel.

VOCABULARY

der Amerikaner(-) *the American*	amüsant *amusing*
der Ausländer(-) *the foreigner*	berühmt *famous*
der Dom(-e) *cathedral*	interessant *interesting*
der Eisenbeton *ferro-concrete*	müde *tired*
der Fluss(-̈e) *river*	nett *nice*
der Fremde(-n) *stranger*	gestern *yesterday*
der Kerl(-e *or* -s) *chap, fellow*	jedoch *however*
der Stein(-e) *stone*	damit *with it, with them*
der Wolkenkratzer(-) *skyscraper*	besuchen *to visit*
die Anekdote(-n) *anecdote*	erzählen *to recount*
die Antwort(-en) *answer*	kennen *to know*
die Brücke(-n) *bridge*	prahlen *to boast*
die Welt(-en) *world*	suchen *to seek, look for*
das Gebäude(-) *building*	verstehen *to understand*
das Wortspiel(-e) *pun*	war *was*

die seines Vaters *those of his father*
die vom Amerikaner *the one about the American*
ich bin es satt *I am tired of it*
einen zum besten haben *to make a fool of someone*

GRAMMAR

Adjectives

1. Any number of adjectives governing the same word have the same ending.
    mein gut**er,** alt**er** Freund; vie**le** ne**ue** Anekdoten.

2. *Indeclinable adjectives*
    Adjectives are made from towns by adding **-er**:
    die Bostoner Kirche; der Kölner Dom; eines Berliner Kuchens.
    These adjectives do not decline.

3. *Comparison of adjectives*

	positive	*comparative*	*superlative*
	stark *strong*	stärker *stronger*	stärkst *strongest*
	alt *old*	älter *elder*	ältest *eldest*

a. As in English, the comparative is made by adding **-er,** and the superlative by adding **-(e)st** to the positive adjective. In English we often form comparatives of long adjectives by prefixing 'more,' e.g. 'more interesting.' The Germans do not do this. No adjective is too long to have another addition. e.g. interessanter, die interessantesten Bücher. Comparative and superlative adjectives decline like the positive.
   Mein älterer Bruder; die schönste Frau; ein besseres Zimmer; ein teu(e)r**erer** Freund (a dear**er** friend).

b. Most adjectives modify in the comparative and superlative (especially if they are of one syllable): gross, grösser, grösst; lang, länger, längst; kurz, kürzer, kürzest.

c. Nicht so gross **wie**. *Not so big as.*
   So hoch *wie*. *As high as.*
   Er ist grösser **als ich**. *He is bigger than I.*
   Dieser Stock ist länger **als** jener. *This stick is longer than that one.*

d. There are two forms of the superlative: **grösst** and **am grössten; schönst** or **am schönsten,** etc. The first form is used before a noun, or when a noun is understood:

das grösste Kind; die schönste Frau; Karl ist der beste (Schüler) in der Klasse.

The **am** form is used in the predicate:

Fritz ist am besten im Deutsch (his best subject); Paula ist am schönsten, wenn sie lächelt.

e. Any adjective can be used without change as an adverb. This applies also to comparatives and superlatives. e.g. Anton spielt am besten; die Mutter spricht am schnellsten.

f. Note the following irregular comparisons:

gut	besser	am besten
viel	mehr	am meisten
hoch	höher	am höchsten
gern	lieber	am liebsten
nah	näher	am nächsten

AUFGABEN

A. Beantworten Sie auf deutsch:

1. Wer ist älter als Paula?
2. Welches Kind ist am jüngsten?
3. Wer spricht besser Deutsch als Sie?
4. Ist eine Katze so gross wie ein Hund?
5. Aus welcher Stadt kommt der Amerikaner?
6. Was zeigt ihm der Deutsche?
7. Welchen Fehler hat dieser Amerikaner?
8. Geben Sie ein Wort für ein sehr hohes Gebäude.
9. Welches ist besser, Eisenbeton oder Stein?
10. Warum lacht endlich der Amerikaner?

B Fill in the gaps with **wie** or **als**:

1. New York ist grösser—Paris aber nicht so gross—London.
2. Ich spreche nicht so gut Deutsch—Englisch: mein Lehrer spricht es besser—ich.

3. Eine Pfeife ist besser — eine Zigarette aber nicht so gut — eine Zigarre.
4. Ich trinke Tee lieber — Bier, aber nicht so gern — Wasser.
5. Liesel geht früher ins Bett — ihre Mutter.
6. Mein Bruder ist nicht so gross — ich, aber wir sind beide grösser — unsere Schwester.

C. Give the correct form of the comparative and the superlative in the following sentences:

1. Das Pferd ist (stark) als der Hund, aber das Auto ist (stark).
2. Die Mutter ist (gross) als Paula, aber der Vater ist (gross).
3. Der Dom ist (hoch) als die Kirche, aber ein Wolkenkratzer ist (hoch).
4. Deutsch ist (schwer) als Englisch, aber Russisch ist (schwer).
5. Stein ist (gut) als Glas, aber Eisenbeton ist (gut).
6. Der Student liest (viel) als die Studentin, aber der Professor liest (viel).

D. Revise the declension of adjectives and give the genitive singular and nominative plural of:

ein netter Kerl; mein englischer Freund; die ältere Stadt; sein schönes Land; eine neue Kirche; mein bester Freund; ein Londoner Wolkenkratzer.

E. Retell in your own words in German the anecdote about the American in Köln.

F. Translate into German:

1. Paula is better-looking than Karl, but he is cleverer than she.
2. Do you know my doctor? He is the best in the town.
3. This bridge is longer than those in England.
4. That skyscraper in Boston is not so tall as the cathedral.
5. I speak German well but not so well as a German.
6. Which is your most interesting story?
7. I like best the one about the American in Germany.
8. My elder brother likes smoking cigarettes but prefers a pipe.
9. Karl's best friend is a bit older than he is.
10. Which of your children is the cleverest?.

DAS MOTORRAD

SOBALD Karl nach Hause kommt, geht er zuerst in die Garage. Hier steht der Wagen seines Vaters. Der interessiert ihn nicht so sehr wie sein Motorrad, aber er arbeitet gerne mit allen Maschinen. Er ist ein leidenschaftlicher Mechaniker.

Dieses Motorrad ist nicht so gut wie es früher war. Es hat zwar zwei Räder und einen Motor, aber es ist ganz kaputt. Karl versucht immer, die Maschine zu reparieren. Heute bringt er eine neue Batterie, weil die alte Batterie so schwach (nicht stark) war.

Er nimmt die alte Batterie weg, montiert die neue, wo die alte früher war, und macht alles fertig. Dann dreht er den Starter. Nichts passiert. Wenn er den Starter wieder dreht, passiert wieder nichts. Er dreht den Starter noch schneller, und wieder passiert nichts.

Wenn er endlich müde wird, setzt er sich und ruht. Wenn er nicht mehr müde ist, beginnt er wieder zu drehen. Diesmal passiert auch wieder nichts. Er versucht es zweimal, dreimal, viermal, hundertmal, aber die Maschine will nicht starten. So setzt er sich noch einmal und ruht und denkt.

Nach zehn Minuten beginnt er wieder zu arbeiten. Es ist nichts zu machen. Die Maschine ist ja kaputt. Er freut sich, wenn er die Stimme seiner Mutter hört. "Karl," ruft sie, "es ist Zeit zum Abendessen zu kommen."

Karl hat Maschinen gern, aber er hat sein Essen noch lieber. Weil er hungrig ist, verlässt er die Garage und geht sogleich in das Haus. Wenn er sich an den Tisch setzt, fragen ihn die anderen nach seiner neuen Batterie. Er sagt ihnen nichts, weil sein Mund voll ist. Er lacht aber, weil er ein freundlicher Kerl ist.

VOCABULARY

der Mechaniker(-) *mechanic*
der Motor(-en) *motor, engine*
der Mund(-e) *mouth*

der Starter(-) *starter*
die Batterie(-n) *battery*
die Maschine(-n) *engine*

das Abendessen(-) *dinner, supper*
das Motorrad(⸚er) *motor-bicycle*
das Rad(⸚er) *wheel*
kaputt *broken, out of order*
leidenschaftlich *enthusiastic*
schwach *weak*
stark *strong*
einmal *once*
zweimal *twice*
diesmal *this time*
hundertmal *a hundred times*
ja *indeed*

sobald *as soon as*
sogleich *at once, immediately*
zwar *indeed, as a matter of fact*
denken *to think*
drehen *to turn*
interessieren *to interest*
montieren *to fit, assemble*
passieren *to happen*
reparieren *to repair*
ruhen *to rest*
stellen *to put*
verlassen *to leave*
versuchen *to try*

es ist nichts zu machen *there is nothing to BE done*
er fragt **nach** meiner Arbeit *he asks ABOUT my work*
er freut sich *he is glad*
er **macht** alles fertig *he GETS everything ready*
er nimmt alles **weg,** *he takes everything AWAY*

GRAMMAR

Infinitive: 'Wenn' and 'Weil' sentences

1. Es ist Zeit nach Hause zu gehen. *It is time to go home.*
   Er hat heute im Hause zu arbeiten. *He has to work in the house to-day.*
   Sie versuchen, die Maschine zu reparieren. *They try to mend the engine.*

   The infinitive comes at the end of its clause and is usually preceded by **zu** (to).

2. Weil er hungrig **ist**. *Because he is hungry.*
   Weil er müde **wird**. *Because he gets tired.*
   Wenn er nach Hause **kommt**. *When he COMES home.*
   Sobald er nach Hause **kommt**. *As soon as he COMES home.*
   Wenn er sich an den Tisch **setzt**. *When he SITS down to table.*

   The conjunctions **weil, wenn, sobald** put the verb at the end of the clause.

Such a clause is a time or reason clause and is called subordinate, since it cannot make sense by itself, but must be dependent on a main clause

Weil er müde **wird**, ...

, **setzt** er sich an den Tisch.

Sobald er nach Hause **kommt**, ...

, **geht** er in die Garage.

Wenn sie hungrig **ist**, ...

, **geht** sie in ein Restaurant.

3. Compare the above with,

Am Abend   **setzt** er sich an den Tisch.
Oft   **geht** er in die Garage.
Mit ihrem Freund   **geht** sie in ein Restaurant.

It is obvious that a subordinate clause is only an element in a full sentence, and if it comes first, the main verb comes second, immediately after it.

Sie **trinkt** ein Glas Wasser, wenn sie durstig ist.
Wenn sie durstig ist, **trinkt** sie ein Glas Wasser.

Karl **lacht**, weil er freundlich ist.
Weil er freundlich ist, **lacht** Karl.

Ich **spiele** mit meinem Hund, sobald ich nach Hause komme.
Sobald ich nach Hause komme, **spiele** ich mit meinem Hund.

4. Similar subordinate clauses can always be identified because:

   (i) of their dependence on the main sentence,
   (ii) they express either, time, place (**wo, wohin,** etc.) or reason,
   (iii) they begin with **weil, wenn, wo, wie,** etc.,
   (iv) the verb comes at the end of the clause,
   (v) they are always enclosed in commas (unless there is other punctuation, such as a full-stop).

It is not difficult to distinguish a subordinate clause from a main clause. It is most important to know the difference, since the most important rules of word order in German are:

THE VERB COMES SECOND IN A MAIN SENTENCE.

THE VERB COMES AT THE END OF A SUBORDINATE CLAUSE.

AUFGABEN

A. Beantworten Sie diese Fragen:

   1. Was tut Karl, sobald er nach Hause kommt?
   2. Wo hat er sein Motorrad?
   3. Was steht auch dort?
   4. Wie viele Räder hat ein Auto?
   5. Warum kauft Karl eine neue Batterie?
   6. Was heisst 'kaputt'?
   7. Was passiert, wenn Karl den Starter dreht?
   8. Warum ruht er?
   9. Was ruft seine Mutter?
   10. Warum verlässt er sogleich sein Motorrad?
   11. Warum antwortet Karl nicht?
   12. Warum lacht er?

B. Supply the missing words and translate into English:

   1. Der Hund läuft schneller — der Mensch.
   2. Dieses Auto ist nicht so gut — es früher war.
   3. Deutschland ist grösser — England, aber nicht — gross — Amerika.
   4. Jedermann arbeitet besser am Tage — in der Nacht.
   5. Eine Katze ist grösser — eine Maus, aber ein Hund ist — —.
   6. Paula ist — als die Mutter, aber Liesel ist — —.
   7. Im Sommer sind die Tage länger — im Winter.
   8. Der Schneider versucht, den Anzug — reparieren.
   9. Dieser Herr hat mir nichts — sagen.
   10. Der Professor spricht besser Deutsch — der Student.

C. Translate into English, then put the subordinate clause first, revising the word order:

   1. Er repariert die Maschine, weil sie kaputt ist.
   2. Er kauft eine neue Batterie, weil der Starter nicht geht.
   3. Sie geht ins Restaurant, weil sie hungrig ist.
   4. Der Schneider macht uns einen neuen Anzug, wenn wir ihm das Geld geben.
   5. Der Arzt besucht uns, wenn wir krank sind.
   6. Das Boot kommt ans Land, sobald der Wind stärker wird.
   7. Das Kind hat den Hund gern, weil er gut ist.

8. Nichts passiert, wenn er wieder zu arbeiten beginnt.
9. Er spielt seine Violine, sobald er nach Hause kommt.
10. Er kauft keine Zigaretten, weil er kein Geld hat.

D. Translate into German:

1. This car goes more quickly than the motor-bicycle.
2. Our dog is cleverer than our cat.
3. He likes working and I like playing (use **gern**).
4. After ten minutes he goes in the house.
5. Because he is hungry, he goes into a restaurant.
6. When I am at home, I play my violin.
7. When she is ill, she goes to the doctor.

DAS FAHRRAD (Key p. 275)

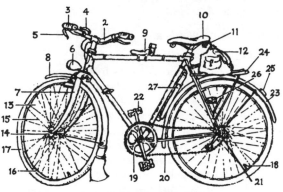

READING PASSAGE

Einige Tips für den Radler und die Radlerin

Immer vorsichtig fahren! In Deutschland fährt man rechts und
überholt links. Es ist polizeilich verboten auf dem Bürgersteig, auch
auf der Autobahn und im Stadtgarten zu radeln. Die Lichter, auch
das Rücklicht, müssen in Ordnung sein. Benutzen Sie die Ölkanne
mindestens einmal in der Woche—besonders für Kette, Naben und
Federn! Das Rad muss immer rost- und staubfrei sein. Wenn ein
Reifen geplatzt ist, reparieren Sie ihn sogleich. Ein guter Radler
braucht die Glocke ebenso wenig wie die Bremse—nur im Notfall
(wenn er muss).

DAS NOTIZBUCH

Es ist Neujahr, d.h. der erste Januar, und Karl hat ein neues
Notizbuch. Zuerst schreibt er auf die erste Seite seinen Namen und
seine Adresse,

> Karl Schulz,
> Hauptstrasse 19.
> 8395 Miesbach.i.W. (in Westfalen)

Dann schreibt er auf die zweite Seite alles Persönliche wie z.B. (zum
Beispiel) die Grösse seiner Schuhe (Nummer 40), die Nummer seines
Motorrads (IVB 2961), die Nummer seines Führerscheins, u.s.w.
(und so weiter).

Die dritte Seite ist für die Telefonnummern seiner Freunde, seiner
Freundinnen und seiner Bekannten bestimmt. Aber es sind nur 21
Zeilen auf jeder Seite, und er hat wenigstens 36 Freunde und
Freundinnen mit Telefon. So schreibt er die Hälfte der Namen auf
Seite drei und die andere Hälfte auf die vierte Seite des Notizbuchs.
Auf der fünften und sechsten Seite steht nützliche Auskunft über die
Post, Kirchenfeste und Feiertage. Er lernt daraus, es kostet 80 Pf.
(Pfennig), wenn er einen Brief nach England schicken will; Os-
termontag ist am siebenundzwanzigsten März. Ostern, wie
Weihnachten, ist ein Fest für alle.

Auf der siebenten Seite findet er das Einmaleins (achtmal eins ist
acht, achtmal zwei ist sechzehn, achtmal drei ist vierundzwanzig,
u.s.w.). Auf der achten Seite ist eine Tabelle der Atomgewichte.
Dann beginnt das Notizbuch für das neue Jahr. Karl beginnt zu
schreiben:

Sonntag, den ersten Januar.

Frei: Ich kann zwei Stunden lang Englisch lernen.
Am Nachmittag will ich das Motorrad reparieren.
Um 7 Uhr abends kommt Leni.
8 bis 10 Uhr abends, Konzert in Lippstadt.

Montag, den zweiten Januar.
9.15 vorm. (neun Uhr fünfzehn, vormittags) Büro.
6 *Uhr nachm. (sechs Uhr nachmittags) Abend-Hochschule.*

Dienstag, den dritten Januar.
Hier schreibt Karl nichts, denn das Programm ist genau wie für Mittwoch. Er kann genau dasselbe für alle Tage der Woche schreiben, nur nicht für Sonnabend und Sonntag. So schreibt er:

Sonntag, den achten Januar.
Frei: Wenn es regnet, können wir Karten spielen.
      Wenn es schön ist, wollen wir nach dem Möhnesee fahren.
      Leni will auch kommen.

Was er weiter schreibt, ist persönlich. Wir wollen es darum nicht lesen, auch weil er oft Englisch schreibt.

VOCABULARY

der Bekannte(-n) *acquaintance*
der Feiertag(-e) *holiday*
der Führerschein(-e) *driving licence*
der Ostermontag *Easter Monday*
der Schuh(-e) *shoe, boot*
die Abend-Hochschule *advanced evening classes*
die Adresse(-n) *address*
die Auskunft(⁼e) *information*
die Grösse(-n) *size*
die Nummer(-n) *number*
die Post *post*
die Postleitzahl(-en) *code no.*
die Seite(-n) *page, side*
die Tabelle(-n) *table*
Weihnachten(-) *Christmas*
die Zeile(-n) *line*
das Atomgewicht(-e) *atomic weight*

das Einmaleins *multiplication table*
das Kirchenfest(-e) *church festival*
(das) Neujahr *New Year*
das Notizbuch(⁼er) *diary*
das Telefon(e) *telephone*
zwei Stunden lang *for two hours*
bestimmt *certain, assigned, definite*
persönlich *personal*
genau *exact (ly)*
dasselbe *the same*
darum *therefore*
daraus *from it, from them*
ich, er will *I, he will*
wir, Sie, sie wollen *we, you, they will*
ich, er kann *I, he can*
wir, Sie, sie können *we, you, they can*

Abkürzungen *abbreviations* u.s.w. und so weiter *etc., and so*
Pf. Pfennig (100 Pf. = 1 Mark) *on*
z.B. zum Beispiel *e.g. for example* vorm. vormittags *a.m. morning*
d.h. das heisst *i.e. that is* nachm. nachmittags *p.m. after-*
Str. Strasse *st. street* *noon*

GRAMMAR

Numerals: Date, Time

1. Alles Persönliche; seine Bekannten.

   Persönliche and **Bekannten** are adjectives used as nouns. They have capital letters but still decline as adjectives (see Chapter 33 for further details if required).

2. *Ordinal Numbers*

   Erste (*first*), zweite (*second*), dritte, vierte, fünfte, sechste, etc. are made by adding **-te** to the cardinal number up to 19 (neunzehnte); erste and dritte are irregular.
   zwanzigste, einundzwanzigste, dreissigste, vierzigste, etc. by adding **-ste** from 20–100 (hundertste).
   These decline like ordinary adjectives.
   Den ersten April; seine zweite Frau; am dritten Tage; der Name des vierten Tages ist Mittwoch; ein fünftes Glas; der dreissigste Tag im April ist der letzte.

3. *Fractions*

   Halb (adjective) or **die Hälfte** (noun) *half* (die Hälfte seines Geldes = sein halbes Geld); ein Drittel *a third*; ein Viertel; ein Fünftel; ein Zehntel; ein Zwanzigstel; ein Hundertstel. These add **-tel** to the cardinal up to one-nineteenth and **-stel** from one-twentieth to a hundredth. They are neuter.

4. *Multiples etc.*

   Einmal, *once*; zweimal, *twice*; dreimal, *three times*; fünfzigmal, *fifty times*; hundertmal, *a hundred times*; tausendmal *a thousand times*.
   Erstens, *firstly;* zweitens, *secondly;* drittens, *thirdly;* letztens, *lastly*; wenigstens, *at least*.

Einfach, *simply*; zweifach, *twofold*; dreifach, *threefold*; hundertfach, *a hundredfold*; vielfach, *manifold*.

5. *Date*

Der wievielte ist es? ⎫
Den wievielten haben wir? ⎭   *What is the date?*

Wir haben den ersten April. *It is the first* OF *April*.
Es ist der dritte März. *It is the third* OF *March*.
Es ist der fünfundzwanzigste Dezember.

Use the nominative case after the verb **ist**.

Weihnachten ist am fünfundzwanzigsten Dezember.
Ostermontag ist am siebenundzwanzigsten März.

Use **am** for "on the," when referring to days and dates.

den ersten Januar: den dreissigsten Oktober.

Use the accusative for dates at the head of letters.

6. *Time*

Wieviel Uhr ist es? Es ist drei Uhr, vier Uhr, zwölf Uhr.
10 past ten. Zehn Minuten nach zehn (Uhr).
25 past ten. Fünfundzwanzig Minuten nach zehn (Uhr).
Quarter past six. Viertel nach sechs (*or* Viertel sieben).
10 to twelve. Zehn Minuten vor zwölf.
25 to seven. Fünfundzwanzig Minuten vor sieben.
Quarter to six. Viertel vor sechs (*or* Dreiviertel sechs).
Half past seven. Halb acht.
Half past eight. Halb neun.
Half past twelve. Halb eins.
At eight o'clock. Um acht Uhr.
At a quarter past nine. Um Viertel nach neun.

AUFGABEN

A. Lesen Sie diese Zahlen auf deutsch:

- *a.* 1; 23; 54; 69; 85; 92; 121; 387; 432; 1172; 3264; 15748; 189756; 1950; 1951; 1952; 1939.
- *b.* One half; two thirds; three quarters; seven eighths; seven tenths; nine twentieths; one sixtieth.

c. First; second; fifth; eighth; third; fourth; twentieth; thirty-second; hundredth; hundred and first.

B. Read the following times in German:

One o'clock; 8 p.m.; quarter past 8; quarter to nine; twenty past 5; 25 past nine; 5 past 8; 10 to 3; quarter to eleven; half past ten; 20 to 7; half past seven.

C. Expand these dates: (e.g. 1.5.1953—Es ist der erste Mai, neunzehnhundertdreiundfünfzig)

3.7.1945	12.2.1825	30.11.1714	25.4.1093
2.9.1939	1.3.1950	3.7.1951	26.10.1955
1.1.1815	29.6.1895	19.12.1902	27.5.1555

D. Read the text of Chapter 18 in the first person singular (e.g. . . . . Ich habe ein neues Notizbuch. Zuerst schreibe ich meinen Namen und meine Adresse . . . .)

E. Beantworten Sie auf deutsch:

1. Wann ist Neujahr?
2. Wann ist Ihr Geburtstag?
3. Um wieviel Uhr gehen Sie ins Büro?
4. Um wieviel Uhr gehen Sie ins Bett?
5. Wann endet der Sommer?
6. Wie lange dauert der Winter? (dauert = *lasts*).
7. Wie viele Seiten sind in diesem Buch?
8. Was machen zwei Achtel und drei Achtel?
9. Wie heisst der erste Tag der Woche?
10. Wie heisst der dritte Tag der Woche?
11. Wieviel Uhr ist es jetzt?
12. Den wievielten haben wir heute?
13. Was schreibt man auf die erste Seite eines Notizbuches?
14. Was für Auskunft findet man in einem Notizbuch?
15. Wann ist Ostermontag?
16. Wann ist Weihnachten?
17. Welche Nummer hat Ihr Auto?
18. Welche Grösse hat Ihr Hut?
19. Welche Hausnummer haben Sie?
20. Was tut Karl am ersten Januar?

REINEKE FUCHS

LIESEL setzt sich jeden Morgen in den Schatten des alten Apfelbaums im Garten. Sie amüsiert sich eine halbe Stunde mit einem Buch. Heute hat sie ein Bilderbuch: es heisst Reineke Fuchs. Sie liest gern diese amüsanten Tiergeschichten.

In diesem alten Buch sind alle Charaktere Tiere, so wie in einer Fabel. Der edele König der Tiere heisst Nobel, der Löwe: der einfältige Bär nennt sich Braun. Reineke ist der Name des schlauen Fuchses. Dieser spielt oft den anderen Tieren böse Streiche.

Eines Tages unterhält sich der Fuchs mit dem Bären. "Interessieren Sie sich für Honig?" fragt er den Bären. "Jawohl, alle Bären lieben den süssen Honig," sagt der einfältige Bär. "Wo befindet sich dieser Honig?" "Kommen Sie mit mir! Ich erinnere mich, wo dieser Honig ist," antwortet der Fuchs.

Reineke macht sich auf den Weg mit Braun und führt seinen einfältigen Freund an einen dicken Baum. Dort zeigt er ihm den süssen Honig im hohlen Stamm. Braun riecht den Honig, freut sich und steckt die Nase und das ganze Gesicht in den Honig. Er steht sogar auf dem Kopf und fällt in den hohlen Stamm.

Ein Bauer arbeitet am nächsten Baum, hört den Lärm und kommt mit seinem Gewehr. Reineke weiss von diesem Bauer, sieht ihn, sagt nichts und entfernt sich schnell. Braun interessiert sich sehr für den Honig und hört nichts.

Glücklicherweise schiesst der Bauer schlecht. Braun fällt schnell aus dem Baum und läuft nach Hause. Am nächsten Tag geht der Bär

zu Nobel, dem König der Tiere, und beklagt sich über den Fuchs.
Aber dieser ist zu schlau: er entschuldigt sich mit klugen Antworten.

VOCABULARY

der Bär(-en) *bear*
der Charakter(-e) *character*
der Fuchs(⸚e) *fox*
der Honig *honey*
der König(-e) *king*
der Löwe(-n) *lion*
der Stamm(⸚e) *stem, trunk*
der Streich(-e) *trick*
die Fabel(-n) *fable*
die Geschichte(-n) *story*
das Gesicht(-er) *face*
amüsant *amusing*
böse *bad, evil, angry*
edel *noble*
einfältig *simple*
hohl *hollow*

nächst *next, nearest*
süss *sweet*
sogar *even*
glücklicherweise *fortunately*
führen *to lead*
stecken *to put, stick*
wissen (er weiss) *to know*
sich auf den Weg machen *to set off*
entfernen *to remove*
erinnern *to remind*
entschuldigen *to excuse*
riechen *to smell*

N.B. For reflexive verbs see GRAMMAR below

GRAMMAR

Reflexive Verbs

sie setzt sich *she seats herself, sits down*
sie amüsiert sich *she amuses herself, is amused*
er nennt sich *he calls himself, is named*
Sie interessieren sich *you interest yourself, are interested*
er freut sich *he is glad*
sie unterhält sich *she converses*
es befindet sich *it finds itself, is found, is*
er entfernt sich *he removes himself, goes away*
ich erinnere mich *I remind myself, remember*
sie entschuldigen sich *they excuse themselves*
wir beklagen uns *we complain*

Reflexive Pronouns

sich *himself, herself, itself, themselves, yourself, yourselves, one's self*
mich *myself*   uns *ourselves*

Almost any transitive verb can within reason be used reflexively.
Thus, er liebt, *he loves*; er liebt sich, *he loves himself*; Sie kennen, *you
know*; Sie kennen sich, *you know yourselves*. Sie dreht den Kopf, *she turns
her head*; sie dreht sich, *she turns*.

But some verbs have a fixed use as reflexives, where we do NOT use
reflexive verbs in English: e.g. **er setzt sich** does not mean he puts
himself, but he sits down. The verb *to remember* is **sich erinnern**; the
verb *to be pleased* is **sich freuen**.

The reflexive pronoun occupies the normal place in the word
order for an object. In a main sentence it comes immediately after
the verb; in a subordinate sentence, as near the beginning as possible,
usually after the subject.

AUFGABEN

A. Name orally the case and gender of every adjective in the text
   above.

B. Beantworten Sie auf deutsch:

   1. Wohin setzt sich Liesel?
   2. Was hat sie in der Hand?
   3. Nennen Sie die Charaktere in Reineke Fuchs.
   4. Was ist süss?
   5. Welches Tier ist schlau, edel, einfältig, treu, falsch?
   6. Wo findet man — (a) Honig, (b)Äpfel, (c)Löwen, (d) Bären?
   7. Womit schiesst der Bauer?
   8. Beschreiben Sie zwei Tiere — Form, Farbe, Grösse, u.s.w.

C. Decline in full:

   eine halbe Stunde; dieser schlaue Fuchs; ein armes Tier; die
   kluge Antwort; böser Streich; ein anderer Mann.

D. Fill in the correct endings:

   1. D- klein- Schneider macht ein- neu- Anzug für d- jung- Kind.
   2. D- dunkl- Farbe des neu- Stoffs steht d- blond- Mädchen.

3. Unser- alt- Freundin nimmt ihr- schwarz- Mantel und rund-
   Hut.
4. An d- nächst- Haltestelle des rot- Omnibusses warten viel-
   müd- Menschen.
5. Jed- gut- Hausfrau macht viel- nötig- Einkäufe am Freitag.
6. D- neu- Eingang dies- schön- Hauses kostet viel Geld.
7. Bringen Sie mir ein klein- Stück kalt- Fleisch- und ein frisch-
   Bier.
8. Am nächst- Tag geht unser- alt- Freund, der Bär, vor d-
   König.
9. Er setzt sich auf ein- Stuhl in d- Garten.
10. All- Bären lieben d- süss- Honig.

E. Insert the reflexive pronouns and translate:

1. Ich interessiere — *heute* nicht für Bücher.
2. Er freut — *jetzt*, so viel Honig zu sehen.
3. Diese Frau nennt — *Hilda*.
4. Wir erinnern — *niemals* an böse Streiche.
5. Der böse Junge entschuldigt — *immer* mit klugen Antworten.
6. Sie machen — *heute abend* auf den Weg nach Köln.
7. Amüsieren Sie — recht schön!

F. Repeat the above exercise, putting the italicised words first and
   making the necessary adjustments in word order.

G. Translate into German:

   The simple-minded bear is pleased to see so much honey. He
   sticks his face into the sweet stuff and does not notice the farmer.
   Fortunately the latter is slow and does not shoot well. Bruin falls
   out of the tree and runs home. Reynard makes his excuses before
   the king but the other animals do not like him. He plays nasty
   tricks on them.

H. Schreiben Sie in eignen Worten die Geschichte von Reineke und
   Braun.

EIN AUSFLUG

Fast jeden Sonntag im Sommer macht Anton einen Ausflug mit der ganzen Familie. Jedes Mitglied der Familie hilft bei den Vorbereitungen. Karl, der ein so guter Mechaniker ist, putzt das Auto und prüft den Motor. Die Mutter, die gerne in der Küche arbeitet, schneidet das Brot und macht das Essen fertig.

Paula hat nicht immer Sonntag frei, aber wenn sie frei hat, kocht sie den Kaffee und füllt die Thermosflaschen, die die kleine Liesel in den Korb packt. Das Essen, das die Mutter fertig macht, kommt dann in den Korb, den Liesel in das Auto trägt.

Das Auto, das ein Sechssitzer ist, hat Platz für alle, auch für Wotan, der sehr gern Ausflüge macht.

Fast jedes Mal fahren sie nach dem Möhnesee. Dies ist ein See, der nur zwanzig Kilometer entfernt ist, und den sie zu Mittag erreichen.

Dort baden sie, liegen in der Sonne und sprechen und spielen mit

ihren Freunden, die sie hier treffen. Besonders Paula, deren Freundin hier in der Nähe wohnt, hat viele Bekannte, mit denen sie gern badet und spielt.

Am Abend tanzen sie im grossen Restaurant, das so gutes Bier hat, und dessen Orchester so schön spielt.

Aber um zehn Uhr sagt der Vater, der etwas streng und altmodisch ist, immer: "Jetzt los, Kinder! Es ist Zeit, nach Hause zu fahren." Karl und Paula, die ihren Vater gut kennen, sagen nichts, aber sie machen sich fertig zur Abfahrt.

Sie nehmen Abschied von ihren Freunden und fahren langsam durch die Dörfer, in denen jetzt alles schläft. Im Wagen, in Muttis Armen schläft auch schon das kleine Kind, dessen Gesicht so still und glücklich ist. Die anderen sprechen nicht viel, um es nicht zu wecken, aber sie sind alle froh. Die Tage, die sie hier in der frischen Luft verbringen, sind glückliche Tage, die sie nie vergessen.

VOCABULARY

der Abschied *leave, departure*
der Arm(-e) *arm*
der Ausflug (-e) *trip, excursion*
der Korb (-e) *basket*
der Sechssitzer(-) *six-seater*
der See (-n) *lake*
die Abfahrt *departure*
die Nähe *nearness, vicinity*
die Thermosflasche(-n) *thermos flask*
die Vorbereitung(-en) *preparation*
das Mitglied(-er) *member*
altmodisch *old-fashioned*
frei *free*
streng *strict*
fast *almost*
langsam *slow(-ly)*

baden *to bathe*
erreichen *to reach*
prüfen *to test*
putzen *to clean, polish*
schneiden *to cut*
schwimmen *to swim*
tanzen *to dance*
treffen (er trifft) *to meet, hit*
verbringen *to spend*
vergessen (er vergisst) *to forget*
wecken *to wake*
sich fertig machen *to get ready*
Abschied nehmen *to take leave*
er hat heute frei *he has a holiday to-day*
jetzt los! *come on now*
zu Mittag *at midday*

GRAMMAR

Relative Clauses

1. **Karl,** der ein so guter Mechaniker ist, **putzt das Auto.**
   Die Mutter, die immer in der Küche arbeitet, **schneidet das Brot.**
   Das Auto, das ein Sechssitzer ist, **hat Platz für alle.**

In the above sentences—
   Karl putzt das Auto.
   Die Mutter schneidet das Brot.
   Das Auto hat Platz für alle.
are main clauses, containing the main statement, and—
   ,der ein so guter Mechaniker ist,
   ,die immer in der Küche arbeitet,
   ,das ein Sechssitzer ist,
are subordinate clauses, subsidiary to the main clause.
   This type of clause is called a relative clause. In this, as in all subordinate clauses, THE VERB COMES LAST.
   There is a comma before and after each relative clause.

2. Each relative clause begins with a relative pronoun, which refers to something in the main clause.
   In English, the relative pronoun is 'who' (that) for persons and 'which' (that) for things.

   In German—
      der (or **welcher**) refers to masculine nouns,
      die (or **welche**) refers to feminine nouns,
      das (or **welches**) refers to neuter nouns,
      die (or **welche**) is the plural for all genders.
         Karl, der . . . *Charles, who . . .*
         Die Mutter, die . . . *The mother, who . . .*
         Das Auto, das . . . *The car, which . . .*
         Die Freunde, die . . . *The friends, who . . .*
      Der Kellner, der den Kaffee bringt, hat einen guten Anzug
      The waiter, who brings the coffee, has a good suit.
      Die Frau, die so schön singt, ist meine Mutter. *The woman, who sings so nicely, is my mother.*

Das Buch, das auf dem Tisch (–e) liegt, ist ein Wörterbuch. *The book, which lies on the table, is a dictionary.*

Die Bauern, die in diesem Dorf (–e) wohnen, sind reich. *The farmers, who live in this village, are rich.*

THE RELATIVE PRONOUN AGREES IN GENDER WITH THE NOUN TO WHICH IT REFERS.

3. The English relative pronoun changes to 'whom' in the objective and 'whose' in the possessive case. Obviously the pronoun can be either subject, object, possessive or used after a preposition. To show its function it declines as follows:

	Masc.	*Fem.*	*Neut.*	*Pl.*
Nom.	der	die	das	die
Acc.	den	die	das	die
Gen.	dessen	deren	dessen	deren
Dat.	dem	der	dem	denen

Welcher declines with exactly the same endings, except that there is no genitive. It is used less frequently than der.

4. Sentences showing use of the relative pronoun.

Der Kellner, der (welcher) im Café arbeitet, ist Deutscher.
(who works in the café)

Der Kellner, den (welchen) wir im Café sehen, ist Deutscher.
(whom we see in the café)

Der Kellner, dessen Anzug so gut ist, ist Deutscher.
(whose suit is so good)

Der Kellner, dem (welchem) ich 50 Pf. gebe, ist Deutscher.
(to whom I give sixpence)

Die Katze, die (welche) im Garten sitzt, heisst Möhrchen.
(which is sitting in the garden)

Die Katze, die (welche) Karl liebt, heisst Möhrchen.
(which Charles loves)

Die Katze, deren Zähne so scharf sind, heisst Möhrchen.
(whose teeth are so sharp)

Die Katze, der (welcher) Paula Milch gibt, heisst Möhrchen.
(to which Paula gives milk)

Das Krankenhaus, das (welches) in Lippstadt liegt, hat 25 Betten.   (*which lies in Lippstadt*)

Das Krankenhaus, das (welches) Dr. Horn besucht, hat 25 Betten.   (*which Dr. Horn visits*)

Das Krankenhaus, dessen Fenster so gross sind, hat 25 Betten.
(*whose windows* or *the windows of which are so big*)

Das Krankenhaus, in dem (welchem) Dr. Horn arbeitet, hat 25 Betten.   (*in which Dr. Horn works*)

Die Tassen, die (welche) auf dem Tisch stehen, sind ganz neu.
(*which are on the table*)

Die Tassen, die (welche) Paula auf den Tisch stellt, sind ganz neu.   (*which Paula puts on the table*)

Die Tassen, deren Farbe weiss ist, sind ganz neu.
(*whose colour is white*)

Die Tassen, aus denen (welchen) wir trinken, sind ganz neu.
(*from which we drink*)

In the above examples every one of the antecedents (the words to which the relative pronoun refers) is in the nominative case, whereas the relative pronoun changes in each sentence according to its function. THE RELATIVE PRONOUN HAS ITS OWN CASE.

AUFGABEN

A. Beantworten Sie auf deutsch:

1. Wann macht Anton einen Ausflug?
2. Wer fährt mit ihm?
3. Welche Vorbereitungen trifft (*a*) Karl, (*b*) die Mutter?
4. Worin (in what) packt man das Essen?
5. Woraus trinkt man den Kaffee?
6. Was für einen Wagen hat die Familie?
7. Wie weit liegt der Möhnesee entfernt?
8. Was tun sie am See?
9. Wo tanzen sie am Abend?
10. Warum trifft Paula viele Bekannte am See?
11. Wann fährt die Familie nach Hause?
12. Warum vergessen sie diese Tage nicht?

B. Pick out orally every relative clause in the text of Chapter 20, showing:

   1. The word to which the relative pronoun refers, with its gender.
   2. The case of the relative pronoun and the reason for it.
   3. The verb in the relative clause.
     e.g. der ein so guter Mechaniker ist,
      1. **der** refers to Karl, masculine.
      2. **der** is nominative case, subject of the verb ist.
      3. **ist** is the verb in the relative clause.

C. Fill in the correct form of the relative pronoun, making it agree in gender with the word to which it refers and using the appropriate case:

   1. Der Wagen, — auf der Strasse steht, ist ein Zweisitzer.
   2. Der Hund, — wir auf der Strasse sehen, heisst Wotan.
   3. Das Brot, — im Korb liegt, ist ganz frisch.
   4. Der Vater, — Kinder so glücklich sind, ist streng.
   5. Der Kaffee, —sie kocht, schmeckt sehr gut.
   6. Das Fräulein, —Freunde hier wohnen, arbeitet im Restaurant.
   7. Das Orchester, —Musik so schön ist, spielt jeden Sonntag.
   8. Die Freunde, mit —sie spielt, sind auch jung.
   9. Das Auto, — Motor Sie hören, ist ein Viersitzer.
  10. Das Auto, in — Sie fahren, fährt langsam.
  11. Der See, —sie zu Mittag erreichen, ist still und klar.
  12. Der See, in —sie baden, ist ganz warm.

D. Ein Mechaniker ist ein Mann, der Maschinen repariert.

   Was ist— 1. ein Musiker, 2. ein Schneider, 3. ein Kellner, 4. ein Arzt, 5. eine Studentin, 6. ein Amerikaner, 7. ein Seemann 8. eine Küche, 9. der Garten, 10. das Esszimmer?

READING PASSAGE

Nach der Grundschule

Die Erziehung in der Volksschule dauert noch vier Jahre. Mit 14–15 Jahren verlässt das Kind sie und erlernt einen Beruf. Während seiner

Lehrzeit in Fabrik, Büro oder Warenhaus muss es noch eine Berufsschule besuchen. Durch Kurse an zwei Halbtagen und Abenden kann das Kind seine berufsmässigen Prüfungen und auch die 'mittlere Reife' (O-level) bestehen.

VOM AUFSTEHEN

Szene: Frühstückszimmer der Familie Schulz.
Zeit: Acht Uhr früh.

Vater und Mutter sitzen am Tisch und beginnen, das Frühstück zu essen.
Liesel macht die Tür auf und kommt ins Zimmer herein.

Liesel: Guten Morgen, Pappi und Mutti.
Mutter: Guten Morgen, Liesel.
Vater: Hmm!
Mutter: Es ist schön heute, nicht wahr?
Vater: Hmm!
Liesel: Ja, die Sonne geht schon am Himmel auf.
Mutter: Noch eine Tasse Kaffee, Anton?
Anton: Hmm!
Mutter: Hier ist die Zeitung.
    (*Vater nimmt die Zeitung und macht sie auf: er gibt der Mutter ein*
    Stück: sie nimmt es.)
Mutter: Liesel, steht Karl schon auf?
Liesel: Ja, Mutti, er ist im Badezimmer. Er rasiert sich und badet.
  Ich höre ihn dort singen. (*Sie lacht.*)
Mutter: Der Junge ist fröhlich, nicht wahr?
Vater: (*sieht auf*) Was? Ach, ja! Wo bleibt denn Paula? Steht sie noch
  nicht auf? Liegt sie noch im Bett?
Mutter: Ich höre sie nicht. Das arme Kind ist vielleicht müde.
Vater: Hat sie den Tag frei? Geht sie heute nicht aus?
Mutter: Doch. Sie muss zur Arbeit gehen. Liesel, geh hinauf und
  wecke Paula auf.
    (*Liesel läuft aus dem Zimmer hinaus und geht die Treppe hinauf. Man*
    hört sie an Paulas Tür klopfen. Keine Antwort. Sie klopft wieder an
    die Tür.)
Paula: Ja? (*spricht im Schlaf und macht die Augen nicht auf.*)
Liesel: Es ist schon acht Uhr. Mutti sagt, du musst auf-
stehen. Verstehst du? Es ist spät. Steh gleich auf! Hörst du?
Paula: Ja, gut. Ich stehe schon auf. (*macht die Augen wieder zu.*)

(Liesel geht nicht weg. Sie kennt ihre Schwester. Sie bleibt vor der Tür und hört nichts. Paula schläft wieder ein. Nach fünf Minuten weckt sie Paula wieder. Diesmal macht sie die Tür auf und versucht, Paula aus dem Bett zu ziehen. Paula wacht wieder auf und springt aus dem Bett.)

Paula: Ich komme schon. Sieh doch, ob das Badezimmer noch frei ist. *(Sie bürstet und kämmt sich das Haar)*

Liesel: Ja, die Tür ist auf. Es ist frei. Karl geht schon die Treppe hinunter. *(Sie geht selber hinunter.)*

(Paula zieht den Schlafrock schnell an, springt ins Badezimmer hinein und macht die Tür zu. Sie putzt sich die Zähne mit Bürste und Zahnpaste. Sie wäscht sich das Gesicht und die Hände. Dann geht sie ins Schlafzimmer zurück und zieht sich die Kleider blitzschnell an.)

Mutter: Paula! Stehst du nicht auf? Bist du noch nicht fertig?

Paula (ruft von oben): Doch, Mutter. Ich komme in zwei Minuten hinunter. *(Vor dem Spiegel pudert sie sich Nase und Wangen, und tut Lippenstift auf die Lippen. Jetzt ist sie fertig.)*

Karl (der ein grosses Stück Brot isst): Diese Mädels! Wenn sie zu spät ins Bett gehen, so stehen sie zu spät auf. Und wenn sie zu spät aufstehen, gehen sie zu spät ins Bett.

Vater: Hmm!

Paula hat wenig Zeit zum Frühstück, aber um halb neun sitzt sie schon im Autobus unterwegs nach Lippstadt, wo sie arbeitet "Guten Morgen," grüssen sie ihre Bekannten. "Guten Morgen," antwortet Paula und sagt nichts mehr, weil sie schon wieder im Autobus einschläft.

VOCABULARY

der Lippenstift(-e) *lipstick*
der Schlafrock (¨e) *dressing-gown*
der Zahn (¨e) *tooth*
die Treppe(-n) *stairs*
die Bürste(-n) *brush*
die Hand (¨e) *hand*
die Lippe(-n) *lip*
die Wange(-n) *cheek*

die Zahnpaste(-n) *toothpaste*
die Zeitung(-en) *newspaper*
das Aufstehen *getting up, rising*
das Frühstück(-e) *breakfast*
das Gesicht(-er) *face*
das Haar(-e) *hair*
das Mädel(-s) *girl*
blitzschnell *quick as lightning*

ob (*verb last*) *if, whether*
oben *upstairs*
selber *herself, himself, self*
spät *late*
doch *yes* (*after a negative question*)
an-ziehen (er zieht an) *to put on*
auf-gehen (geht auf) *to rise*
  (sun)
auf-machen (er macht auf) *to*
  open
auf-sehen (er sieht auf) *to look*
  up
auf-stehen (er steht auf) *to rise,*
  get up
auf-wachen (er wacht auf)
  awake (*intransitive*)
auf-wecken (er weckt auf) *to*
  waken (*transitive*)
aus-gehen (er geht aus) *to go out*
bleiben *to stay*
bürsten *to brush*
ein-schlafen (er schläft ein) *to*
  fall asleep
er steht früh auf *he gets up early*
sie macht die Tür zu *she closes the door*
er zieht sich die Schuhe an *he puts on* **his** shoes

herein-kommen (er kommt
  herein) *to come in*
hinauf-gehen (er geht hinauf)
  to go up
hinaus-laufen (er läuft hinaus)
  to run out
hinein-springen (er springt
  hinein) *to jump in*
hinunter-gehen (er geht hinunter) *to go down*
kämmen *to comb*
pudern *to powder*
rasieren *to shave*
waschen (er wäscht) *to wash*
weg-gehen (er geht weg)*to go*
  away
ziehen *to pull, draw, drag*
zu-machen (er macht zu) *to close*
zurück-gehen (er geht zurück) *to*
  go back

GRAMMAR

1. **Du** *Form*

   a. Du kommst; du musst; du verstehst. *Thou comest; thou must; thou understandest.*

   This is the 2nd person singular familiar form, and is used between intimate friends and relatives and to all children. It is identical in form with the 3rd person singular plus an **-s-** before the final **-t.** Strong verbs which alter their stem vowel in the 3rd person also change it in this 2nd person singular:

   du siehst, du trägst, *etc.*

In the Imperative, the **-st** is omitted. Most weak and some strong verbs add **-e:**
> gehe! sage! komme! sieh! *go! say! come! look!*

b. *Nom.:* du; *Acc.:* dich; *Dat.:* dir.
> e.g. ich liebe dich; ich gebe es dir.

2. *Separable Verbs*

a. Er macht die Tür auf. The infinitive is aufmachen.
Paula steht spät auf. The infinitive is aufstehen.
Die Sonne geht früh auf. The infinitive is aufgehen.

A separable verb is a root verb with a particle. From one root verb many separable verbs may be derived.

As in English—

to go **out,** to go **up,** to go **down,** to go **on,** to go **in,** so in German—

ausgehen, **auf**gehen, **unter**gehen, **vor**gehen, **hinein**gehen.

In the infinitive the particle is attached in front.

In a main sentence the particle separates and goes to the end of the sentence:

> **auf**gehen: die Sonne geht früh **auf.**

In a subordinate clause, as the verb is already last, the prefix does not separate:

> wenn die Sonne früh **auf**geht;
> weil sie schon im Autobus **ein**schläft;
> wenn du nicht sogleich **auf**stehst.

b. Most particles (prefixes) are separable:
> an, aus, ab, ein, herein, herunter, hinüber, mit, zurück, *etc.*

A few prefixes which never separate are **be- er- ver-.**
beginnen, er beginnt; erinnern, er erinnert; verstehen, er versteht. **Be-, er-, ver-** are called inseparable prefixes.

Her- means *this way,* towards the speaker; **hin-** means *that way,* away from the speaker, as in **woher,** whence; **wohin,** whither. **Hin-** and **her-** are frequently prefixed to separable verbs of motion, e.g. Kommen Sie herein! *Come in!* Er springt hinüber. *He jumps across.*

c. Note the difference between the following:

Er macht eine Tür. *He is making a door.*

Er macht eine Tür **auf.** *He is opening a door.*

Er macht eine Tür **zu.** *He is closing a door.*

Sie zieht den Schuh. *She pulls the shoe.*

Sie zieht den Schuh **an.** *She puts on the shoe.*

Sie zieht **sich den** Schuh **aus.** *She takes off her shoe.*

As the operative word comes last, it is essential to read to the final word of a sentence before translating.

3. *Reflexive pronouns in dative case*

In the dative case the reflexive pronoun **mich** becomes **mir, dich** becomes **dir.** All other persons are the same as the accusative, i.e. **sich** and **uns.** Their chief use is as follows:

Steck es in **die** Tasche = Put it in your pocket.

Germans use the definite article instead of the possessive adjective with parts of the body and personal things. But the personal idea is mostly reinforced by adding the reflexive (or personal) pronoun in the dative. e.g. I wash *my* face = Ich wasche **mir das** Gesicht. She combs *her* hair = sie kämmt **sich das** Haar. Put on *your* shoes = Ziehe **dir die** Schuhe an!

AUFGABEN

A. Beantworten Sie auf deutsch:

1. Wann geht die Sonne auf?
2. Um wieviel Uhr stehen Sie auf?
3. Was ziehen Sie an, wenn Sie ins Badezimmer gehen?
4. Was ziehen Sie aus, wenn Sie ins Bett gehen?
5. Wer weckt Paula?
6. Wie weckt sie sie?
7. Warum steht Paula spät auf?
8. Warum muss sie früh aufstehen?
9. Was sagt der Vater während des Frühstücks?
10. Wer grüsst Paula im Autobus?
11. Was tut Paula im Autobus?
12. Wann geht die Sonne unter?

13. Warum singt Karl im Badezimmer?
14. Warum hat Paula wenig Zeit zum Frühstück?
15. Um wieviel Uhr sitzt sie im Autobus?
16. Wir riechen mit der Nase. Womit (*a*) sehen Sie, (*b*) hören Sie?
17. Wann brauchen Sie (*a*) Seife, (*b*) Lippenstift, (*c*) Zahnpaste, (*d*) eine Haarbürste, (*e*) Puder, (*f*) einen Spiegel, (*g*) einen Schlafrock?

B. Rewrite the following sentences, putting the verb in brackets (the infinitive) into the correct form of the Present Tense and taking care to put the separable prefix in the proper place: (e.g. Er (einschlafen) immer in der Klasse—Er schläft immer in der Klasse ein.)

1. Im Winter (aufgehen) die Sonne spät.
2. Ich (aufstehen) früher im Sommer als im Winter.
3. Mein Hund (aufmachen) die Tür, aber er (zumachen) sie nicht.
4. Sein alter Freund (zurückfahren) morgen nach Deutschland.
5. Warum (weggehen) Sie so früh?
6. (hereinkommen) Sie doch, wenn Sie Zeit haben!
7. Ich (anziehen) den Mantel, weil es kalt ist.
8. Liesel (hinaufgehen) die Treppe.
9. Die Katze (hinauslaufen) aus dem Garten.
10. Paula (zumachen) die Tür des Schlafzimmers.
11. Karl (beginnen) das Brot zu schneiden.
12. Sie (verstehen) mich nicht.

C. Write the following verbs in the **du** form:

(e.g. ich gehe . . . du gehst)
    Ich stehe, ich verstehe, er geht, wir sagen, sie machen, ich singe, Sie halten, sie nimmt, ich trage, ich bringe.

D. Taking parts, read the text in this chapter until word-perfect. Then try repeating it without the text.

E. Translate into German:

In the bathroom; during breakfast; they get up early; it is eight o'clock; you must get up; he doesn't go away; she stays in front of

the door; the bathroom door; she falls asleep; do you (du) close
the window at night? I am putting my shoes on; why don't you
wash your face? I always wash my hands before eating; he never
cleans his teeth.

F. Zeichnen Sie ein Gesicht mit Namen aller Gesichtsteile, die Sie
   kennen (+ Augenbrauen, Kinn, Bart, Schnurrbart)!

AUS EINER ZEITUNG

Es ist Sonntag Nachmittag: der Tag ist regnerisch: die Familie sitzt vor dem Feuer im Wohnzimmer. Paula strickt sich einen neuen Jumper aus gelber Wolle: Karl liest einen englischen Roman: Anton studiert einen Bericht über die Erziehungsprobleme in den deutschen Hauptschulen, während die Mutter die Zeitung liest. Sie interessiert sich für das Leben anderer Leute, weil sie sehr sentimental ist. Darum liest sie das Feuilleton. Im Feuilleton erscheint jeden Sonntag ein Artikel vom 'Onkel Konrad.' Er heisst 'Der Ratgeber – unsere Leser fragen, wir antworten.' Marie liest Folgendes:

O. G. schreibt: "Ich kenne einen Mann, der mich liebt, aber ich liebe ihn nicht. Er ist ziemlich alt und sehr klein — viel kleiner als ich. Wenn ich ihn heirate, werde ich reich, weil er viel Geld hat. Aber ich fürchte, unglücklich zu werden. Meine Mutter ist Witwe, und ich bekomme keine Mitgift: aber ich habe eine gute Stellung als Stenotypistin. Meine Mutter will, dass ich diesen Herrn heirate. Ich weiss, dass meine Mutter nur mein Glück will, und nicht will, dass ich arm bleibe. Ich will mich aber nicht verkaufen. Ich weine viel und weiss nicht, was ich machen soll. Ich bin siebzehn Jahre alt. Kann ich mir mit dem Heiraten noch Zeit lassen?"

Onkel Konrad antwortet: "Sie haben mit dem Heiraten bestimmt noch Zeit. Diese Frage können Sie in fünfzehn Jahren stellen. Er liebt Sie, Sie lieben ihn nicht? Das ist traurig, aber nur für ihn. Sie müssen keine Diskussionen mit Ihrer Mutter haben. Sie sind ohne Mitgift? Sie dürfen wegen dieser Sache nicht weinen. Sie haben eine gute Stellung, und das ist auch Kapital. Wenn man siebzehn Jahre alt ist, soll man seine Arbeit machen und im übrigen lachen, singen und tanzen. Noch eins sollen Sie wissen, dass auch viele grosse Männer klein sind."

"Das ist eine recht dumme Frage und eine sehr kluge Antwort," denkt Marie. "Gott sei Dank, dass mein Sohn und meine Tochter nicht so albern sind." Sie sieht Karl und Paula stolz an, und ist glücklich. So sind die Mütter; sie denken viel und sagen wenig.

VOCABULARY

der Artikel(-) *article*
der Bericht(-e) *report*
der Jumper(-) *jumper*
der Ratgeber(-) *adviser*
der Roman(-e) *novel*
die Diskussion(-en) *discussion*
die Mitgift *dowry*
die Hauptschule(-n) *secondary school*
die Sache(-n) *thing, affair*
die Stellung(-en) *post, position*
die Stenotypistin(-nen) *shorthand-typist*
die Witwe(-n) *widow*
das Feuer(-) *fire*
das Feuilleton(-s) *feuilleton*
das Glück *happiness*
das Heiraten *marriage*
das Kapital(-ien) *capital*
das Leben(-) *life*

das Erziehungsproblem(-e) *educational problem*
albern *foolish*
gelb *yellow*
regnerisch *rainy*
sentimental *sentimental*
stolz *proud*
traurig *sad*
ziemlich *rather, fairly*
dass *that, so that* } *put the*
während *while* } *verb last*
an-sehen (er sieht an) *to look at*
erscheinen *to appear, seem*
fürchten *to fear*
heiraten *to marry*
stricken *to knit*
weinen *to weep, cry*

er **stellt** eine Frage *he asks a question*
ein Bericht **über** *a report about*
ich interessiere mich **für** Deutsch, *I am interested* IN *German*
ich weiss nicht, was zu machen *I do not know what to do*
im übrigen *for the rest*
kann ich mir mit dem Heiraten Zeit lassen? *can I postpone getting married for a time?*
Gott sei Dank *thank God*

GRAMMAR

1. *Subordinate Clauses*

. . . während die Mutter die Zeitung **liest**. . . . *while mother reads the paper.*

Meine Mutter will, dass ich diesen Mann **heirate**. *My mother wishes me to marry this man.*

Sie sollen wissen, dass viele grosse Männer klein **sind**. *You must know that many great men are little.*

After **dass** and **während** the verb stands at the end of the clause as it does after **weil** and **wenn**.

2. *Wissen and Kennen*

a. **Wissen** means *to know (about)*, *have knowledge of*, whereas **kennen** means *to know (personally)*, *be acquainted with*.

Ich kenne diesen Engländer. *I know this Englishman.*

Wir wissen, dass er gut Deutsch spricht. *We know that he speaks good German.*

The singular of **wissen** is irregular, as follows:

ich weiss, du weisst, er weiss.

Plural: wir, Sie, sie wissen.

3. *Modal Verbs*

The six modal verbs are irregular in the Present Tense.

	können	wollen	müssen	sollen	dürfen	mögen
	can, am able to	*want to, will*	*must, have to*	*shall, am to*	*may, am allowed to*	*may, like to*
ich	kann	will	muss	soll	darf	mag
du	kannst	willst	musst	sollst	darfst	magst
er	kann	will	muss	soll	darf	mag
wir Sie sie	können	wollen	müssen	sollen	dürfen	mögen

There is no **zu** with the infinitive governed by a modal verb. Some examples of the uses of these verbs are as follows:

Er soll Deutsch lernen, aber er will nicht studieren. *He is to (should) learn German but he will not study.*

Er kann Fussball spielen, aber er darf nicht spielen. *He can play football but he is not allowed to play.*

Er mag Violine spielen, aber er kann nicht spielen. *He likes playing the violin but he cannot play.*

4. *Infinitives as Nouns*

heiraten *to marry*	das Heiraten *marriage*
leben *to live*	das Leben *life*
essen *to eat*	das Essen *meal*
aufstehen *to get up*	das Aufstehen *rising*

Any infinitive may be used as a noun by giving it a capital letter and making it neuter.

AUFGABEN

A. Beantworten Sie auf deutsch:

1. Warum sitzt die Familie vor dem Feuer?
2. Karl liest einen Roman. Was tut (*a*) Paula, (*b*) der Vater, (*c*) Marie?
3. Wie wissen Sie, dass die Mutter sentimental ist?
4. Wie heisst der Teil der Zeitung, den Marie liest?
5. Wie heisst der Artikel, den sie liest?
6. Was ist das Problem des jungen Mädchens?
7. Geben Sie die Antwort Onkel Konrads.
8. Was denkt Marie von diesem Artikel?
9. Ist es wahr, dass viele grosse Männer klein sind? Geben Sie Beispiele.
10. Was soll man tun, wenn man jung ist?

B. Give the 3rd person singular and the 3rd person plural of:

Ich will nach Hause gehen; wenn ich jung bin, kann ich tanzen; ich mag diese Himbeeren nicht essen; ich habe kein Instrument, so kann ich nicht spielen; ich darf kein Bier trinken; ich weiss, dass ich reich werde, wenn ich ihn heirate.

C. Put the verbs in the correct position in the following:

1. Ich sehe, dass Sie (sind) glücklich.
2. Er weiss, dass dieser Hund (beisst) keine Kinder.
3. Sie schreibt, dass sie (will) uns morgen besuchen.
4. Während Karl (schreibt) in sein Tagebuch, er (denkt) an Leni.
5. Während die Mutter (schneidet) das Brot, Paula (macht) den Kaffee.

REVISION EXERCISES

A. Geben Sie ein anderes Wort für:

Herr, 100 Pf., Dame, Studierzimmer, Auto, Doktor, statt, Saal, Kellner, Mahlzeit, Restaurant, tun, Mensch, Weg.

B. Give the correct form of the verb in the following:

1. Meine Mutter (wollen), dass ich ihn (heiraten).
2. Ich (wissen), wo Ihr Roman (liegen).
3. Sie (aufstehen) um sieben Uhr.
4. Wenn es kalt (sein), (zumachen) Sie die Tür.
5. Wenn er das Wort (vergessen), (können) er nichts sagen.
6. (Müssen) Sie schon gehen?
7. Karl (essen) gern Kuchen.
8. Er (schlagen) das Tier, weil es nicht gehen (wollen).
9. Anton (lesen) einen Bericht.
10. Wir (verstehen) kein Wort von dem, was Sie (sagen).
11. Du (wissen), dass ich dich (lieben).
12. Wenn er schnell (laufen), (kommen) er bald an das Dorf.
13. Der Bauer (ausgehen) nicht, weil er müde (sein).
14. Sobald ich (gehen) ins Bett, (einschlafen) ich.
15. Liesel (hinaufgehen) die Treppe, und (zumachen) die Tür.

C. Was ist das Gegenteil (*opposite*) zu: kühl, dumm, der Winter, gross, kalt, jung, glücklich, albern, weinen, vergessen, schwarz, aufstehen, spielen, schlecht, wild, die Nacht.

D. Fill in the correct endings:

1. D- arm- Mädchen will d- reich- klein- Mann heiraten.
2. Er gibt ein- klug- Antwort auf dies- dumm- Frage.
3. D- müd- Junge steht an dies- kalt- Tag spät auf.
4. D- schwarz- Katze läuft aus d- gross- Garten auf d- lang- Strasse.
5. Jed- gut- Schneider kann schön- Anzüge machen.
6. D- stark- Motor dies- klein- Autos ist besser als mein−.
7. Sein schmutzig- Kind geht in unser-sauber-Küche.
8. D- hungrig- Kinder essen ein gross- Frühstück.
9. All- wild- Tiere haben scharf- Zähne und scharf-Ohren.
10. Wie viel- neu- Patienten warten in d- gross-Saal?

E. Give the nominative singular and plural and the genitive singular with the definite article:

Abend, Zeitung, Kirche, Stock, Zahn, Körper, Gewehr, Büro, Ohr, Wand, Lampe, Brief, Stockwerk, Fisch, Führer, Rechnung, Strasse, Kartoffel, Flasche, Karte, Krankenhaus, Minute, Tür, Jahreszeit, Einkauf, Hut, Doktor, Dame, Fenster, Wald, Mark, Amerikaner, Brücke.

F. Complete these sentences in German:

1. Wenn man krank ist, . . .
2. Weil Paula nicht aufsteht, . . .
3. Während Karl liest, . . .
4. Marie weiss, dass . . .
5. Dieses Motorrad kann nicht fahren, weil . . .
6. Sobald er nach Hause kommt, . . .
7. Der Seemann kann nichts kaufen, weil . . .
8. Marie denkt, dass . . .
9. Wenn Sie gut Deutsch sprechen wollen, . . .
10. Er will mich heiraten, weil . . .

G. Beantworten Sie auf deutsch:

1. Ein Kellner ist ein Mann, der in einem Restaurant arbeitet. (a) Was ist ein Wirt, (b) ein Schneider, (c) ein Lehrer, (d) ein Arzt, (e) ein Bauer, (f) ein Mechaniker, (g) eine Radfahrerin?
2. Nennen Sie fünf Tiere.
3. Wann ist es warm?
4. Was bedeckt die Erde im Winter?
5. Was findet man in einer Garage?
6. Wann stehen Sie auf?
7. Was für Kleider tragen Sie im Herbst?
8. Was trägt man an den Füssen?
9. Was trägt man auf dem Kopf?
10. Was trägt man im Badezimmer?
11. Was trägt man, wenn man ausgeht?
12. Was trägt man im Wasser, wenn man schwimmt?
13. Was isst man zum Frühstück?
14. Was isst man zum Abendessen?

15. Was trinkt man im Wirtshaus?
16. Was trinkt man bei Freunden?
17. Was trinkt man im Restaurant?
18. Was ziehen Sie an, wenn es kalt ist?

H. Lesen Sie diese Zahlen und Daten und Zeiten auf deutsch:

2; 6; 21; 98; 736; 1066; 1645; 1714; 1815; 1901.
One third; eleven twelfths; nineteen twentieths.
Twenty to four; a quarter past five; five minutes to three;
half past twelve; twenty-five past six; half past nine.
1.2.1950; 6.3.1930; 28.5.1929; 30.9.1919; 26.4.1924.

Translate:
his first mistake; my second wife; his third glass; the eighth
book; her twenty-first birthday; a hundred times.

I. Put in the correct gender and case of the relative pronoun and
translate:

1. Ein Seemann, — kein Schiff hat, ist unglücklich.
2. Der Bär, — er schlägt, ist müde.
3. Der Student, mit — er spricht, kann gut Deutsch.
4. Die Stadt, in — sie wohnen, heisst Hamburg.
5. Die Kirche, — am Ende der Strasse liegt, ist sehr alt.
6. Das Kind, — man Bonbons gibt, soll "Danke schön" sagen.
7. Das Gebäude, — Fenster so schmutzig sind, ist leer.
8. Die Jahreszeit, — ich am meisten liebe, ist der Herbst.
9. Die Bekannten, — ich gut kenne, werden meine Freunde.
10. Der Komponist, — Lied sie singt, heisst Mozart.

J. Translate into German:

I open the door; he can open the door; when I open the door;
you close the door; he puts on a dressing-gown; put your hat on;
sit down; in winter; in the evening; the tree is in the garden; come
with me; do it for him; put the glass on the table; her second
husband; the third story; every wise child; the son of clever
parents; the teacher is poorer than the doctor; he is not so rich as
the farmer; you like reading English books; thank you; good-bye.

K. Schreiben Sie einen kleinen Aufsatz über jedes Mitglied der
Familie Schulz (60–90 Worte).

FEST- UND FEIERTAGE

Wir verdanken der Kirche die meisten unserer Feiertage. In Deutschland fallen die bedeutendsten Feste zu Ostern, zu Pfingsten und zu Weihnachten. Besonders im Rheinland ist auch Fastnacht (Fasching) sehr beliebt. Man feiert im Karnevalszug, man singt und tanzt und jeder trägt ein buntes Kostüm.

Karfreitag dagegen ist ein Trauertag für alle Gläubigen, aber bald danach kommen die Tage der Freude, Ostersonntag und -montag. Alte und Junge springen über das Osterfeuer und schenken sich Osterhasen und Ostereier.

Weihnachten, wie die anderen Feste, ist im Plural, weil es drei Tage lang dauert (Darum heisst *Boxing Day* der Zweite Weihnachtstag). Dann singt man Weihnachtslieder, legt die Weihnachtsgeschenke um den Weihnachts(Tannen-)baum und ziert die Zimmer mit Tannenzweigen; Sternen, Kugeln und Herzen. Sankt Klaus kommt am 6ten Dezember, aber der Weihnachtsmann erscheint am Heiligen Abend. Dieser trägt einen Sack voller Geschenke, hat Bonbons für die artigen Kinder und eine Rute für die bösen. Alles isst Nürnberger Keks, Festkuchen und Stollen.

Andere schöne alte Bräuche sind i) der Adventskranz (Tannenzweige mit vier Kerzen und einem roten Band): 2) der Adventskalender (aus Pappe mit 24 Fenstern): 3) die Krippe.

Man wünscht 'Fröhliche Weihnachten!' oder 'ein frohes Weihnachtsfest!' und zum Neuen Jahr wünscht man 'ein recht glückliches Neues Jahr!' oder 'Alles Gute zum Neuen Jahre!' Der Abend vor dem Neujahrstag heisst Silvesterabend.

VOCABULARY

Das Fest(-e), der Festtag(-e), die Feier(-n), der Feiertag *holiday, festival*: ein Fest begehen, feiern *to celebrate*: der Festkuchen(-) *special cakes (these are* Nürnberger Keks *and* Stollen *(like doughnuts)*) das Freuden (Trauer-)fest *day of rejoicing (sorrow)* Weihnachten (pl.), das Weihnachtsfest *Christmas*: der Weihnachtsmann *Father Xmas*: das Weihnachtslied (-er) *carol*. Ostern(pl.) das Osterfest *Easter*: der Osterhase(-n) *chocolate hare*: das Osterei(-er) *Easter egg*: das Osterfeuer(-) *bonfire*.

das Band (¨er)*ribbon*
der Brauch (¨e) *custom*
der Gläubige(-n) *faithful*
der Heilige Abend *Xmas Eve*
der Karfreitag *Good Friday*
der Karnevalszug(¨e) *carnival, procession*
der Keks(-e) *biscuit, pastry*
der Kranz(¨e) *wreath, garland*
der Silvester (abend) *New Year's Eve*
der Stern(-e) *star*
der Stollen(-) *small loaf, bun*
der Zweig(-e) *branch, twig*
die Fastnacht, der Fasching *pre-Lent carnival, Shrovetide*
die Freude(-n) *joy, rejoicing*
die Kerze(-n) *candle*

die Krippe(-n) *crib, manger*
die Kugel(-n) *ball, bullet*
die Pappe(-n) *cardboard*
die Rute(-n) *birch rod*
die Tanne(-n) *fir*
das Herz(-en) *heart*
das Pfingsten(or pl.) *Whit.*
artig *nice, well-behaved*
bedeutend *important*
böse *bad, wicked*
bunt *gay, coloured*
feiern *to celebrate*
verdanken *to owe*
zieren to *decorate*

Fragen:

1. Wann ist (*a*) Silvester, (*b*) der Heilige Abend, (*c*) Fastnacht?
2. Was geschieht an diesen drei Abenden?
3. Wie grüsst man seine Freunde (*a*) zu Weihnachten, (*b*) zum Neujahr?

4. Beschreiben Sie (*a*) die Krippe, (*b*) den Adventskranz,
   (*c*) Fasching.
5. Wie feiert man (*a*) Weihnachten, (*b*) Ostern?
6. Womit ziert man die Zimmer zu Weihnachten?
7. Nennen Sie die bedeutendsten Feste des Jahres.
8. Beschreiben Sie das Weihnachtsbild oben.

EINE REISE NACH DEUTSCHLAND

[Karl war in London. Jetzt fährt er nach Hause zurück. Mit ihm reist Hilda, die eine englische Freundin von Paula ist. Die zwei jungen Menschen fahren zusammen nach Miesbach, zuerst auf dem Schiff und dann mit dem Zug.]

DIE SEEREISE

Hilda: Die See ist ruhig: das Schiff fährt schnell: es ist ein schöner Tag, kein Wind, keine Wolken am Himmel.

Karl: Ja, es wird eine gute Fahrt für alle.

Hilda: Nicht für alle. Sehen Sie doch das arme Mädchen dort. Es scheint krank zu sein. Vielleicht braucht es Hilfe.

Karl: Nein, es ist nicht krank, es ruht sich nur aus.

Hilda: Vielleicht haben Sie recht. Aber, sagen Sie mal, Karl. Ist das Schiff nicht ziemlich voll besetzt?

Karl: Es sind sehr viele Reisende auf dem Deck. Einige stehen vorne, aber es sind sehr viele hinten.

Hilda: Sie fahren zweiter Klasse, nicht wahr?

Karl: Ja, und die meisten Reisenden der ersten Klasse sind unten in den Kabinen oder sie nehmen Erfrischungen in dem Speisesaal ein.

Hilda: Was macht der Matrose da, der in der blauen Jacke?

Karl: Er teilt die Landungskarten aus.

Hilda: Landungskarten? Wozu dienen die?

Karl: Die müssen wir abgeben, wenn wir landen. Sonst kommen wir nicht weg vom Schiff.

Hilda: Das wäre schade! Ich will nicht ewig auf der See fahren, wie der Fliegende Holländer. (*Sie geht zum Matrosen und holt die Karten.*) Das Rettungsboot da ist nicht sehr groß, Karl.

Karl: Hoffentlich brauchen wir es nicht. Außerdem sind genügend Rettungsjacken für alle da.

Hilda: Ja, ich kann auch gut schwimmen. Aber, Karl, warum stehen wir hier? Viele andere Passagiere sitzen auf Liegestühlen. Warum setzen wir uns nicht?

Karl: Ich muß auf das Gepäck aufpassen. Aber später bitte ich den Matrosen um zwei Stühle, dann können wir uns setzen.

Hilda: Ich will inzwischen einen Rundgang im Schiff machen.

Karl: Nette Idee! Ich bleibe solange hier, bis Sie zurückkehren.

In diesem Augenblick kommt dicker, schwarzer Rauch aus dem Schornstein. Hilda eilt rasch nach vorne am Schornstein vorbei. Sie kommt zur Kommandobrücke und sieht hinauf. Hier steht der Kapitän und spricht mit dem Steuermann. Dann läuft er die kurze Treppe herunter, sieht Hilda und grüsst sie höflich: "Angenehme Fahrt, nicht wahr?" "Wunderbar!" sagt Hilda. "Nur noch eine halbe Stunde, dann kommen wir ans Land. Also, glückliche Reise, Fräulein!" Der Käpitan eilt in seine Kabine, und Hilda kehrt sehr zufrieden zu Karl zurück.

VOCABULARY

der Liegestuhl(⸚e) *deck chair*
der Matrose(-n) *sailor*
der Passagier(-e) *passenger*
der Rauch *smoke*
der Rundgang(⸚e) *circular tour*
der Schornstein(-e) *chimney*
der Reisende(-n) *traveller*
der Speisesaal(-säle) *dining room*
die Speise(-n) *food*
der Steuermann(⸚er) *helmsman*
die Erfrischung(-en) *refreshment* ein-nehmen *to take*
die Kabine(-n) *cabin*
die Kommandobrücke(-n) *bridge*
die Landungskarte(-n) *landing card*
die Reise(-n) *journey*
die Seereise(-n) *sea trip*
die Rettungsjacke(-n) *life belt*
das Gepäck(-e) *luggage*

das Rettungsboot(-e) *life boat*
das Deck(-e) *deck*
ab-geben *to hand in*
auf-passen *to look out, see to*
aus-ruhen, sich *to rest*
aus-teilen *to distribute, give out*
brauchen *to need*
dienen *to serve*
landen *to land*
vorbei-eilen *to hurry past*
zurück-kehren *to return*
angenehm *agreeable, pleasant*
außerdem *besides*
vollbesetzt *full up*
hoffentlich *it is to be hoped that*
mal (einmal) *just*
ewig *eternal (ly), for ever*
genügend *sufficient*
hinten *behind, aft*
sonst *otherwise, or else*
unten *below, down below*
vorne *in front, forward*
nach vorne *in a forward direction*

auf dem Schiff *on the boat* **im** Zuge ON *the train*
der Fliegende Holländer *the Flying Dutchman*
das wäre schade! *that would be a pity!*
mit dem Zug *by train* **mit** der Bahn BY *rail*
recht (unrecht) haben *to* BE *right (wrong)*
Wozu dient es? *What's the use of it?*
in diesem Augenblick AT *this moment* nette Idee! *good idea!*
eilt am Hause vorbei *hurries past the house*
'Glückliche Reise!' *'Pleasant journey!'*

AUFGABEN

A. Fragen

  1. Wie ist das Wetter für die Seereise?
  2. Wo stehen die Passagiere zweiter Klasse?
  3. Wo sind die Reisenden erster Klasse?
  4. Wer trägt eine blaue Jacke?
  5. Was gibt jeder Reisende ab, bevor er landet?
  6. Wer ist der Fliegende Holländer?
  7. Wozu dient ein Rettungsboot?
  8. Warum setzt sich Karl nicht?
  9. Wo sitzen viele Passagiere?
  10. Warum braucht Hilda keine Rettungsjacke?

B. Translate into German:

It is a fine day. There are no clouds in the sky and the boat sails for Germany. It is rather full. Most of the first class passengers are down below in their cabins, but many people are on deck. They stand around the life boat when the sailor gives them their landing tickets. Karl does not sit down. He keeps his eye on the baggage.

C. Beschreiben Sie die Szene auf dem Schiff.

ANKUNFT IM HAFEN

Hilda: Stehen Sie doch auf, Karl. Das Schiff kommt ans Land.

Karl: Sind wir schon im Hafen? Ich will unser Gepäck holen.

Hilda: Das ist nicht nötig. Sehen Sie doch die Gepäckträger. Sie laufen schon auf das Schiff.

Karl: Ja, hier ist schon einer. (*Zum Gepäckträger*) Gepäckträger! Diese vier Koffer, die braunen, aus Leder! Bringen Sie die an den Zug nach Köln! Wir sehen Sie wieder auf dem Kai. Welche Nummer haben Sie? Ach so, 123!

Hilda: Es geht viel besser so. Die Koffer sind schwer zu tragen. Wollen wir nicht auch landen? Der Landungssteg ist schon bereit.

Karl: Aber die Beamten sind es nicht. Es geht so langsam. So viele Reisende warten vor uns.

Hilda: Haben Sie den Paß bereit?

Karl: Nein, wir brauchen ihn nicht. Paßkontrolle und Gepäckuntersuchung finden im Zug statt. Dort steht die Bekanntmachung auf französisch.

Hilda: Sie wissen, Karl, ich verstehe nicht Französisch. Aber ich habe die Landungskarten. Wo gebe ich sie ab?

Karl: Unten am Landungssteg.

VOCABULARY

der Beamte(-n) *official*
der Gepäckträger(-) *porter*
der Hafen(⸚) *port, harbour*
der Kai(-s) *quay, dock*
der Koffer(-) *bag, suit-case*
der Landungssteg(-e) *gangway*
der Paß(⸚e) *passport*
der Zug(⸚e) *train*
D-Zug (Durchgangszug) *express*
  Eilzug *fast train* Personenzug
  slow train

die Ankunft (⸚e) *arrival*
die Bekanntmachung(-en)
  notice
die Kontrolle(-n) *control, check*
die Untersuchung(-en)
  examination
das Leder(-) *leather*
statt-finden *to take place*
bereit *ready*
nötig *necessary*
aus Leder *made of leather*

AUFGABEN

A. Fragen

  1. Warum muß Karl aufstehen?
  2. Was sieht man in einem Hafen?
  3. Wie bringt Karl die Koffer an den Zug?
  4. Mit welchem Zug fahren sie?
  5. Wozu dient ein Landungssteg?
  6. Warum landen sie nicht sogleich?
  7. Wo findet die Paßkontrolle statt?
  8. In welcher Sprache ist die Bekanntmachung?
  9. Wo gibt man die Landungskarten ab?
  10. Was für Koffer hat Karl und wie viele?

B. Translate into German:

When the ship arrives, Karl gets up and collects the luggage. He has four suit-cases. The porter takes these to the train for Köln, while the young people wait on the deck. Many passengers stand by the gangway but the officials are not yet ready. Karl sees a notice in French, but Hilda cannot read it. She only understands German.

C. Beschreiben Sie die Ankunft des Schiffes im Hafen.

EINSTEIGEN

Hilda: Dort ist ein Zeitungskiosk. Warten Sie mal! Ich will eine deutsche Zeitung kaufen.

Karl: Aber, schnell, Hilda! Da steht schon der Zug. (*Hilda kommt bald zurück.*) Dort ist unser Wagen, und hier sind unsere Plätze— reserviert. Es ist ein D-Zug, d.h. Durchgangszug.

Hilda: Wie schön sind die Sitze und wie breit die Fenster. (*Zwei Damen sitzen schon im Abteil. Die eine sitzt in der Ecke und liest ein Buch. Die andere scheint müde zu sein, und schläft. Karl bezahlt den Gepäckträger. Das Gepäck liegt schon im Netz. Jetzt schreibt er eine Postkarte: Hilda ißt ein Stück Schokolade.*) Achtung! Der Zug fährt jetzt ab.

Karl: Jetzt kann ich nicht mehr schreiben. Wollen Sie rauchen?

Hilda: Nehmen Sie doch eine von meinen Zigaretten.

Karl: Französische! Wo haben Sie das Päckchen her?

Hilda: Gleich hier am Kiosk. Zwanzig Stück für einen Frank.

Karl: Darf ich um Feuer bitten?

Hilda: Natürlich: Ich will mal sehen, ob mein Feuerzeug funktioniert. Ja! Alles in Ordnung!

Karl: Hier kommt der Schaffner.

Schaffner: Fahrkarten, bitte! Danke schön! Nach Lippstadt? Also, in Köln umsteigen! Anschluss um halb acht!

Hilda: Um wieviel Uhr kommen wir in Köln an?

Schaffner: Um sieben Uhr zwanzig.

Hilda: Wir haben keine Verspätung? Gut! Vielen Dank, Herr Schaffner! Es ist eine sehr angenehme Reise!

Schaffner: Auf Wiedersehen, meine Herrschaften! Die Paßkontrolle kommt gleich hinter mir her. Wir sind an der Grenze.

VOCABULARY

der Anschluss(¨e) *connection*
der Bahnhof(¨e) *station*
der Kiosk(-s) *stall*

der Schaffner(-) *guard*
die Ecke(-n) *corner*
die Fahrkarte(-n) *ticket*

die Grenze(-n) *frontier*

die Herrschaft(-en) *lady or gentleman*

die Lokomotive(-n) *engine*

die Verspätung(-en) *lateness*

das Abteil(-e) *compartment*

das Feuerzeug (-e) *lighter*

das Netz(-e) *net, rack*

das Päckchen *packet*

Achtung! *look out!*

ab-fahren *to leave, depart, start*

aus-steigen *to get out, descend*

ein-steigen *to get in, mount*

funktionieren *to function, work*

um-steigen *to change*

reserviert *reserved*

alles in Ordnung *all is well (O.K.)*

gleich immediately, like, similar

darf ich um Feuer bitten? *may I have a light, please?*

er kommt gleich hinter mir her *he is right behind me*

er scheint müde zu sein *he seems to be tired*

wir haben Verspätung *we are late*

wo haben Sie es her? *where did you get it from?*

AUFGABEN

A. Fragen

1. Was kauft Hilda am Kiosk?
2. Was tun die zwei Damen im Abteil?
3. Wo liegt das Gepäck?
4. Was schreibt Karl?
5. Was will der Schaffner?
6. Wo müssen sie umsteigen?
7. Wie viele Minuten Verspätung hat der Zug?
8. Um wieviel Uhr kommen sie in Köln an?
9. Was sieht man an einem Bahnhof?
10. Nennen Sie drei Teile eines Zugs.

B. Translate into German:

A. The train is twenty minutes late. I will buy a newspaper at the stall.

B. Please buy me a packet of cigarettes as well.

A. Will you have a cigarette?

B. Thank you. Can you give me a light, please?

A. I will just see if my lighter is working.
B. Here comes the train. Get in, please, it is starting now.

C. Man steigt in den Zug ein. Beschreiben Sie die Szene am Bahnhof.

IM ZUG

Beamter: Bitte, meine Herrschaften. Pässe vorzeigen.

Hilda: Moment, bitte. Mein Paß ist im Koffer . . . Nein, er ist nicht dort.

Beamter: Vielleicht ist er hier auf dem Sitz unter dieser Zeitung?

Hilda: Nein, ich habe ihn hier in der Handtasche. So, bitte!

Beamter: Dies ist das erste Mal, daß Sie nach Deutschland kommen? Ja, Sie sprechen sehr gut Deutsch. Ich wünsche Ihnen viel Vergnügen auf der Reise. (*Er stempelt die Pässe und geht weiter. Jetzt beginnt die Zollrevision.*)

Der Beamte: Haben Sie etwas zu verzollen? Nein? Keine Zigaretten, keinen Apparat, keinen Schnaps? Öffnen Sie bitte diesen Koffer! (*Er sieht Hildas Wäsche und schließt den Koffer gleich wieder.*)

Hilda: Das ist auch unser Gepäck im Netz.

Der Beamte: Wieviel Stück haben Sie?

Hilda: Vier Stück, alles in allem.

Der Beamte: Wo steigen Sie aus? In Köln? Schon gut! Alles in Ordnung.

Der Zug fährt schnell durch die belgische Landschaft. Die zwei Freunde gehen den Korridor entlang zum Speisewagen. Dort trinken sie eine Tasse Tee. Dieser ist ziemlich schwach. Nach zwei Stunden sitzen sie wieder in ihrem Abteil, schauen durch die breiten Fenster und bewundern die fremde Landschaft. Sie sind jetzt in Deutschland.

VOCABULARY

der Apparat(-e) *camera*
der Korridor(-e) *corridor*
der Moment(-e) *moment*
der Schnaps *brandy, spirits*
der Sitz(-e) *seat*
der Speisewagen *dining-car*
die Landschaft(-) *scenery*
die Wäsche(-n) *underclothes*
die Zollrevision *customs inspection* der Zoll (-̈e) *tax*
bewundern *to admire*

schauen *to look, see*
stempeln *to stamp*
verzollen *to declare, pay duty on*
vor-zeigen *to show, produce*
breit *wide, broad*
fremd *foreign*
belgisch *Belgian*
Moment, bitte! *Just a moment, please!*
ich wünsche Ihnen viel Vergnügen! *Have a nice time!*

AUFGABEN

A. Fragen

1. Was will der erste Beamte?
2. Wo hat Hilda ihren Paß?
3. Was tut der Beamte mit jedem Paß?
4. Was fragt der Zollbeamte?
5. Was für Sachen muß man verzollen?
6. Was muß Hilda öffnen?
7. Was liegt darin?
8. Durch welches Land fährt der Zug?
9. Wie kommt man vom Abteil zum Speisewagen?
10. Was kann man im Speisewagen haben?

B. Translate into German:

Hilda must show her passport to the official. She cannot find it at first, but it is in her hand-bag. She has nothing to declare—no camera, no brandy and only a few cigarettes. When the official goes out, she closes her bag. Then she goes with Karl through the corridor to the dining-car, where they drink a cup of coffee.

C. Was passiert im Zug während der Zollrevision? Beschreiben Sie die Szene.

ANKUNFT IN KÖLN

Hilda: Es ist sieben Uhr, Karl. Wir kommen bald in Köln an.

Karl: Ja. Ich glaube, das Beste ist, wir nehmen eine Taxe gleich zum Hotel, nicht wahr?

Hilda: Richtig. Aber wie heißt denn unser Hotel?

Karl: Es heißt Hotel zum Dom. Aber, passen Sie auf! Dort ist die Rheinbrücke und dahinter der Kölner Dom.

Hilda: Wunderbar! Was sind die anderen Gebäude rechts und links?

Karl: Die sind fast alle neu. Das sind meistens Supermärkte, Kaufhäuser, Amtsgebäude, Fabriken und auch Wohnblocks.

Hilda: Was heisst Amtsgebäude, Karl?

Karl: Das sind öffentliche Stellen, sowie das Rathaus und das Postamt, verstehen Sie?

Hilda: Jawohl! Aber, Karl, wir sind schon fast am Bahnhof. Moment, bitte, ich muss zuerst austreten. Wo ist die Toilette? Am Ende des Korridors? *Hilda verschwindet und kehrt bald zurück.* Da bin ich schon wieder!

Karl: Was für ein Gedränge! Sehr viele Menschen warten auf den Zug, und fast keine Gepäckträger! Ich steige zuerst aus, und Sie geben mir die Koffer durch das Fenster. Geht das?

Hilda: Dort ist der Ausgang und auch die Gepäckaufbewahrung.

Karl: Aber wir wollen unser Gepäck mitnehmen. Hallo! Gepäckträger! Stellen Sie unser Gepäck—die vier Stück dort—auf Ihren Karren und bringen Sie es zum Ausgang! Rufen Sie auch, bitte, eine Taxe! (*Die Taxe bringt die Freunde zum Hotel. Hier wartet der Hoteldiener vor der Tür und öffnet höflich die Tür der Taxe.*)

VOCABULARY

der Ausgang(⸚e) *exit*
der Bahnsteig(-e) *platform*
der Diener(-) *servant*

der Karren(-) *barrow*
der Wohnblock(-s) *block of flats*
die Fabrik(-en) *factory*

die Gepäckaufbewahrung, *left-luggage office*

die Stelle(-n) *place, office*

die Toilette(-n) *toilet*

das Gedränge *crowd*

das Hotel(-s) *hotel*

das Amtsgebäude(-n) *offices*

das Postamt *Post Office*

das Rathaus *Town Hall*

aus-treten(er tritt aus) *to retire*

beschädigt *damaged*

mit-nehmen *to take with one*

verschwinden *to disappear*

höflich *polite*

öffentlich *public, official*

wunderbar *wonderful*

das geht *that will do, that's all right*

er wartet **auf** den Zug *he waits* FOR *the train*

AUFGABEN

A. Fragen

  1. Wie weiß Hilda, daß sie in Köln ankommen?

  2. Wie weiß es Karl?

  3. Wie kommen sie zum Hotel?

  4. Erklären Sie die Wörter "der Karren",

  5. "das Gedränge"

  6. Wie bringt Karl das Gepäck aus dem Abteil?

  7. Wie bringen sie ihr Gepäck zum Ausgang?

  8. Wozu dient eine Gepäckaufbewahrung?

  9. Warum steigen die Freunde in Köln aus?

 10. Nennen Sie einige der hohen Gebäude in der Stadt.

B. Translate into German:

When one arrives in a strange town, the best thing is to take a taxi to a hotel. You call a porter and he puts your luggage on his barrow and takes it to the exit. There he calls a taxi, puts the suit-cases in the taxi and waits until you arrive. If you give him two marks he is very happy.

C. Wie bringt man das Gepäck vom Zug zum Hotelzimmer? Beschreiben Sie alles genau (Abteil—Bahnsteig—Taxe—Hotel—Zimmer).

IM HOTEL

Die Freunde steigen aus, treten ins Hotel und warten im Empfangszimmer. Dort schreiben sie ihre Namen auf einen Zettel. Der Beamte sagt ihnen ihre Zimmernummern: zwei Einzelzimmer, mit fließendem Wasser und Privatbad. Der Boy bringt sie im Fahrstuhl zum ersten Stock, und der Hausdiener trägt die Koffer in die Zimmer.

Hilda ist sehr schmutzig von der Reise. Sie wirft den Hut und den Mantel auf einen Stuhl, zieht sich aus und nimmt sogleich ein Bad. Wie schön ist das warme, reine Wasser! Dann zieht sie rasch die Kleider wieder an, und bald sitzt sie vor dem Spiegel und schminkt sich. Dann geht sie nach unten, und der Kellner führt sie zu einem Tisch. Dieser ist schon gedeckt. Das Besteck—Löffel, Messer, Gabeln, sowie Teller—alles ist schon auf dem Tisch und eine Karaffe mit einem Viertel Rheinwein neben einem Glas. Die Blumen auf dem Tisch sind schön. Auf einem Seitentisch steht eine Flasche Moselwein.

Was tut Karl inzwischen? Er bleibt auf seinem Zimmer. Er ist sehr müde und gar nicht hungrig. Also schreibt er eine Postkarte und telefoniert nach dem Hausdienst. Ein Kellner bringt ihm eine Portion Tee auf einem Tablett. Nach dem Teetrinken wird er bald wieder erfrischt und geht nach unten, um Hilda zu suchen. Zuerst aber schließt er die Tür seines Schlafzimmers und gibt den Schlüssel im Büro ab.

Am nächsten Tag fahren unsere Freunde mit dem Zug nach Lippstadt weiter, wo Paula sie abholt und nach Miesbach fährt.

VOCABULARY

der Boy(-s) *page*

der Dienst(-e) *service*

der Zettel(-) *chit, form*

die Gabel(-n) *fork*

der Fahrstuhl(-̈e) *lift*
der Löffel(-) *spoon*
der Schlüssel(-) *key*
der Spiegel(-) *mirror*
der Teller(-) *plate*
das Empfangszimmer(-) *reception room*
das Tablett(-e) *tray*
das Viertel(liter)(-) *quarter (of a litre)*
schmutzig *dirty*

die Karaffe(-n) *carafe*
das Besteck(-e) *knife, fork and spoon*
das Einzelzimmer (-) *single room*
ab-holen *to pick up, fetch*
schließen *to lock, close*
schminken *to powder*
telefonieren *to telephone*
weiter-fahren *to continue*
erfrischt *refreshed*

sowie *and, as well as*
auf seinem Zimmer IN *his room*
der Tisch ist gedeckt *the table is laid*

AUFGABEN

A. Fragen

1. Wer öffnet die Tür der Taxe?
2. Wo warten die Freunde?
3. Worauf schreibt man seinen Namen im Hotel?
4. Was für ein Zimmer bekommt Karl?
5. Wie kommen sie zum ersten Stockwerk?
6. Warum nimmt Hilda ein Bad?
7. Was tut sie nach dem Bad?
8. Wozu dient ein Tablett?
9. Warum bleibt Karl auf seinem Zimmer?
10. Was tut er mit dem Schlüssel, wenn er nach unten geht?

B. Translate into German:

A. May I have a single room, please, with running water?
B. Yes. Will you please write your name on this form?
A. On which floor is the room, and what is the number?
B. 231 on the second floor! Here is your key, sir. Please hand it in at the office when you go out.

A. I am very tired from my journey. I am not going out.
B. The waiter can bring you a cup of tea on a tray. Please telephone the room-service if you want anything.

C. Was tut Hilda im Hotel?

DAS AUTO (Key p. 284)

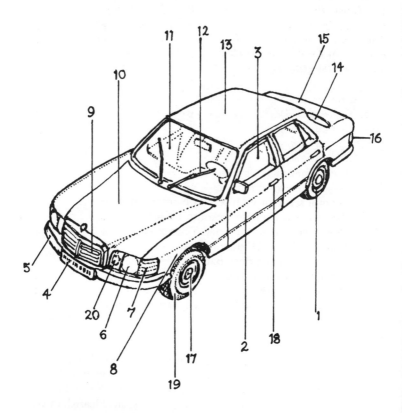

DAS AUTOFAHREN

Warum wollen alle jungen Leute motorisiert sein? Beim Autofahren gibt man furchtbar viel Geld aus. Selbst ein Gebraucht-wagen (vielleicht eine 'alte Kiste') kostet Geld und die Service-und Versicherungskosten sind hoch. An den Tankstellen werden Benzin und Öl teurer, sooft man eintankt. Auch bevor man fahren darf, muss man eine Fahrschule besuchen, um die Fahrprüfung zu bestehen: sonst bekommt man keinen Führerschein.

Auch wenn man endlich am Lenkrad sitzt, kommen neue Probleme. Es herrscht fast überall Parkverbot (deswegen sind die Supermärkte mit ihren weiten Parkplätzen sehr beliebt). Man muss immer vorwärts rollen, nur nicht wenn es eine Verkehrssperre und eine Verkehrsstockung gibt. Die Fußgänger und andere Fahrer scheinen recht dumm zu sein und Verkehrsschilder warnen an jeder Kreuzung.

Hier muss man besonders vorsichtig fahren, denn, wenn man aus einer Nebenstrasse in die Hauptstrasse einbiegt, muss man bremsen und halten, um sodann gelegentlich bei grünem Licht in die richtige Fahrbahn zu kommen.

Es gibt schrecklich viel Verkehr auf den Landstrassen, sowie in der Stadt; die Höchstgeschwindigkeit ist gewöhnlich vierzig Km/St in der Stadt und 60–80 Km/St auf den Landstrassen.

Trotzdem gibt es zu viele Strassenunfälle. Wenn Sie zu schnell oder ohne Vorsicht fahren, darf der Verkehrspolizist auf der Stelle von Ihnen eine Geldstrafe fordern. Wenn Sie nur ein Gläschen Wein trinken, haben Sie schon Angst vor dem Atemtest.

Auf dem Autobahnnetz darf man theoretisch schnell und bequem von einem Ende Deutschlands bis zum anderen fahren. Aber auf vielen Strecken, anstatt rasen zu können, kriecht man nur langsam vorwärts. Es ist auch gefährlich die schweren Lastwagen zu überholen. Viele Menschen fahren lieber mit dem Autobus, besonders in der Stadt; aber für längere Reisen lohnt es sich ein eigenes Auto zu besitzen.

VOCABULARY

Many motoring terms are compounds of AUTO-, WAGEN, MOTOR, FAHR-, STRASSE-, VERKEHR-. The following occur in the text:

DAS AUTO(–s) Automobil(–e) *car*: das A—fahren *driving*: der A—bus(–se) *bus*: DER WAGEN(–) *cart, carriage, car*: der Kraftw—, Personenw— *car*: der Gebrauchtw— *used car*: der Last(Kraft—)w—lorry.

FAHREN *to drive*: der (Auto–)Fahrer(–) *driver*: das Fahrzeug (–e) *vehicle*: die Fahrschule(–n) *driving school*: die F–prüfung(–en) *test*: die F–bahn(–en) *lane*: die Fahrt(–en) *trip*.

DER VERKEHR *traffic*: das Verkehrsschild(–er) *traffic sign*: die V—sordnung (–en) *Highway Code*: die V —sspitze *rush (peak) hour:*

DIE STRASSE (–n) *road*: Landst— *through road*: Hauptst— *main road, High St.*: Nebenst—*side road*: Einbahnst— *one-way street*: die St—n sperre *road block*: das St—nnetz *network of roads*: die St—nstockung *jam*: der St—nunfall((–̈e) *road accident*: die St—nkreuzung(–en) *crossing*.

der MOTOR(–en) *engine*: die M—störung *engine trouble*: motorisiert *motorised*.

der Atemtest *breath test*	eigen *own*
der Führerschein(–e) *license*	gelegentlich *convenient(-ly)*
der Fussgänger(–) *pedestrian*	bestehen *to pass (an exam)*
die Geldstrafe(–n) *fine*	ein–biegen *to turn*
die (Höchst–) Geschwindigkeit	kriechen *to creep, crawl*
(–en) (*maximum*) *speed*	fordern *to demand*
die Strecke(–n) *distance, section*	rasen *to rage, speed*
die Tankstelle(–n) *filling station*	warnen *to warn*
die Versicherung *assurance*	eine alte Kiste *an old crate*
die Vorsicht *care, attention*	es lohnt sich *it is worth while*
vorsichtig *careful*	Km/St (Kilometer je Stunde)
das Benzin *petrol*: das Öl *oil*	m.p.h.
das Lenkrad(–̈er) *steering-wheel*	auf der Stelle *on the spot*
das Verbot(–e) *ban*	
gefährlich *dangerous*	

PART TWO

IM BÜRO

Paula kommt um neun Uhr in der Fabrik an. Das ist nicht zu spät. Sie ist Stenotypistin und Privatsekretärin des Herrn Direktor. Natürlich ist der Direktor schon dort. Er ist ein sehr netter Herr.

"Guten Morgen, Fräulein Paula," grüßt er sie, "Haben Sie gut geschlafen?" "Ja, danke, und Sie, Herr Direktor?" "Ich habe sehr gut geschlafen, aber nicht lange genug. Meine Frau und ich, wir haben gestern abend bis zwei Uhr getanzt."

"Oh, wie schön!" erwidert Paula. "Ja, es war ihr Geburtstag, und wir haben gefeiert. Wir haben sehr gut gegessen und vielleicht zu viel getrunken. Darum habe ich einen echten Katzenjammer."

"Oh, wie schade! Warum nehmen Sie nicht zwei Aspirintabletten?" "Das habe ich schon getan und es geht etwas besser. Nun dann! Haben wir ein großes Programm für heute?" Paula sieht in ihren Schreibblock. "Nicht besonders viel! Ausschuß der Direktoren um zehn Uhr. Besuch des Herrn Doktor Ganns vom Arbeitsamt um halb zwölf. Sie haben auch versprochen, die neue Kantine zu besuchen."

"Ich habe schon Samstag früh die Kantine besucht. Das wissen Sie nicht, weil Sie Samstag frei gehabt haben, nicht wahr? Ist sonst etwas los?" "Der schwedische Konsul hat wegen Ihres Passes telephoniert. Sie haben es nicht vergessen—Sie fahren Mittwoch nach Schweden?"

"Ich habe es ganz vergessen. Haben Sie die Karten besorgt?" "Natürlich! Es ist alles in Ordnung. Ich habe sie unserem Auslandskorrespondenten, Herrn Weiß, gegeben, der mit Ihnen fährt. Ist er schon angekommen?" "Ja, er ist vor fünf Minuten hier gewesen aber ist dann wieder weggegangen. Er hat mir nichts von unserer Reise gesagt. Vielleicht . . ." Das Telefon klingelt.

"Herr Schwarz am Apparat! . . . Was? . . . Ich kann Sie nicht gut hören. Bitte, lauter sprechen!" Inzwischen ist Alfred, der Laufbursche eingetreten. Er trägt einen großen Korb voller Briefe. Paula beginnt, die Briefe zu lesen. Sie legt alle Fakturen beiseite, um sie zum Buchhalter zu schicken. Am Ende des Morgens hat sie alle gelesen und auch ein paar Antworten geschrieben. Als sie endlich die Kantine besucht, ist sie wirklich hungrig.

VOCABULARY

der Apparat(-e) *the telephone*
der Auslandskorrespondent (-en) *foreign correspondent*
der Ausschuß(⁼e) *committee*
der Besuch(-e) *visit*
der Buchhalter(–) *accountant*
der Direktor(-en) *manager*
der Katzenjammer *"hangover"*
der Konsul(-en) *consul*
der Laufbursche(-n) *messenger-boy*
der Schreibblock(-s *or* ⁼e) *writing pad*
die Aspirintablette(-n) *aspirin*
die Fabrik(-en) *factory*
die Faktur(-en) *invoice, bill*
die Kantine(-n) *canteen, mess*
die Sekretärin(-nen) *secretary*
die Stenotypistin(-nen) *shorthand-typist*

das Arbeitsamt (⁼er) *Employment Exchange*
das Programm(e) *programme*
(das) Schweden *Sweden*
ein paar *a few*
beiseite *aside*
echt *genuine, real*
schwedisch *Swedish*
wirklich *real(ly)*
besorgen *to see to, order*
ein-treten *to enter*
versprechen *to promise*
Samstag früh *Saturday morning*
voller Briefe *full of letters*
wie schade! *what a pity!*
sonst etwas? *anything else?*

am Apparat *on the 'phone, speaking*
bitte, lauter sprechen! *please speak up!*
es geht etwas besser *things are improving, it's a bit better*
ist etwas los? *is there anything the matter? is anything on?*

GRAMMAR

Perfect Tense

gesagt	*said*	gegeben	*given*
gehabt	*had*	gegessen	*eaten*
getanzt	*danced*	getrunken	*drunk*

gefeiert	*celebrated*	geschlafen	*slept*
gemacht	*made*	gelesen	*read*
besucht	*visited*	versprochen	*promised*
besorgt	*ordered*	vergessen	*forgotten*
telefoniert	*telephoned*	gewesen	*been*
geklingelt	*"tinkled" (rung)*	angekommen	*arrived*
		eingetreten	*entered, come in*

1. These past participles are weak in German as in English. The English weak ending is **-d**

The German weak ending is **-t.**

2. These past participles are strong in German. Their ending is **-en.** The stem vowel changes from the infinitive as it often does in English strong verbs, e.g. Begin, begun: **beginnen, begonnen**; speak, spoken: **sprechen, gesprochen.**

3. The German past participle prefixes **ge-,** except to verbs beginning with **be-, er-, ver-** and those ending in **-ieren.**

4. Separable verbs are split by the **ge-** in their past participle, an**ge**kommen, aus**ge**gangen, auf**ge**macht, zu**ge**macht.

5. All verbs are either strong or weak. Most verbs which are weak in English (those whose past participle ends in **-d**) are also weak in German. Most English strong verbs (those which change their vowel, like **sing, sung: drink, drunk**) are also strong in German. But there are many exceptions and it is recommended that all strong verbs' parts should be learnt, because of their vowel change in the past participle. The change of vowel is indicated in the vocabulary and in the list of strong verbs. Any verbs not in this list are weak.

6. The perfect tense is formed by compounding the present tense of **haben** with the past participle.

ich habe gemacht	{ *I have made, I made, I did make, I have been making.*
du hast gehabt	*thou hast had, etc.*
er, sie, es hat gesagt	*he, she, it said, etc.*
wir haben gesungen	*we have been singing, etc.*
Sie haben gegeben	*you did give, etc.*
sie haben geschlafen	*they have slept, etc.*

7. Intransitive verbs of motion and a few others (notably **sein, werden, bleiben**) conjugate with **sein** instead of **haben.**

ich bin gekommen	{ *I have come, I have been coming, I did come, I came.*
du bist gegangen	*thou hast gone; etc.*
er, sie ist gewesen	*he, she, it has been, etc.*
wir sind geblieben	*we did stay, etc.*
Sie sind geworden	*you became, etc.*
sie sind eingetreten	*they came in, have entered, etc.*

8. The past participle comes at the end of the main sentence.

Er hat uns gestern **besucht.**
Ich bin nie in Deutschland **gewesen.**
Karl hat dem Hund ein Stück Fleisch **gegeben.**

9. The past participle comes immediately before the auxiliary verb in a subordinate clause.

Weil er uns gestern besucht hat, . . .
Karl ist der Mann, der dem Hund ein Stück Fleisch gegeben hat.
Das Büro, in dem die Sekretärin gearbeitet hat, . . .

AUFGABEN

A. Beantworten Sie folgende Fragen:

1. Was für eine Arbeit macht Paula in der Fabrik?
2. Um wieviel Uhr kommt sie in der Fabrik an?
3. Wer ist vor ihr angekommen?
4. Warum hat der Herr Direktor nicht lange genug geschlafen?
5. Wann hat er die neue Kantine besucht?
6. Wo war Paula?
7. Warum hat der schwedische Konsul telefoniert?
8. Was hat Paula besorgt?
9. Wem hat sie die Karten gegeben?
10. Wie heißt der Laufbursche?
11. Was hat er in das Büro getragen?
12. Was macht Paula den ganzen Morgen?

B. Fill in with a suitable past participle:

1. Das Telefon hat —.
2. Der Direktor und seine Frau haben im Hotel—.
3. Die Sängerin hat drei Lieder—.
4. Der Violinist hat ein schönes Stück—.
5. Der Vater hat die Zeitung—.
6. Der Arzt hat den Bauer gesund—.
7. Leni hat ihrem Freund ein Zigarettenetui—.
8. Wir haben in der Nacht im Bett—.
9. Der Student ist nach Schweden—.
10. Sie sind zwei Wochen in Schweden—.
11. Der Laufbursche ist in das Zimmer—.
12. Paula hat kein Frühstück—.

C. Give the Perfect Tense of the following:

1. Ich lese ein deutsches Buch.
2. Du hast einen Katzenjammer.
3. Er macht eine Reise nach England.
4. Sie tanzt mit ihrem Mann.
5. Wir spielen Karten am Abend.
6. Er kriegt ein Wörterbuch.
7. Sie geht nach Deutschland.
8. Sie vergessen das Wort.
9. Was verspricht der Direktor?
10. Sie sieht in ihren Schreibblock.
11. Wenn er nach Hause kommt, repariert er sein Motorrad.
12. Weil ich keine Zeit habe, mache ich keine Aufgaben.

D. Deutsch ist eine Sprache. England ist ein Land.

Was ist 1) Englisch, 2) Schweden, 3) eine Violine, 4) ein Hund, 5) Mittwoch, 6) August, 7) sieben, 8) Paula, 9) das Frühstück, 10) ein Kapitän?

E. What verbs are connected with the following nouns? (e.g. Telefon—telefonieren) Studentin, Arbeit, Spiel, Gabe, Führer, Gang, Stand, Teil, Küche, Bad, Anzug, Antwort. Give the definite article with each noun.

F. Translate into German:
  A. I did not see you last Wednesday. Did you forget to telephone me?
  B. Yes. I celebrated my birthday. My wife had some friends in the house and we danced until midnight. I got up late the next morning and arrived late at the office. Fortunately, the manager is a very nice man. He did not say anything, but I had a real hangover.
  A. I hope you are better now!
  B. Yes, everything is in order.

DAS RADIO

Nachdem Anton, Karl und Paula am Morgen ausgegangen sind, ist das Haus ganz still. Selbst der Hund schläft ruhig im Garten, wo Liesel ihr Buch liest. Marie atmet auf und beginnt, das Haus sauber zu machen. Da Anton ihr letztes Jahr einen neuen Staubsauger gekauft hat, findet sie die Arbeit weniger schwer.

Sie hat heute dem Hausmädchen, Anna, freigegeben, damit diese ihre kranke Mutter besuchen kann. Jetzt muß sie selber alle Hausarbeit machen. Zuerst trägt sie das schmutzige Geschirr in die Küche, um es abzuspülen. Sobald sie die Küche und das Eßzimmer besorgt hat, geht sie nach oben, um alle Betten zu machen.

Während sie die Betten macht, kommt Liesel in das Haus herein und sagt, "Mutti, ich bin hungrig." "Warte nur fünf Minuten, bis ich wieder hinunterkomme," ruft die Mutter. Sie hat bemerkt, daß Paulas Kammer in großer Unordnung war. Als sie alles im Schlafzimmer aufgeräumt hat, geht sie zur Küche hinab, um ein Butterbrot für Liesel und zugleich eine Tasse Kaffee für sich zu machen.

Nachdem sie den Kaffee getrunken hat, fühlt sie sich wieder erfrischt. Sobald sie die Kartoffeln geschält hat, wäscht sie das Gemüse und macht einen Salat für das Abendessen. Sie kocht auch eine Suppe für das Mittagessen.

Während des Mittagessens hören sie im Radio einem Programm vom Nordwestdeutschen Rundfunk zu. Dies ist eine Sondersendung für Kinder: man spielt alte Volksmusik. Wenn um ein Uhr der Ansager die Nachrichten liest, schaltet Marie gleich ab.

"Man kann zu viel zuhören: auch hat heute der Apparat nicht gut funktioniert." "Ich weiß nicht, was los ist!" sagt die kleine Liesel. "Karl muß doch nachsehen. Vielleicht ist eine Schraube am Lautsprecher los, oder die Transistoren sind kaputt!"

Als Karl am Abend nach Hause kommt, sieht er sogleich, daß die Antenne nicht eingeschaltet ist. Er steckt den Stecker ein. Aber da er ein vorsichtiger Junge ist, prüft er alles andere—Erde, Verbindungen, Leitung. Er schaltet an, um Kurz-, Lang- und Mittelwellen zu prüfen, bis er guten Empfang, besonders von der Londoner Station, bekommt. Es ist jetzt alles in Ordnung.

VOCABULARY

der Ansager(-) *announcer*
der Empfang(=e) *reception*
der Lautsprecher(-) *loudspeaker*
der Rundfunk *wireless*
der Salat(-e) *salad*
der Staubsauger(-) *vacuum cleaner*
der Stecker(-) *plug*
der Transistor(-en) *transistor*
die Kammer(-n) *bedroom*
die Nachrichten (*pl.*) *news*
die Antenne(-n) *aerial*
die Kurz-, Lang- und Mittelwelle(-n) *short, long and medium wave*
die Leitung(-en) *wiring, lead*
die Schraube(-n) *screw*
die Sendung(-en) *transmission*
die Sondersendung *special broadcast*
die Station(-en) *station*
die Unordnung(-en) *disorder*
die Verbindung(-en) *connection*
das Butterbrot(-e) *bread and butter*

das Gemüse(-) *vegetable*
das Geschirr(-e) *crockery*
das Radio(-s) *radio*
ab-spülen *to rinse, wash up*
auf-atmen *to breathe a sigh of relief*
ab-schalten *to switch off*
an-schalten *to switch on*
auf-räumen *to tidy, clear up*
ein-stecken *to stick in, plug in*
bemerken *to notice*
ein-schalten *to switch on*
frei-geben *to release*
fühlen, sich *to feel*
schälen *to peel, skin*
zu-hören (+ *dat.*) *to listen to*
nach-sehen *to look at, inspect*
selbst *even, self*
sie selber *she herself*
tüchtig *thorough* (*-ly*)
vorsichtig *careful* (*-ly*)
alles andere *everything else*
warte nur *just wait*

GRAMMAR

1. *Subordinate Clauses*

als	*when*	nachdem	*after*
bevor	*before*	ob	*if, whether*
bis	*until*	sobald	*as soon as*
da	*as, since*	während	*while*
daß	*that, so that*	weil	*because*
damit	*so that*	wenn	*when, if*
indem	*while*		

The above conjunctions introduce subordinate clauses. In a subordinate clause the verb comes at the end (as in relative clauses). There must be commas round the subordinate clause, and if this precedes the main clause, the main verb will come immediately after the subordinate clause, inverting subject and verb in the main clause.

Nachdem Anton ausgegangen ist, ist das Haus ruhig.
After Anton has gone out, the house is quiet.
Sobald sie die Betten gemacht hat, kommt sie herunter.
When she has made the beds, she comes down.
Sie bemerkt, daß Paula nicht gut geschlafen hat.
She notices that Paula has not slept well.
Wenn er zurückkommt, spielt er Klavier.
When he comes back, he plays the piano.
Während sie die Betten macht, singt sie ein Lied.
While she makes the beds, she sings a song.
Bevor sie mich besuchen, kaufen sie immer Bonbons.
Before they visit me, they always buy sweets.
Sie arbeiten in dieser Klasse, damit Sie Deutsch lernen.
You work in this class, so as to learn German.
Weil er mein Freund ist, liebt er mich.
Because he is my friend, he loves me.

THE VERB STANDS AT THE END OF THE CLAUSE AFTER **als, bevor, bis, da, daß, damit, indem, nachdem, ob, sobald, während, weil, wenn.**

IF A SUBORDINATE CLAUSE PRECEDES A MAIN CLAUSE, THE MAIN CLAUSE BEGINS WITH THE VERB.

IN COMPOUND TENSES THE OPERATIVE VERB IS THE AUXILIARY VERB.

2. **Um ... zu** *plus the infinitive.* ..., **um die Betten zu machen,** to make the beds.

In this construction, **um** is at the beginning of the phrase, and **zu** with the infinitive at the end. **Um** is preceded by a comma. A separable verb is split by **zu**.

Sie geht in die Küche, um das Geschirr abzuspülen.
She goes into the kitchen, to wash the dishes.
Er geht nach Deutschland, um die Sprache zu lernen.
He goes to Germany to learn the language.
Karl kommt früh nach Hause, um das Radio zu reparieren.
Karl comes home early, to mend the radio set.

3. *Emphatic Pronoun*
Sie selber, *she herself.* **Selber** is indeclinable and is used as an emphatic with all the personal pronouns as also is **selbst**.

Ich selber (selbst), *I myself:* er selber (selbst), *he himself:* wir selber (selbst), *we ourselves:* sie selber (selbst), *they themselves.*

Notice the difference between Sie selber macht den Kaffee (*She makes the coffee herself*) and Sie macht den Kaffee für sich (*She makes the coffee for herself*).

Sich is a reflexive pronoun. **Selber** (**selbst**) is an emphatic pronoun.

The word order of selbst must be carefully noted. Ich selbst, *I myself*; but selbst ich, *even I.*

AUFGABEN

A. Beantworten Sie folgende Fragen:

1. Warum muß Marie heute arbeiten?
2. Wie ist das Haus, nachdem alle ausgegangen sind?
3. Was liest Liesel und wo?
4. Was trägt Marie in die Küche?
5. Warum geht sie nach oben?
6. Was macht sie für das Abendessen?
7. Was essen sie zu Mittag?
8. Was ist im Radio los?

9. Nennen Sie drei Teile eines Radioapparats.
10. Welchem Programm hören Sie am liebsten zu?

B. Geben Sie ein anderes Wort für:

> still, Kammer, Essen, Auto, putzen, Frau, antworten, Rundfunk.

C. Complete the following sentences with an infinitive phrase: (e.g., Sie geht hinauf, um . . . *add* die Betten zu machen).

1. Karl geht in die Garage, um . . .
2. Marie geht in das Dorf, um . . .
3. Wir gehen zu Bett, um . . .
4. Er fährt nach Schweden, um . . .
5. Das Hausmädchen hat den Tag frei, um . . .
6. Liesel kommt in die Küche, um . . .
7. Wir gehen in ein Restaurant, um . . .
8. Paula geht in die Fabrik, um . . .
9. Karl kommt am Abend zurück, um . . .
10. Man geht zum Möhnesee, um . . .

D. Translate the following:

1. . . . , weil er hungrig ist.
2. . . . , wenn er nach Hause kommt.
3. . . . , sobald er den Wagen geputzt hat.
4. . . . , nachdem sie die Betten gemacht hat.
5. . . . , bevor sie nach Hause geht.
6. . . . , bis er genug Geld hat.
7. . . . , bevor man sein Frühstück ißt.

E. The above phrases make incomplete sense, as they are subordinate clauses. Complete them by adding a suitable main clause in German.

F. Repeat the above putting the subordinate clause first and beginning the main clause with the verb.

G. Translate into German:

1. After he has gone out, I wash the dishes.
2. He bought a vacuum cleaner to make the work easier.

3. The young man came home early to mend the radio set.
4. During the meal they listened to the wireless.
5. She turned off because the set was not working too well.
6. Marie gave the maid a day off.
7. He needs a new battery to mend his car.

EIN BESUCH IM KINO

Jedermann liebt einen guten Film. Letzte Woche lief ein sehr guter Film im Kino in Lippstadt. Marie las davon in der Zeitung. Sie sah die Anzeige—"Neue Aufführung! Hamlet, von William Shakespeare! Farbfilm mit englischem Dialog!"

Das Lichtspielhaus in Lippstadt scheint ein gutes Programm zu haben," sagte Marie. "Was gibt's?" fragte Paula. "Hamlet," antwortete die Mutter. "Es ist ja ein wunderschöner Film!" rief Paula aus. "Ich habe ihn voriges Jahr in Hamburg gesehen. Unsere Eltern müssen den Film sehen, nicht wahr, Karl?"

Karl saß in der Ecke und reparierte das Radio. Er sah auf und lachte. "Du bist doch dumm, Paula. Ich sah den Film vor zwei Jahren in England und fand ihn scheußlich." "Dann bist du ein Esel . . . du . . . du Dummkopf!" antwortete Paula hitzig. Karl lachte, denn er verstand Paula gut. Aber sie sprach so laut, daß sie Liesel weckte, die oben schlief. Die Mutter mußte hinaufgehen und bei ihr bleiben, bis das Kind wieder einschlief.

Als sie wieder in die Stube zurückkam, sprachen sie wieder über den Film. Inzwischen las Paula selber die Anzeige in der Zeitung. "Du mußt doch gehen, Papa," sagte sie. "Man gibt nicht nur Hamlet als Hauptfilm, sondern auch eine wunderschöne Wochenschau und noch dazu einen Disney Trickfilm." Also versprach Anton, mit seiner Frau ins Kino zu gehen.

Am nächsten Tag kam er früh nach Hause, und sie fuhren zusammen nach Lippstadt. Bevor sie das Kino besuchten, gingen sie in ein Restaurant, wo sie zu Abend aßen. Sie tranken auch eine Flasche Wein dazu.

Dann gingen sie um halb neun zu Fuß ins Kino. Unterwegs sagte die Mutter: "Du hast doch die Plätze reserviert, Anton?" Dieser sah verlegen aus. "Nein," antwortete er. "Ich habe es nicht vergessen. Aber, als ich heute früh telefonierte, bekam ich keine Antwort. Die Nummer war besetzt." Marie verstand ihren Mann und gab keine Antwort.

Nach fünf Minuten standen sie vor dem Schalter an der Kasse des Lichtspielhauses. Es war spät, und die letzte Aufführung hatte schon um halb acht begonnen. Darum wartete niemand. Alle Plätze im Parterre und in den Logen waren besetzt, aber es waren noch zwei Sitze im Balkon frei. Anton mußte zehn Mark bezahlen. Nach der Vorstellung sagte er: "Es war nicht teuer, denn die Aufführung war wirklich sehenswert."

VOCABULARY

der Balkon(-e) *balcony, circle*
der Dialog(-e) *dialogue*
der Dummkopf(-e) *blockhead*
der Esel(-) *ass*
der Farbfilm(-e) *coloured film*
der Film(-e) *film*
der Hauptfilm(-e) *main film*
der Schalter(-) *counter*
der Trickfilm(-e) *cartoon (film)*
die Anzeige (-n) *advertisement*
die Aufführung(-en) *performance*
die Kasse(-n) *cash desk, box-office*
die Loge(-n) *box*
die Stube(-n) *room*
die Vorstellung(-en) *performance*
die Wochenschau(-en) *newsreel*
das Kino(-s) *cinema*
das Lichtspielhaus(-̈er) *cinema*
das Parterre(-s) *pit*
aus-rufen *to exclaim*

aus-sehen *to look, seem*
laufen *to run, to be showing (of a film)*
besetzt *occupied, engaged*
hitzig *heated*
laut *loud(-ly)*
scheußlich *dreadful*
sehenswert *worth seeing*
verlegen *embarrassed*
vorig *previous, last*
wunderschön *marvellous*
darum *therefore*
ins Kino gehen *to go to the cinema*
ins Theater gehen *to go to the theatre*
in die Kirche gehen *to go to church*
in die Schule gehen *to go to school*
in die Stadt gehen *to go to town*
zu Abend essen *to dine*
zu Fuß gehen *to walk*

GRAMMAR

Imperfect Tense

1. In the above text the following verbs occurred:

war	*was*	sah	*saw*
las	*read*	sah . . . aus	*seemed*
rief . . . aus	*exclaimed*	gingen	*went*
saß	*sat*	tranken	*drank*
fand	*found*	hatte	*had*
stand	*stood*	sagte	*said*
verstand	*understood*	fragte	*asked*
sprach	*spoke*	antwortete	*answered*
versprach	*promised*	reparierte	*repaired*
schlief	*slept*	lachte	*laughed*
schlief . . . ein	*went to sleep*	weckte	*wakened*
kam	*came*	besuchte	*visited*
kam . . . zurück	*returned*	telefonierte	*telephoned*
bekam	*got*	machte	*made, did*
fuhr	*drove*	wartete	*waited*
vergaß	*forgot*	mußte	*had to*
aßen	*ate*		

2. The above verbs are all in the simple past tense, called the Imperfect. The last twelve are weak; all the others are strong. The construction is very similar in both languages. English weak verbs add **-d,** German **-te**. Most English and German strong verbs add nothing to their stem in the 1st and 3rd person singular, but alter the vowel from the infinitive, cf.

English:	*Infinitive*	*Imperfect*	German:	*Infinitive*	*Imperfect*
	find	*found*		finden	fand
	drink	*drank*		trinken	trank
	see	*saw*		sehen	sah
	speak	*spoke*		sprechen	sprach

3. Weak verbs regularly form their Imperfect Tense by adding to their stem **-te** (**-ten** in the plural, **-test** in the 2nd person singular):

Infinitive	*Stem*	*Imperfect*	*Meaning*
sagen	sag-	ich sagte	*I said, was saying, used to say*

lachen	lach-	ich lachte	*I laughed, was laughing*
lieben	lieb-	du liebtest	*you loved, used to love*
machen	mach-	er machte	*he made, was making*
zeigen	zeig-	wir zeigten	*we showed, were showing*
besuchen	besuch-	sie besuchten	*they visited, were visiting*
antworten	antwort-	Sie antworteten	*you answered*

If the verb stem already ends in **-t** or **-d**, **-ete** must be added.

warten	wart-	er wartete	*he was waiting*
baden	bad-	sie badete	*she used to bathe*

There are only a few irregular verbs in German. These can be learnt as they occur. Here for instance we have six: **er hatte** (NOT habte) and **er mußte** (NO modification), **er stand, er ging, er kam, er war.**

4. *Model Weak Verb, Imperfect Tense*

Sagen *to say.*
ich sagte *I said, was saying, used to say.*
du sagtest *thou saidst, thou wast saying, thou used to say.*

er ⎫
sie ⎬ sagte   he ⎫ she ⎬ *said, was saying, used to say.*
es ⎭   it ⎭

wir ⎫
Sie ⎬ sagten   we ⎫ you ⎬ *said, were saying, used to say.*
sie ⎭   they ⎭

5. Strong verbs form their Imperfect Tense by altering the stem vowel. There is no ending in the 1st and 3rd person singular, the 2nd person singular adds (**-e**)**st** and the plural adds **-en.**

geben	*to give*	ich gab	*I gave*	wir gaben	*we gave*
sehen	*to see*	du sahst	*thou sawest*	Sie sahen	*you saw*
singen	*to sing*	er sang	*he sang*	wir sangen	*we sang*
kommen	*to come*	sie kam	*she came*	sie kamen	*they came*
sprechen	*to speak*	er sprach	*he spoke*	sie sprachen	*they spoke*
stehen	*to stand*	er stand	*he stood*	sie standen	*they stood*
gehen	*to go*	er ging	*he went*	sie gingen	*they went*

6. A few strong verbs change more than the vowel, e.g. **stehen, stand; gehen, ging; kommen, kam.** These are irregular.

7. This vowel gradation (Ablaut) can be classified into nine different types. The best way to learn the vowel gradation is, when learning a new infinitive, to learn at the same time the Imperfect and the past participle. Thus **schwimmen, schwamm, geschwommen.**

There is a list of strong and irregular verbs on pages 346–349. Look up the new verbs you learn in this list. If they are in the list, learn their Imperfect and past participles. If they are not in the list, you know that they are weak.

8. Compound verbs conjugate like their stem verbs, e.g. stehen, stand, gestanden; verstehen, verstand, verstanden; rufen, rief, gerufen; ausrufen, rief aus, ausgerufen.

9. Separable verbs separate in the Imperfect exactly as they do in the Present Tense, i.e. in main clauses only.

Das Kind schlief ein. Als das Kind einschlief, . . .

Wir gingen gestern nicht aus. Als wir gestern ausgingen, . . .

10. The words **ja, nein, denn, und, aber, doch, sondern** do not affect the order of words.

c.f. Denn er verstand Paula. Weil er Paula verstand.

Find examples from the text to illustrate this.

AUFGABEN

A. Beantworten Sie auf deutsch:

1. Gehen Sie oft ins Kino?
2. Haben Sie je (ever) einen Chaplin-Film gesehen?
3. Was für einen Film haben Sie gesehen, als Sie zum letzten Mal das Kino besuchten?
4. Wo liest man Anzeigen?
5. Welche Filme sieht man im Kino außer dem Hauptfilm?
6. Was las Marie in der Zeitung?
7. Was machte Karl mit dem Radio? Warum?
8. Was machten Anton und Marie, bevor sie ins Kino gingen?

9. Warum tranken sie eine Flasche Wein?
10. Warum hatte Anton die Plätze nicht bestellt?
11. Wieviel mußten sie für die Plätze bezahlen?
12. Welches sind die besten Plätze 1) im Kino, 2) im Theater?
13. Um wieviel Uhr begann die letzte Aufführung?
14. Geben Sie ein anderes Wort für 1) Kino, 2) wunderschön,
    3) Vorstellung, 4) Sitz, 5) scheußlich.
15. Man darf in Deutschland nicht im Kino rauchen. Darf man
    im englischen Kino rauchen?
16. Lieben Sie es, wenn Ihr Nachbar im Kino eine Pfeife raucht?

B. Give the Imperfect Tense of the following verbs, rewriting the
whole sentence:

1. Ich finde meinen Hut nicht. 2. Er schläft unter dem Baum.
3. Wir lesen es in der Zeitung. 4. Warum lachen Sie?
5. Was machen Sie heute? 6. Sie kommen zur rechten Zeit an.
7. Ich verstehe Sie nicht, wenn Sie Deutsch sprechen.
8. Der Arzt geht niemals zu Fuss, weil er keine Zeit hat.
9. Der Radler repariert das Rad, bevor er ausfährt.

C. Repeat Exercise B using the Perfect Tense.

D. Translate into German:

I understood you. I did not understand you. Did you understand
me? He read the paper before he went out. Why do you laugh? Why
did you laugh? He always walks. I was walking to work. You are
right. You are not right. He was right.

E. Schreiben Sie einen kurzen Aufsatz über "Ein Besuch im Kino".
[Die Antworten auf die folgenden Fragen bilden den Stoff Ihres
Aufsatzes:

Gehen Sie einmal die Woche ins Kino, oder nur wenn es einen
guten Film gibt?

Gingen Sie allein oder mit einem Freund? Warum?

In welchem Teil des Kinos saßen Sie?

Sahen Sie das ganze Programm oder nur den Hauptfilm?
Warum?

Wie hieß der Film? Farbfilm? Tonfilm (*sound film*)? Komisch?
Ernst? Haben Sie gelacht? oder geweint?

Wer spielte die Hauptrolle? Musik gut? Dialog klug?
War es besser als im Theater? Warum?
Gehen Sie nächste Woche wieder ins Kino? Warum?]

F. Make a list of all the verbs you know in three columns giving the
Infinitive, 3rd person singular, Imperfect and Perfect Tenses, e.g.:

lesen	las	hat gelesen
kommen	kam	ist gekommen
spielen	spielte	hat gespielt

After mastering the following Reading Passage, read it *a*) in the
Imperfect, *b*) in the Perfect Tense.

READING PASSAGE

In der Jugendherberge

Nach langem Wandern fragen wir nach der Jugendherberge. Wie
gewöhnlich liegt sie außerhalb der Stadt, und wir müssen noch zehn
Minuten gehen. Endlich sehen wir sie am Waldrand.

Wir melden uns beim Herbergsvater und wir können noch Betten
haben. Wir legen unseren Rucksack ab und sind froh, unsere Kleider
auszuziehen zu können. Im Waschraum gehen wir unter die Dusche,
bevor wir nach unten gehen. Im Tagesraum hängen bunte Bilder an
den Wänden und Vorhänge vor dem Fenster. In der Mitte ist ein
großer Tisch mit Bänken an beiden Seiten.

Aus dem Rucksack holen wir unsere Eßwaren; Brot, Wurst und
Käse; in der Küche können wir uns Tee und auch Suppe kochen.
Wir setzen uns zu den anderen und unterhalten uns mit ihnen. Die
Stimmung ist gemütlich. Nach dem Essen trägt jeder sein Geschirr in
die Küche zum Abspülen, und räumt das Zimmer auf.

Zwei Jungen aus Köln nehmen ihre Laute; ein anderer hält die
Geige in der Hand; sie spielen eins der alten Lieder und alles singt
mit. Ein Volkslied folgt dem anderen, bis der Herbergsvater
erscheint und zur Ruhe mahnt. Es ist zehn Uhr vorbei, und man
muß die Lichter löschen. Zum Schluß erheben sich alle, reichen sich
die Hand und singen: "Ade zur guten Nacht!"

JUST UND DER PUDEL

"Nun, Vater, und wie war es im Kino?" fragte Paula, als ihre Eltern nach Hause zurückkamen.

"Nicht schlecht, aber du weißt, ich gehe viel lieber ins Theater."

"Ja, Vater, das weiß ich, aber man spielt heutzutage so viel 'Kitsch'."

"Es sind nicht alle Schauspiele 'Minna von Barnhelm,'" lachte Karl.

"Du brauchst nicht über den alten Lessing zu spotten." Paula verteidigte ihren Helden.

"'Kennst du eine bessere Komödie als die Minna?"

"Du hast recht," sagte die Mutter, "und es ist so schön am Ende, wenn Minna weiß, daß Tellheim sie liebt."

Obgleich Paula, die sehr modern war, diese sentimentalen Stellen nicht gern hatte, nickte sie, als der Vater hinzusetzte: "Liebe, Humor, Tugend in jeder Szene. Was will man mehr? Und die Treue! Diese alte, deutsche Treue, die heutzutage so sehr fehlt! Na, Karl, du hast gut lachen! Bringe mir mal mein Exemplar vom Bücherschrank, und ich lese dir eine Stelle vor."

"Ich brauche nicht zu gehen," sagte Karl. "Ich weiß von welcher Stelle du sprichst, und ich kenne sie auswendig. Die muß jeder in der Schule lernen."

"Du meinst die Stelle, wo der Major von Tellheim seinen Diener Just entlassen hat, und dieser von seinem Posten nicht abtreten will?" fragte Paula.

"Ja, natürlich: sie lautet wie folgt: Just sagt, 'Machen Sie mich so schlimm wie Sie wollen, ich will darum doch nicht schlechter von mir denken, als von meinem Hunde. Vorigen Winter ging ich in der Dämmerung an dem Kanale und hörte etwas winseln. Ich stieg hinab und griff nach der Stimme und glaubte ein Kind zu retten, und zog einen Pudel aus dem Wasser. Auch gut, dachte ich. Der Pudel kam mir nach, aber ich bin kein Liebhaber von Pudeln. Ich jagte ihn fort, umsonst; ich prügelte ihn von mir, umsonst. Ich ließ ihn des Nachts nicht in meine Kammer; er blieb vor der Tür auf der

Schwelle. Wo er mir zu nahe kam, stieß ich ihn mit dem Fuße; er schrie, sah mich an und wedelte mit dem Schwanze. Noch hat er keinen Bissen Brot aus meiner Hand bekommen, und doch bin ich der einzige, auf den er hört, und der ihn anrühren darf. Er springt vor mir her und macht mir seine Künste unbefohlen vor. Es ist ein häßlicher Pudel, aber ein gar zu guter Hund. Wenn er es länger treibt, so höre ich endlich auf, den Pudeln gram zu sein.' Und Tellheim antwortet, 'So wie ich ihm!' Und er will Just behalten, so wie Just den Pudel behalten hat."

"Bravo, Karl! Das hast du sehr gut gemacht. Aber jetzt fällt der Vorhang. Schluß! Wir gehen ins Bett."

(Lessing ist einer der größten deutschen Schriftsteller. Er schrieb "Minna von Barnhelm" im Jahre 1767. Es ist noch immer die beste deutsche klassische Komödie, und vielleicht die einzige.)

VOCABULARY

der Bissen(-) *bite, morsel*	heutzutage *nowadays*
der Held(-en) *hero*	umsonst *in vain*
der Humor *humour*	unbefohlen *without being told*
der Kanal(÷e) *canal*	ab-treten, trat . . . ab,
der Kitsch *rubbish, junk*	abgetreten *to resign*
der Liebhaber(-) *amateur, lover*	an-rühren (*wk.*) *to touch*
der Posten(-) *position*	auf-hören (*wk.*) *to cease*
der Pudel(-) *poodle*	behalten, behielt, behalten *to*
der Schluß(÷e) *end, finish*	*keep, retain*
der Schriftsteller(-) *writer*	bleiben, blieb, geblieben *to*
der Schwanz(÷e) *tail*	*stay, remain*
der Vorhang(÷e) *the curtain*	bringen, brachte, gebracht *to*
die Dämmerung *dark, dusk*	*bring*
die Komödie(-n) *comedy*	denken, dachte, gedacht *to*
die Kunst (÷e) *art, trick*	*think*
die Schwelle(-n) *threshold*	entlassen, entließ, entlassen *to*
die Stelle(-n) *passage, place*	*dismiss.*
die Tugend(-en) *virtue*	fehlen (*wk.*) *to fail, be absent*
die Treue *loyalty*	greifen, griff, gegriffen (nach)
das Exemplar(-e) *copy*	*to grasp, feel for*
das Schauspiel(-e) *play*	auswendig *by heart*

einzig *only, sole*
häßlich *ugly*
hinab-steigen, stieg . . . hinab,
  hinabgestiegen *to climb down*
hinzu-setzen (*wk.*) *to add*
lassen, ließ, gelassen *to let,*
  leave
lauten (*wk.*) *to sound, run,*
meinen (*wk.*) *to mean, think*
nicken (*wk.*) *to nod*
prügeln (*wk.*) *to chastise, beat*
retten (*wk.*) *to save*
schreiben, schrieb, geschrieben
  to write.

schreien, schrie, geschrieen *to*
  shout
spotten (*wk.*) *to mock, jest*
stoßen, stieß, gestoßen *to push*
treiben, trieb, getrieben *to*
  drive, do
verteidigen (*wk.*) *to defend*
vor-lesen, las . . . vor,
  vorgelesen *to read out*
wedeln (*wk.*) *to wag*
winseln (*wk.*) *to whine*
ziehen, zog, gezogen *to pull,*
  drag, draw

des Nachts *at night*
ich bin ihm gram *I don't like him*
du hast gut lachen *it is all very, well for you to laugh*
es lautet, wie folgt *it goes as follows*
ich gehe lieber ins Theater *I prefer to go to the theatre*
ich stieß ihn mit dem Fuß *I kicked him*
mit dem Schwanz wedeln *to wag the tail*

Kein Liebhaber; an dem Kanale; these are anachronisms;
Kein Freund; am Kanale entlang; would now be more usual.

GRAMMAR

Revise the Imperfect and Perfect Tenses, relative pronouns and
the declension of adjectives.

AUFGABEN

A. Beantworten Sie auf deutsch:

  1. Was hat Anton lieber als das Kino?
  2. Spielt man viel Kitsch hier im Kino?

3. Ist "Minna von Barnhelm" eine Tragödie?
4. Was war Lessing?
5. Wann schrieb er dieses Schauspiel?
6. Warum hat die Mutter diese Komödie so gern?
7. Welche Tugenden findet Anton in diesem Schauspiel?
8. Wo liegt Antons Exemplar von "Minna von Barnhelm"?
9. Warum braucht Karl das Buch nicht zu holen?
10. Wie kommt es, daß Karl diese Stelle auswendig kann?

B. Read the following sentences in a) the Imperfect, b) the Perfect
Tense, and translate:

1. Ihre Mutter wohnt in Miesbach.
2. Sie arbeitet 48 Stunden in der Woche.
3. Der Bankangestellte hat ein schönes Haus.
4. Die Mutter besucht das Kino alle zwei Wochen.
5. Karl sitzt in der Ecke und liest.
6. Der Film ist scheußlich.
7. Das Kind schläft ruhig im Bett.
8. Ich verstehe ihn nicht, weil er so schnell spricht.
9. Er trinkt nur klares Wasser.
10. Der Direktor fährt nach Schweden.
11. Wir essen Wurst mit Kartoffelsalat.
12. Der Arzt geht jeden Tag in die Stadt.

C. Insert the relative pronoun in the correct case:

1. Karl, — in der Ecke saß, reparierte das Radio.
2. Die Batterie — kaputt war, funktionierte nicht.
3. Das Kino, — ich besuche, hat immer gute Filme.
4. Die Komödie, — Anton am meisten liebt, heißt "Minna von Barnhelm".
5. Die Szene, in — Tellheim Just entläßt, hat viel Humor.
6. Der Pudel, — Stimme Just hörte, war sehr treu.
7. Im Bücherschrank waren Bücher, — ich nie gelesen habe.
8. Das Schauspiel, von — wir sprechen, ist sehr amüsant.
9. Heutzutage spielt man keine Komödien, in — man Humor findet.
10. Der Vorhang fällt nach der Szene, — Sie so gerne haben.

D. Insert the correct adjectival endings and translate:

Lessing war ein groß—deutsch—Schriftsteller. Er schrieb klassisch—Werke, die man noch immer spielt. Als er zuerst schrieb, hatte das deutsch—Theater kein—echt—deutsch—Werke. Man spielte nur französisch—Komödien. Lessing bewunderte die best—Stücke des englisch—Theaters, besonders d—großartig—Werke von Shakespeare: jede Woche schrieb er scharf—, kritisch—Artikel in der Hamburg—Zeitung und endlich gab er d—deutsch—Theater sein—eigen—Schauspiele. In dies—Schriften fand Goethe ein Beispiel für sein—erst—Dramen.

E. Erzählen Sie in eigenen Worten die Geschichte "Just und der Pudel".

F. Give the Imperfect and Perfect Tenses of:

ich sage; er macht; wir holen; Sie reparieren; sie zeigen; ich stehe auf; er geht aus; wir halten; Sie beginnen; sie bekommen.

G. Übersetzen Sie ins Deutsche:

1. She goes to the cinema twice a week.
2. They go to church to hear the lovely singing.
3. He is at the theatre this evening.
4. He felt for his hat, which was lying on the floor.
5. I prefer the theatre to the cinema.
6. The dog wagged his tail because he saw his master.
7. It is all very well for you to laugh.
8. He kicked the dog, because it bit him.
9. I know this piece by heart.
10. As I am no dog-lover, I chased the animal away.

READING PASSAGE

Das Erste Reich

In der deutschen Geschichte sind drei ganz verschiedene Reiche zu erkennen. Karl der Große (Charlemagne) gründete das Erste Reich (800 A.D.) und es dauerte tausend Jahre lang. Fast ganz West-

Europa—darunter alle deutschen Stämme—gehörte diesem lockeren Bund an. Ein jeder der 300 einzelnen Staaten, groß und klein, hatte seinen eignen Fürsten, aber alle Staatsbürger waren Untertanen des Kaisers. Die sieben mächtigsten Prinzen—Kurfürsten genannt—wählten jeden neuen Kaiser, der sodann in Rom die Reichskrone vom Papst erhielt. Darum hieß es Das Heilige Römische Reich. Durch die Reformation und wegen des aufsteigenden Nationalgefühls ging das Reich allmählich zugrunde und im Jahre 1806 kam die endgültige Zersplitterung.

DIE DORFBEWOHNER

Die Schulzes hatten Besuch von einem Bekannten. Dieser Bekannte war Engländer. Er hatte sich mit Anton befreundet, als dieser in England war. Er wollte seinen alten Freund sehen, und zu gleicher Zeit sein Deutsch üben. Er sprach ein sehr gutes Deutsch, aber machte von Zeit zu Zeit Fehler in der Aussprache, die dann Anton korrigierte.

Herr Jones interessierte sich sehr für das Leben im Dorfe und stellte allerlei Fragen. "Sie müssen furchtbar einsam hier wohnen!" sagte er. "Wieso?" fragte Karl. "Sind nicht alle anderen Einwohner des Dorfes Bauern?" fragte er. Karl mußte lachen. "Das gerade nicht! Nichts Interessantes passiert hier zwar, aber nur wenige von unseren Nachbarn arbeiten auf dem Lande. Sie haben viele andere Berufe. Herr Abt ist Bankangestellter, und Herr Bunk ist Bahnbeamter; Herr Koch ist Reisender für eine Automobilfabrik. Dann gibt's den Arzt und den Geistlichen, unseren lieben Pfarrer."

"Ja, ich verstehe, daß ein Arzt und ein Geistlicher hier wohnen— die sind überall. Aber es gibt keine Bank, keine Fabrik und keine Bahn in Miesbach. Warum haben Sie dann hier einen Bankangestellten, einen Bahnbeamten und einen Handelsreisenden?"

"Die Antwort ist ja einfach. Sie wohnen hier, aber sie arbeiten anderswo—meistens in Lippstadt. Hier im Dorfe leben wir gesund. "Aber Sie sind fast niemals hier. "unterbrach ihn Herr Jones. "Sie sind dauernd unterwegs. Und noch dazu muß das Einkaufen Ihrer Mutter viel Ärger machen!" "Gar nicht!" antwortete Karl. "Die Stadt liegt nur vier Kilometer weit entfernt und Mutti freut sich auf ihren wöchentlichen Ausflug zum Supermarkt." "Daß ich nicht lache! "murmelte die Mutter. "So ein spaßhafter Kerl ist unser Karl".

Herr Jones lächelte: "Nach meiner Meinung ist Miesbach kein richtiges Dorf, sondern ein Vorort der Stadt."

"Nicht gerade Vorort, sondern ein außerhalb gelegenes Wohnviertel der Stadt!" antwortete Karl. "Unser Dorf ist nicht mehr, so wie es im Mittelalter war. Wir haben keinen Misthaufen vor der Tür. Hier laufen keine Hühner über die Straße. Früher wohnten hier viele, arme Landarbeiter in kleinen Häuschen, aber das ist längst vorbei; ihre Arbeit macht heutzutage ein einziger, geschickter Mechaniker mit Hilfe eines Traktors. Wir sind im Laufe der Zeit zu einem zivilisierten Volk geworden."

Hierauf konnte der ruhig in seinem Lehnstuhl sitzende Vater nicht länger schweigen. "Ich weiß nicht, ob 'zivilisiert' das richtige Wort ist. So wie überall in der Welt, ist es hier ja anders geworden. Im Dorf wohnten Jahrhundertelang dieselben Familien in denselben Häusern. Dann kam der Krieg, und infolge des Krieges Fremdarbeiter und Ostflüchtlinge . . ."

Herr Jones sah verdutzt aus, aber Karl bemerkte es und erklärte: 'Vater spricht von den vom Osten hergekommenen Deutschen — nicht nur den während des Krieges hierher Evakuierten, sondern auch den nach dem Kriege aus der Heimat Vertriebenen." "Warum sind sie nicht nach Kriegesende wieder nach Hause gegangen?" fragte Herr Jones. "Die hatten keine Heimat mehr. Und wegen der in der Ostzone herrschenden Politik konnten sie nicht über die neue Grenze kommen, auch wenn sie es wollten. Wir wollen es auch nicht, denn sie waren nette, fleißige Menschen. Viele von den Kindern dieser Ostdeutschen wohnen noch hier in der Nähe. Dies ist ihre neue Heimat."

VOCABULARY

From now onwards the principal parts of the strong verbs will be indicated by the stem vowels only. Separable verbs are indicated by a hyphen between the prefix and stem in the infinitive.

der Angestellte(-n) *employee*
der Ärger *anoyance*
der Beruf(-e) *profession*
der Dorfbewohner(-) *villager*
der Einwohner(-) *inhabitant*
der Geistliche(-n) *clergyman*
der Handel *trade, commerce*

der Landarbeiter(-) *farm worker*
der Misthaufen(-) *muck-heap*
der Ostflüchtling (-e) *refugee from the East*
der Pfarrer(-) *parson*
der Reisende(-n) *traveller*
der Traktor(-en) *tractor*

der Vorort(-e) *suburb*
die Bank(-en) *bank*
die Heimat *home(-land)*
die Politik *politics*
das Huhn(⁼er) *chicken*
das Leben(-) *life*
das Mittelalter *middle ages*
das Wohnviertel (-) *residential quarter*
einsam *lonely*
gerade *exact(ly), just, straight*
spaßhaft *comical*
verdutzt *confused, taken aback*
zivilisiert *civilised*
anderswo *elsewhere*
s. befreunden(mit) *to befriend*
evakuieren *to evacuate*
s. freuen(auf + acc.) *to look forward to*
herrschen *to prevail*
korrigieren *to correct*
murmeln *to murmer, mumble*

üben *to practice*
unterbrechen(a.o.) *to interrupt*
vertreiben(ie. ie.) *to drive out*
von Zeit zu Zeit *from time to time*
zu gleicher Zeit *at the same time*
er mußte lachen *he couldnt help laughing*
daß ich nicht lache! *Dont make me laugh!*
einem Ärger machen *to* GIVE *trouble*
dauernd unterwegs *always on the move*
nach meiner Meinung IN *my opinion*
außerhalb gelegen *outlying*
das ist längst vorbei *that's ages ago*
Jahrhundertelang FOR *centuries*
im Laufe der Zeit *in the course of time*
es ist anders geworden *things have changed*
Fragen stellen *to* ASK *questions*

GRAMMAR

Adjectives used as nouns

1. Any adjective may be used as a noun. It then has gender and a capital letter, thus:

> alt *old*
> der Alte *the old man*
> die Alte *the old woman*
> das Alte *the old, that which is old*
> geistlich *spiritual*
> der Geistliche *the parson*
> ein Geistlicher *a parson*
> Geistliche *parsons*

2. An adjective used as a noun declines like an adjective.

	the good man	*the good woman*	*the good thing*
nom.:	der Gute	die Gute	das Gute
acc.:	den Guten		
gen.:	des Guten	der Guten	des Guten
dat.:	dem Guten		dem Guten

pl.:	*the good men* (*women or things*)	*no good men* (*women or things*)
nom.: *acc.:*	die Guten	keine Guten
gen.:	der Guten	keiner Guten
dat.:	den Guten	keinen Guten

	a male acquaintance	*a female acquaintance*	*acquaintances* (*both sexes*)
nom.:	ein Bekannter	eine Bekannte	Bekannte
acc:	einen Bekannten		
gen.:	eines Bekannten	einer Bekannten	Bekannter
dat.:	einem Bekannten		Bekannten

3. The gender chosen is obvious: masculine for males, feminine for females and neuter for neither. Thus the neuter form is commonly used in such set expressions as:

nichts Neues, *nothing new*; alles Gute, *all the good, everything good;* wenig Besseres, *little that is better*; das Beste, *the best*; sein Bestes, *his best*; viel Schlechtes, *a lot of bad*; im Freien, *in the open*; ins Deutsche, *into German.*

4. Verbal participles are used as adjectives. Therefore the past participle of a verb is often used as noun and is declined like an adjective.

fangen, *to catch*; gefangen, *caught.*
    der Gefangene, *the prisoner; gen.* des Gefangenen; *pl.* die Gefangenen.
    ein Gefangener, *a prisoner; gen.* eines Gefangenen; *pl.* Gefangene.
anstellen, *to employ*; angestellt, *employed.*
    der Angestellte, *the employee; gen.* des Angestellten; *pl.* die Angestellten.

die Angestellte, *the female employee gen.* der Angestellten;
pl. die Angestellten.

ein Angestellter, *an employee*
eine Angestellte, *a female employee* } *pl.* **Angestellte.**

senden, *to send*; gesandt, *sent.*

der Gesandte, *the ambassador; pl.* die Gesandten.
ein Gesandter, *an ambassador; pl.* Gesandte.

5. Present participles are used in the same way.

By adding **-end** to any verbal stem, the present participle is made.

reisen, *to travel*; reisend, *travelling*; der Reisende, *the traveller.*
sprechen, *to speak*; sprechend, *speaking*; der Sprechende, *the man who is speaking.*
arbeiten, *to work*; arbeitend, *working*; ein Arbeitender, *a man who is at work.*

6. Participles used in this way may be put at the end of *phrases* which in English are rendered by relative sentences.

bleiben, *to stay*; bleibend, *staying*; die Bleibenden, *those who stay.*
Die im Westen Bleibenden. *Those who stay in the west.*
Die zu Hause Bleibenden. *Those who stay at home.*
schwimmen, *to swim*; schwimmend, *swimming*; der Schwimmende, *the man swimming.*
Der im Wasser Schwimmende. *The man swimming in the water.*

The participle can be used in this way, whether it is a noun or a simple adjective:

Der im Wasser schwimmende Fisch. Der Fisch, der im Wasser schwimmt.

Die in der Fabrik arbeitenden Frauen. Die Frauen, die in der Fabrik arbeiten.

Das von Lessing im Jahre 1767 geschriebene Schauspiel. Das Schauspiel, das Lessing im Jahre 1767 schrieb.

Die von uns in der Schule auswendig gelernte Stelle. Die Stelle, die wir in der Schule auswendig gelernt haben.

This is a useful, condensed construction, called Einschachtlung (boxing-in). The chief point to remember is that though the participle is a long way away from the article (die . . . gelernte Stelle) it declines in agreement with it.

This construction, though used frequently in literature and in scientific texts, is too stylised to be used much in conversation.

It can usually be spotted in this way. If der, die, das, etc. are not immediately followed by a noun or adjective and are not used as relative pronouns, you can expect the participial construction.

Wegen der in der Ostzone herrschenden Politik =

Wegen der Politik, die in der Ostzone herrscht.

Die nach dem Kriege aus der Heimat Vertriebenen =.

Those who were driven from their homes after the war.

AUFGABEN

A. Beantworten Sie auf deutsch:

1. Von wem hatten die Schulzes Besuch?
2. Sind alle Einwohner des Dorfes Bauern?
3. Welche anderen Berufe finden Sie in dem Dorfe?
4. Wie heißt eine Dame die 1) in einer Bank, 2) bei der Bahn arbeitet?
5. Wie heißen in einem Wort, Leute, die 1) krank, 2) arm, 3) reich sind?
6. Warum wohnten viele Lippstädter Arbeiter außerhalb der Stadt?
7. Wie war das Dorf im Mittelalter?
8. Was sind (a) Ostflüchtlinge (b) Heimatlose?
9. Warum ist ihre Lage jetzt besser?
10. Welche Berufe findet man in jedem Dorfe?

B. Ein Lehrer ist ein Mann, der in einer Schule lehrt. Was ist — 1) ein Arzt? 2) ein Geistlicher? 3) ein Bahnbeamter? 4) eine Stenotypistin? 5) ein Hausmädchen? 6) ein Bauer? 7) ein Mechaniker? 8) ein Handelsreisender? 9) ein Kellner? 10) eine Bankangestellte?

C. Using the adjective as a noun, translate the following, giving the nominative and genitive singular and the nominative plural of the first six:

A poor man, the rich woman, a German, a lady commercial traveller, an old man, an acquaintance, all the best, much that is interesting, nothing new, in the open.

D. *a*) Give the present participle of these verbs: reisen, arbeiten, trinken, lesen, sitzen, schneiden, gehen.

   b) Give the past participles of these verbs: lehren, sterben, fallen, schreiben, retten, aufwecken, finden.

   c) Make up one noun from each of the participles and translate it.

E. Make relative sentences from the participial phrases in the following and translate:

1. Der von der Mutter gekochte Kaffee ist noch ganz warm = Der Kaffee, den die Mutter gekocht hat, ist noch ganz warm.
2. Das von Karl reparierte Motorrad stand auf der Straße.
3. Das auf der Straße stehende Motorrad ist sehr alt.
4. Die im Dorfe wohnenden Leute heißen Miesbacher.
5. Die von ihm gerauchte Pfeife riecht schlecht.
6. Dieses fünfundzwanzig Zigaretten enthaltende Etui ist aus Gold.
7. Das von dem Schneider getragene Paket enthält Tuch.
8. Die Deutsch lernenden Studenten arbeiten fleißig.
9. Das von der Mutter gesungene Lied ist von Schubert.
10. Der nach Lippstadt fahrende Wagen gehört dem Arzt.

FERNSEHEN

Herr Jones: Wann werden Sie ein Fernsehgerät kaufen, Herr Schulz?

Anton: Was mich angeht, niemals! Wir waren Gäste bei einem Freund, der einen großen Apparat hat, um bei den letzten Olympischen Spielen dabeizusein. Wir saßen alle vor dem Bildschirm im dunklen Wohnzimmer. Man durfte kein einziges Wort sprechen. Auch unseren Kaffee mußten wir vor diesem ewig strahlenden, lautschreienden Gerät trinken. Diese Fernsehgeselligkeit ist typisch für unsere Tage. Ich will nichts damit zu tun haben.

H.J.: War das Bild verzerrt? Hatten Sie keinen guten Empfang?

Anton: Die Übertragung war technisch erstklassig. Aber ich interessiere mich gar nicht für diese Sportveranstaltungen, und meine Kinder haben zu wenig Freizeit dazu.

Paula: Sei doch vernünftig, Vater! Ich werde mich freuen, wenn wir in nächster Zeit ein Fernsehgerät im Hause haben. Wir werden so viele neue Schauspiele sehen, ohne aus dem Hause gehen zu müssen.

Karl: Wirst du dann niemals mehr abends ausgehen?

Marie: Dann werden wir ein Gerät kaufen, Anton.

Anton: Man wird nicht nur Schauspiele übertragen, Mutter. Willst du Boxkämpfe, Fußball, Jazzkapellen jeden Abend ansehen?

Karl: Auch Rock und Roll, Quizprogramme und sonstigen Kitsch und Quatsch!

Paula: Man kann das Programm wählen—Nachrichten, den Wetterbericht, Konzerte; und das Kinderprogramm für Liesel.

Karl: Wir werden nicht mehr Zeitungen lesen oder ins Kino gehen; auch die Politiker werden vor das Mikrophon treten. Man wird ruhig zu Hause bleiben, vor dem Fernsehapparat sitzen, bloß anschalten, dann wird man alles auf dem Schirm sehen.

Paula: Mindestens für das Theater wird im Fernsehen eine neue Technik nötig werden.

Karl: Du denkst immer an die Bühne. Wie ich es sehe, bildet es eine neue Zukunft für die Radioingenieure und für alle Techniker:

Verbesserung in Apparat und Sendung, eine neue Baukunst, Häuser mit größeren Zimmern und neue Möbelstücke.

Marie: Wird das aber nicht viel Geld kosten?

Herr Jones: Aber Sie geben um so weniger für andere Unterhaltung aus. Schließlich wird es billiger werden.

Anton: Wollen wir rechnen? Zuerst ein Empfänger, sagen wir tausend Mark. Antenne mit Leitungsdraht, hundert Mark. Abonnement, wieder hundert Mark. Ersatzröhren, Reparatur. . .

Marie: Und Kaffee und Wein für die Gäste, die uns besuchen werden, weil sie selber keinen Apparat besitzen!

Paula: (*hat immer das letzte Wort*): Aber wenn du willst, daß wir abends zu Hause bleiben, so wirst du einen kaufen müssen.

VOCABULARY

der Boxkampf(⸚e) *boxing match*
der Draht(⸚e) *wire*
der Empfang *reception*
der Fußball(⸚e) *football*
der Gast(⸚e) *guest, visitor*
der Ingenieur (–e) *engineer*
der (Bild-)Schirm(-e) *screen*
der Techniker(-) *technician*
der (Wetter-)bericht(-e) (*weather*) *report*
die (Ersatz)röhre(-n) (*spare*) *valve*
die Baukunst *architecture*
die Bühne(-n) *stage*
die Geselligkeit *sociability*
die Jazzkapelle(-n) *jazz band*
die Nachrichten (pl.) *news*
die Technik(-en) *technique*
die Übertragung(-en) *transmission*
die Unterhaltung(-en) *entertainment*
die Veranstaltung(-en) *event*

die Verbesserung(-en) *improvement*
die Zukunft *future*
das Abonnement(-s) *subscription*
das Mikrophon(-e) *microphone*
erstklassig *first-rate*
typisch (für) *typical* (*of*)
vernünftig *reasonable*
verzerrt *distorted*
mindestens *at least*
schließlich *at last, finally*
aus-geben (a.e.) *to spend*
dabei sein *to be 'in' at*
laut schreien (ie. ie.) *to scream*
strahlen *to shine, dazzle*
übertragen (u.a.) *to transmit*
wählen *to choose, select*
Was mich angeht *as far as I am concerned*
Freizeit (zu) *leisure* (*for*)
in nächster Zeit *in the immediate future*
es ist höchste Zeit *it is high time*
Kitsch und Quatsch *rubbish, junk*

GRAMMAR

1. *Future Tense*

Man wird einen neuen Fernsehsender bauen.
They will build a new T.V. station.
Wir werden viele Schauspiele zu Hause sehen.
We shall see many plays at home.

The Future Tense is made with the Present Tense of **werden** plus the infinitive. The infinitive is at the end of the clause. Werden occupies the normal verbal position, i.e. first in questions, second in main clauses and last in subordinate clauses.

Man wird alles auf dem Schirm sehen.
One will see everything on the screen.
Wird das nicht viel Geld kosten?
Will that not cost a lot of money?
Wir werden viele Gäste haben, die uns besuchen werden.
We shall have a lot of guests, who will visit us.

Model Conjugation, Future Tense

Ich werde . . . sein, *I shall be.*
du wirst . . . sehen, *thou wilt see, wilt be seeing.*
er, sie, es wird . . . bauen, *he, she, it will build, will be building.*
wir werden . . . wählen, *we shall choose, shall be choosing.*
Sie werden . . . kaufen, *you will buy, will be buying.*
sic werden . . . empfangen, *they will receive, will be receiving.*

2. The Present Tense is frequently used for the Future Tense as it is in English, where there is definite intention.

Ich fahre heute nachmittag zur Stadt =
Ich werde heute nachmittag zur Stadt fahren.
Kommen Sie nicht mit uns ins Theater? =
Werden Sie nicht mit uns ins Theater kommen?

3. Do not confuse the simple verb **werden** with the auxiliary verb **werden**. With no infinitive after it, werden = *to become, grow.*

Er wird reich. *He is getting rich.*
Er wird reich werden. *He will get rich.*

4. Note the difference between **wollen** (to wish) and **werden**.

Er will einen Apparat kaufen.

He will (wants to) buy a set.

Er wird einen Apparat kaufen.

He will (in the future) buy a set.

Willst du Boxkämpfe sehen?

Do you want to see boxing matches?

Wirst du den Boxkampf sehen?

Will you be going to see the boxing match?

AUFGABEN

A. Beantworten Sie auf deutsch:

1. Nennen Sie drei Teile eines Fernsehapparats.
2. Was sehen Sie am liebsten im Fernsehen?
3. Was denken Sie von der Zukunft des Fernsehens?
4. Warum will Anton keinen Apparat kaufen?
5. Warum will Marie einen Apparat haben?
6. Wann schaltet man den Apparat an? . . . ab?
7. Wird das Fernsehen einen Einfluß auf unser Leben ausüben?
8. Wo hat man guten Empfang?
9. Wann werden die Schulzes viele Gäste haben?
10. Nennen Sie drei Möbelstücke.

B. Give the Future Tense of the following:

1. Er hat begonnen.
2. Man hat einen neuen Sender gebaut.
3. Wir brauchen eine hohe Antenne.
4. Ich bin froh, Sie zu sehen.
5. Sie haben ein gutes Schauspiel gesehen.
6. Kostet dieser Wagen viel Geld?
7. Ich warte hier, bis er ankommt.

C. Put the above into the Imperfect Tense.

D. Machen Sie einen Vergleich zwischen dem Radio und dem Fernsehen.

VOR DEM GERICHT

Am nächsten Tag wollte der Engländer das Rathaus besuchen, von dem Anton am vorigen Tag gesprochen hatte. Aber Anton hatte wieder vergessen, zu telefonieren. Er entschuldigte sich und sagte: "Es macht aber gar nichts aus. Heute findet eine Sitzung des Gerichts in Lippstadt statt. Wir werden dorthin fahren. Es ist immer interessant im Gerichtshof, und dabei kann man auch viel Deutsch lernen." So führte Anton seinen englischen Freund nach Lippstadt, um ihm zu zeigen, wie die deutsche Justiz funktioniert.

Vor dem Richter sahen sie zwei junge Männer: Horst, achtzehn Jahre alt, im blauen Anzug, schwarzhaarig und braungebrannt: neben ihm seinen Bruder, Wilhelm, blond, breitschultrig und zwanzig Jahre alt.

Der Richter betrachtete sie nachdenklich und überlegte, ob die beiden Jungen, die ihn mit unschuldigen Augen ansahen, böse Burschen sind.

Die Anklage sah unangenehm aus—versuchter Automatendiebstahl und Gefangenenbefreiung. Auf dem Gerichtstisch lag ein großes Messer. Das hatte Wilhelm in der Tasche gehabt.

Die ganze Geschichte kam von einer Feier her. Sie hatten eine Flasche Schnaps getrunken, und der Alkohol war den Jungen zu Kopf gestiegen. Sie hatten sich wohl und sehr stark gefühlt. So hatte Wilhelm am Bahnhof seine Muskeln an einem Automaten ausprobiert. Er hatte sogar die Maschine kaputt gemacht und auf den Boden geworfen.

Ein Polizist hatte den Lärm gehört, kam herbeigelaufen und hatte versucht, Wilhelm gefangen zu nehmen. Wilhelm hatte dem Polizisten widerstanden. Als Horst seinen Bruder in den Händen des Beamten gesehen hatte, hatte er versucht, ihn zu befreien. Aber der Polizist hatte gesiegt und hatte sie beide zur Wache gebracht.

Den Richter interessierte nicht so sehr der Fall, als die Geschichte der beiden Jungen. Durch kluge Fragen stellte er Folgendes fest:— Die Jungen wohnten zusammen in einem Keller im Armenviertel; ihre Mutter war weggelaufen, weil der Vater immer betrunken war.

Sie waren nur selten in die Schule gegangen. Ohne Geld, ohne
Eltern hatten sie sich zusammen durchgeschlagen. Eine traurige
Geschichte!

"Warum gingen Sie mit diesem großen Messer umher?" fragte
plötzlich der Richter. "Ach, das habe ich immer bei mir. Ich bin ja
Handwerker." Der Richter war nicht ganz zufrieden und verurteilte
Horst zu zwanzig Tagen Gefängnis wegen versuchter Gefangenenbefreiung und Wilhelm zu zwei Wochen, Widerstands und Trunkenheit wegen.

Dann trat Wilhelm wieder vor: "Können wir nicht dieselbe Strafe
bekommen?" fragte er. "Wir haben ja die Sache zusammen
gemacht, und außerdem sind wir immer beisammen.' Der Richter
überlegte und verurteilte die beiden zu siebzehn Tagen.

Als die zwei Freunde den Gerichtssaal verlassen hatten, fragte
Anton: "Haben Sie das Urteil nicht gerecht gefunden?" Der
Engländer lächelte: "Ich habe nicht alles verstanden: aber ich glaube,
die Eltern waren an Allem schuld; man sollte die Eltern bestrafen."

VOCABULARY

der Alkohol *alcohol*
der Automat(-en) *slot-machine*
der Bursche(-n) *lad*
der Diebstahl(¨e) *theft*
der Fall(¨e) *case*
der Gerichtshof (¨e) *law-court*
der Handwerker(-) *manual worker*
der Keller(-) *cellar*
der Polizist(-en) *policeman*
der Richter(-) *judge*
der Versuch(-e) *attempt*
der Widerstand *resistance*
die Anklage(-n) *charge, complaint*
die Befreiung(-en) *liberation*
die Feier(-n) *celebration*
die Hand(¨e) *hand*

die Justiz *justice*
die (*or* der) Muskel(-n) *muscle*
die Strafe(-n) *punishment*
die Trunkenheit *drunkenness*
die Wache(-n) *guard (room), H.Q., police station*
das Armenviertel(-) *slum*
das Auge(-n) *eye*
das Gefängnis(-se) *prison*
das Gericht(-e) *court*
das Urteil(-e) *judgment*
aus-probieren *to try out*
befreien *to liberate*
bestrafen *to punish*
betrachten *to watch, look at*
brechen (a. o.) *to break*
durch-schlagen (u. a.), sich *to make a way*

fest-stellen *to confirm, establish*
gefangen-nehmen(a. o.) *to take prisoner*
herbei-laufen (ie. au.) *to run along*
handeln *to act, deal*
lächeln *to smile*
siegen *to win, conquer*
überlegen *to reflect*
verlassen (ie. a.) *to leave*
versuchen *to try, attempt*
verurteilen *to condemn*
widerstehen, widerstand, widerstanden (*with dat.*) *to resist*
werfen (a. o.) *to throw*
betrunken *drunk*

braungebrannt *tanned*
breitschultrig *broad-shouldered*
gerecht *just*
nachdenklich *thoughtful*
schuldig (an + *dat.*) *guilty (of)*
schwarzhaarig *black-haired*
unangenehm *unpleasant*
unschuldig *innocent*
am vorigen Tag *on the previous day*
der Wein steigt ihm zu Kopf *the wine goes to his head*
er fühlt sich wohl *he feels fine*
er sieht mich an *he looks at me*
es sieht schlecht aus *it looks bad*
sie kamen herbeigelaufen *they came running along*

GRAMMAR

1. *Pluperfect Tense*

Er hatte gesprochen. *He had spoken.*
Er hatte vergessen. *He had forgotten.*

The Pluperfect Tense is made by conjugating **hatte** (Imperfect of haben) with the past participle of the verb. Intransitive verbs of motion and a few others conjugate with **war** instead of hatte. The past participle comes at the end of the clause. The Pluperfect Tense is very similar to the Perfect, only **hatte** substitutes hat and **war**, ist: and the meaning is one step further back in time.

Model Conjugation, Pluperfect Tense

ich hatte gemacht, *I had made, had been making.*
du hattest gefunden, *thou hadst found.*
er
sie } hatte gesiegt, *he she it* } *had won.*
es
wir hatten gefangen, *we had caught, had been catching.*

Sie hatten verurteilt, *you had condemned.*
sie hatten festgestellt, *they had confirmed.*

$$\left.\begin{array}{l}\text{ich}\\\text{er}\\\text{sie}\\\text{es}\end{array}\right\} \text{war gekommen,} \left.\begin{array}{l}I\\he\\she\\it\end{array}\right\} \text{had come.}$$

$$\left.\begin{array}{l}\text{wir}\\\text{Sie}\\\text{sie}\end{array}\right\} \text{waren herbeigelaufen,} \left.\begin{array}{l}we\\you\\they\end{array}\right\} \text{had run along.}$$

du warst geblieben, *thou hadst stayed.*
er war gewesen, *he had been.*
wir waren geworden, *we had become.*

2. *Inseparable Verbs*

er hatte vergessen: er hatte widerstanden;
ich habe ihn besucht: sie hat es erklärt.

In these verbs there is no **ge-** in the past participle.

Any verb beginning with the unaccented prefix **be-, ge-, er-, ver-, zer-, ent-, emp-, miß-** has no ge- in the past participle. These prefixes are inseparable and never separate from their stems, e.g. er betrat das Zimmer: er hat das Zimmer betreten. cf. er trat in das Zimmer **hinein:** er ist in das Zimmer hinein**ge**treten. Both phrases mean the same, but the separable prefix separates and the unaccented prefix is inseparable. Further examples are:

Befreien, *to free.* Er befreite seinen Bruder, er hat seinen Bruder befreit. *He set his brother free.*

Gefallen, *to please.* Das hat mir nicht gefallen. *I didn't like it.*

Erklären, *to explain.* Der Lehrer hat das Problem erklärt. *The teacher explained the problem.*

Verurteilen, *to condemn.* Der Richter hat ihn verurteilt. *The judge condemned him.*

Zerbrechen, *to smash.* Der Junge zerbrach den Automaten. Der Junge hat den Automaten zerbrochen. *The boy smashed the slot-machine.*

Enthalten, *to contain.* Das Glas enthielt Wasser. Das Glas hat Wasser enthalten. *The glass contained water.*

Empfangen, *to receive.* Die Großmutter empfängt einen Brief. *The grandmother receives a letter.*

3. There are some prefixes which are used separably with some verbs and inseparably with others. These should be learnt individually. But a very good rule can be followed: **um-, wider-, über-, unter-, hinter-, durch-** are inseparable and unaccented when they have an applied meaning; they are separable and accented when they have their literal meaning.

Hínter-gehen, prefix accented, separable, literal meaning, to go behind. **Hintergéhen,** prefix unaccented, inseparable and metaphorical meaning, to go behind somebody's back, to deceive. **Wiéder-holen,** prefix accented, separable, literal meaning, to fetch back; past participle, **wiédergeholt. Wiederhólen,** prefix unaccented, inseparable, applied meaning, to repeat; past participle, **wiederholt.**

Der Hund holte den Stock wieder. *The dog brought back the stick.*
Er wiederholte das Wort. *He repeated the word.*
Der Fährmann hat mich übergesetzt. *The ferryman put me across (the river).*
Schlegel hat Shakespeare übersetzt. *Schlegel translated Shakespeare.*

Überlégen means *to consider.* This is an applied meaning, therefore the prefix is inseparable and the past participle is **überlégt.**

4. Apart from the inseparable prefixes mentioned above, all prefixes are separable.

5. As well as inseparable prefixes, verbs that end in **-ieren** have no **ge-** in their past participle:

repariéren, *past participle* repariért.
ausprobieren, ausprobiert.
funktionieren, funktioniert.

6. Er hat keine Zeit aus**zu**gehen. *He has no time to go out.*
Er hatte keine Zeit **zu** verlieren. *He had no time to lose.*
Er vergaß aus**zu**steigen. *He forgot to get out.*
Er vergaß **zu** überlegen. *He forgot to reflect.*

Separable prefixes are split from their stem by the infinitival zu. Inseparable prefixes are never separated from their stem, not even by the infinitival zu.

AUFGABEN

A. Beantworten Sie auf deutsch:

1. Wen sieht man in einem Gerichtshof?
2. Warum betrachtete der Richter die jungen Männer?
3. Wie lautete die Anklage?
4. Was hatte Wilhelm in der Tasche gehabt?
5. Wo lag es jetzt?
6. Was hatten die Teenagers getrunken?
7. Was hatte Wilhelm mit dem Automaten getan?
8. Wer hatte den Lärm gehört?
9. Woher wissen Sie, daß Wilhelm gewalttätig war?
10. Was hatte Horst getan, als er seinen Bruder in den Händen des Polizisten gesehen hatte?
11. Wo wohnten diese Burschen?
12. Warum hatten sie keine Eltern mehr?
13. Wie war das Urteil des Richters?
14. Warum trug Wilhelm ein Messer in der Tasche?
15. Tragen Sie ein Messer umher?

B. Some words derived from nehmen are annehmen, unternehmen, angenehm, unangenehm, gefangennehmen.

Name some words derived from or connected with: 1) fangen, 2) Richter, 3) sehen, 4) brechen, 5) stellen, 6) legen, 7) trinken, 8) frei, 9) Schuld, 10) folgen.

C. Put the verb in brackets in the Pluperfect Tense and in the right place.

1. Der Richter verurteilte die beiden, denn sie (machen) Böses.
2. Er verurteilte Horst, weil er (versuchen), seinen Bruder zu befreien.
3. Der Pudel (fallen) ins Wasser.
4. Ein Polizist (hören) den Lärm und (herbeieilen).
5. Sobald er ins Bett (gehen), schlief er ein.
6. Nachdem wir den Film (sehen), gingen wir nach Hause.
7. Bevor er nach Deutschland (fahren), (studieren) er die Sprache.
8. Als er den Brief (lesen), gab er ihn der Mutter.

9. Nachdem ihn seine Mutter dreimal (rufen), kam er herein.
10. Die anderen (trinken) den Schnaps, bevor wir ankamen.

D. Translate, paying particular attention to the past participles and using the verbs given in brackets in the Perfect Tense:

1. (betrachten) I watched him. 2. (auf-machen) He opened the door. 3. (gefallen) I liked it. 4. (aus-sehen) She looked ill. 5. (bekommen) Have you got it? 6. (verstehen) Did you understand him? 7. (mißverstehen) She misunderstood me. 8. (zerbrechen) They smashed the table. 9. (überlegen) She thought it over for a long time. 10. (unter-gehen) The sun set very early last night.

E. Insert a zu where necessary:

1. Er ist bereit den Brief — übersetzen.
2. Sie war bereit — aus-gehen.
3. Er kann nicht — kommen.
4. Es ist Zeit — ein-schlafen.
5. Ich versuchte, ihn — befreien.
6. Wollen Sie sich nicht die Sache — überlegen?
7. Er hat versucht, mich gefangen — nehmen.
8. Es ist nicht recht, einem Polizisten — widerstehen.
9. Es war nicht angenehm, die Buben — betrachten.
10. Der Polizist ist gekommen, um uns — untersuchen.
11. Sie verließen uns, ohne ein Wort — sagen.
12. Er sprach weiter, ohne mir — antworten.

F. Give the Future Tense and meaning of:

1. Er schläft ein.
2. Sie schreibt ihrer Mutter.
3. Die anderen trinken den Schnaps.
4. Wir versuchen, die Aufgabe zu lernen.
5. Sie gehen morgen nach Hause.
6. Wo wohnen Sie eigentlich?
7. Er trägt ein Messer in der Hosentasche.

G. Translate into German:

1. I have translated this letter into German.
2. He has considered the matter.

3. They had not heard from him.
4. We had not visited Germany before the war.
5. Do you feel well?
6. The policeman had found a knife.
7. The boys had lived together in a slum.
8. The boy was broad-shouldered and fair-haired.
9. My little boy will be ten years old to-morrow.
10. She looked very ill.

H. Geben Sie einen kurzen Bericht von dem Gerichtsfall (Give a summary of the case before the court), oder Beschreiben Sie einen Fall, den Sie selber gesehen haben (or describe a case you have seen yourself).

READING PASSAGE

1. *Aus dem industriellen Leben*

Das Ruhrgebiet ist für Schwerindustrie und Textilien weltbekannt. Die meisten Werke, sowie die Kohlengruben, haben Spitznamen. Das älteste Hüttenwerk ist die 'Gutehoffnungshütte' in Oberhausen. Schon im achtzehnten Jahrhundert erzeugte man hier Töpfe, Ofenplatten, Kanonen und Kugeln. Im folgenden Jahrhundert ging man zum Bau von Dampfkesseln, Eisenbahnschienen, u.s.w. über, die meisten zur Ausfuhr in alle Welt. Es folgten Massenerzeugnisse, wie Nägel und Ketten, Rohstoffe für den Stahl- und Maschinenbau und gewaltige Erzeugnisse wie die Rheinbrücken, Schwimmdocks in Kiel, die Schwebebahn in Wuppertal. Nichts war zu klein und nichts zu groß.

Was die Textilien angeht, ging man vor kurzem, wegen verminderter Nachfrage und der folglichen Arbeitslosigkeit, zur Herstellung der feinsten Kunstseiden und anderer Kunststoffe über, die wir in den eleganten Läden in Düsseldorf bewundern können.

2. *Streik*

Seit Sonnabendmittag liegt über allen Stahlwerken Totenstille. 200 Tausend Arbeiter haben auf unbestimmte Zeit ihr Werkzeug aus der Hand gelegt. Versuche der Regierung, den Streik in letzter Minute zu verhindern, waren umsonst. Die Arbeiter verlangen eine zehnprozentige Lohnerhöhung, welche die Arbeitgeber ganz und gar ablehnen. In der kommenden Woche treten etwa drei Millionen Arbeiter der Maschinen- und Fahrzeugindustrie ebenfalls in den Streik.

BEIM ZAHNARZT

Das Frühstück wird gewöhnlich um acht Uhr gegessen. Die Kinder werden um halb acht geweckt, und Paula muß dann oft auch um acht Uhr wieder geweckt werden. Aber heute steht Paula früher als gewöhnlich auf. Alle sind sehr überrascht, sie um acht Uhr schon unten am Frühstückstisch zu sehen.

"Was fehlt dir denn?" fragt Karl. "Ich habe die ganze Nacht kein Auge zugemacht. Ach, ich habe furchtbares Zahnweh!" Das arme Mädchen weint. "Nimm zwei Aspirintabletten, und es wird schnell wieder besser," schlägt Karl vor. Karl hat niemals im Leben Zahnweh gehabt und zeigt wenig Mitleid.

"Sie muß gleich zum Zahnarzt," sagt die Mutter. "Es ist gut, daß der Vater heute frei hat. Er wird dich zum Zahnarzt fahren." So wird der Vater aus dem Studierzimmer gerufen, und es wird ihm erklärt, was los ist. "Natürlich muß sie zum Zahnarzt," tröstet er sie. "Unser Kind soll nicht umsonst leiden. Wir werden gleich abfahren." Sie melden sich telefonisch beim Zahnarzt an.

Der Wagen wird aus der Garage geholt, und Paula wird von der Mutter in eine große Decke gewickelt. Die Strecke nach Lippstadt wird in zwanzig Minuten zurückgelegt. Unterwegs wird wenig gesprochen, weil Paula wegen der Schmerzen den Mund nicht öffnen kann.

Beim Zahnarzt werden sie sogleich ins Wartezimmer und nach fünf Minuten ins Sprechzimmer zugelassen, wo Paula von Herrn Doktor Kahn untersucht wird. Der Zahn kann gerettet werden. Er wird nicht gezogen, sondern plombiert. Nach dieser Behandlung fängt der Zahnarzt an, Paula zu tadeln.

"Sie haben diese Schmerzen schon eine Woche, nicht wahr?" Paula nickt traurig. "Warum sind Sie dann nicht früher gekommen?" fragt er. "Gestern wurde ich erst um acht Uhr abends in der Fabrik fertig—es wurde so viel gearbeitet. Und vorgestern wurde ich von einem Freund zum Abendessen eingeladen. Ich hatte wirklich keine Zeit, Herr Doktor."

"Schon gut! Es geht jetzt besser, nicht wahr? Also, meine anderen

Patienten warten und müssen auch untersucht werden. Auf Wiedersehen, und kommen Sie bald wieder!" "Hoffentlich," antwortete Paula, "aber am liebsten nicht während der Sprechstunden."

Als Paula von ihrem Vater weggefahren wurde, fragte er: "Hat's wehgetan?" "Ach, nein, Papa! Herr Doktor Kahn ist so nett. Er ist der beste Zahnarzt der Welt. Er hat mir zuerst ein wenig Kokain gegeben, und dann wurde der Zahn plombiert, ohne daß ich etwas fühlte." In Miesbach wurde Paula von der Mutter empfangen und sogleich ins Bett geschickt.

VOCABULARY

der Zahnarzt(⸚e) *dentist*
die Behandlung(-en) *treatment*
die Decke(-n) *rug, blanket*
die Sprechstunde(-n) *consulting hour*
die Strecke(-n) *stretch, distance*
das Mitleid *sympathy*
das Sprechzimmer(-) *consulting room*
das Wartezimmer(-) *waiting room*
das Zahnweh *tooth-ache*
gewöhnlich *usual*
überrascht *surprised*

an-fangen(i. a.) *to begin*
ein-laden (u. a.) *to invite*
fertig werden *to finish (up)*
leiden, litt, gelitten *to suffer*
plombieren *to fill*
tadeln *to blame, find fault*
trösten *to comfort*
untersuchen *to examine*
vor-schlagen (u. a.) *to suggest*
weh-tun (tat, getan) *to hurt, ache*
wickeln *to wrap*
zu-lassen (ie. a.) *to admit*
zurück-legen *to cover(a distance)*
ich legte die Strecke zurück
I covered the distance

Was ist los? *What is up?*
er wartet **auf** mich *he waits for me*
es tut mir weh *it hurts me*
Melden Sie sich telefonisch an! *Make an appointment by telephone*

GRAMMAR

1. *Passive Voice*
   a) Das Wasser wird kalt. *The water is getting cold (becomes cold).*
   b) Das Wasser wird kochen. *The water will boil.*

c) Das Wasser wird getrunken. *The water is (is being) drunk.*

The verb **wird** (**werden**) has three uses:
- *a*) a simple verb in its own right meaning **to become, grow, get.**
- *b*) the future-forming auxiliary, meaning **will,** followed by the infinitive.
- *c*) the passive-forming auxiliary, meaning **is (is being),** followed by a past participle.

2. *Model Conjugation, Passive Voice*

Present Tense

ich werde geliebt	*I am (being) loved.*
du wirst gesehen	*thou art (being) seen.*
er wird gefunden	*he is (being) found.*
wir werden gerettet	*we are (being) saved.*
Sie werden getadelt	*you are (being) blamed.*
sie werden verstanden	*they are (being) understood.*

Imperfect Tense

ich wurde bemerkt	*I was (being) noticed.*
du wurdest gehört	*thou wast (being) heard.*
es wurde zerbrochen	*it was (being) broken.*

wir ⎫
Sie ⎬ wurden geweckt
sie ⎭

we ⎫
you ⎬ *were (being) wakened.*
they ⎭

3. Die Maschine wurde **von** dem Jungen zerbrochen. *The machine was broken by the boy.*

The past participle goes to the end of the clause. *By* is translated by **von** with the dative case.

4. Als die Maschine von dem Jungen zerbrochen wurde, . . . In a subordinate clause **wurde** comes last, immediately after the past participle.

5. Further examples of the use of the Passive:

Das Lied wurde von der Mutter gesungen.

The song was sung by the mother.

Das Wasser wird von dem Hund getrunken.

The water is (being) drunk by the dog.

Meine Zähne werden von dem Zahnarzt plombiert.

My teeth are being filled by the dentist.

Diese bösen Burschen werden von niemandem geliebt.

These bad boys are not liked by anybody.

Sobald der Hund aus dem Wasser gezogen wurde, wurde er von Just nach Hause geführt.

When the dog was pulled out of the water, he was taken home by Just.

6. When speaking German or translating into the language, use the Passive as little as possible: it is awkward. For instance, there are many verbs in English which cannot be used in the Passive. I am spoken, he is being been, make nonsense. In German there are many more verbs which may not be used in the Passive. Only transitive verbs can be used in the Passive.

It is easy to avoid the Passive by using **man** with the Active Voice or turning the sentence into an active sentence.

Die Maschine wurde von dem Jungen zerbrochen (passive).

Der Junge zerbrach die Maschine (active).

Das Lied wird von der Mutter gesungen (passive).

Die Mutter singt das Lied (active).

Sie werden nicht verstanden (passive).

Man versteht Sie nicht (active).

Es wird gesagt (passive).

Man sagt (active).

7. When translating from German the Passive is easily recognised. Wird (werden, wurde, etc.) followed by a past participle MUST be passive and should be translated by *is, is being, (are, are being: was, was being,* etc.). If followed by an infinitive, wird must be Future Tense.

8. If *is, was*, etc. are not followed by a verbal past participle they are not Passive.

The man was drunk (adj.). Der Mann **war** betrunken.

The wine was drunk (past part.). Der Wein **wurde** getrunken.

The machine is broken (i.e. won't go) (adj. describing state).
Die Maschine **ist** kaputt.
The machine is being broken (i.e. somebody is smashing it).
Die Maschine **wird** zerbrochen.

9. There is a common use of the dative of the person in the Passive with **es** as the grammatical subject.

Es wurde **mir** bezahlt. *I was paid* (*it was paid to me*).

He is shown the book. Das Buch wird **ihm** gezeigt.

It is not *he* who is shown, but *the book*. The dative is used to show the receiver of the object.

He is given a book. Ihm wird ein Buch gegeben (es wird ihm ein Buch gegeben).

If es does not begin the sentence, it should usually be omitted.

AUFGABEN

A. Beantworten Sie diese Fragen:

1. Um wieviel Uhr werden die Kinder geweckt?
2. Wann wird das Frühstück gegessen?
3. Warum hat Paula nicht geschlafen?
4. Wer wird sie zum Zahnarzt fahren?
5. Was wird aus der Garage geholt?
6. Von wem wird Paula in eine Decke gewickelt?
7. Warum durfte Paula den Mund nicht öffnen?
8. Wie lange schon hatte Paula Zahnschmerzen?
9. Warum hatte sie den Zahnarzt nicht besucht?
10. Was tat der Arzt mit dem Zahn?
11. Was tut Anton, während Paula im Sprechzimmer ist?
12. Wann wird ein Zahnarzt gewöhnlich besucht?

B. Give the Present and Imperfect Passive, in full, of the following verbs: schlagen, verstehen, heiraten, tadeln, tragen.

C. The following Passive sentences should be first translated, then turned into their active equivalents. (e.g., Das Kind wird von der Mutter gewaschen. The child is being washed by its mother — Die Mutter wäscht das Kind. Das Buch wurde auf den Tisch gelegt. The book was put on the table — Man legte das Buch auf den Tisch.)

1. Das Tier wird von dem Jäger getötet.
2. Das Frühstück wird von der Familie gegessen.
3. Der Wagen wurde aus der Garage geholt.
4. Die Tür wird von dem Kind geöffnet.
5. Diese Schule wird um neun Uhr abends geschlossen.
6. Deutsch wird von uns gesprochen.
7. Ich wurde ins Sprechzimmer geführt.
8. Alle Bücher wurden von der Mutter gelesen.
9. Keine Maschinen werden hier repariert.
10. Wir wurden von dem Hausmädchen geweckt.

D. Translate into German, using **wird**—*is*, **wurde**—*was*:

1. Breakfast is eaten at eight o'clock.
2. German is spoken here.
3. This newspaper was found under the chair.
4. The sentence was given by the judge.
5. The judge was heard by all the people in the court.
6. The theatre was opened at 7.30 every evening.
7. The brandy was drunk by the dentist.

E. Translate into German Exercise D using the Active Voice, i.e. 'One eats breakfast at eight o'clock,' etc.

F. Schreiben Sie einen kurzen Aufsatz über 'Beim Zahnarzt.'

READING PASSAGE

Das Zweite Reich

Der Aufstieg Brandenburg-Preußens brachte eine neue Gleichschaltung in den deutschen Ländern zustande. Im 17ten Jahrhundert erwarb der "Große Kurfürst" von Brandenburg (1½ Millionen Einwohner) Pommern. Sein Sohn wurde als König von Preußen gekrönt: sein Enkel, Friedrich 'der Große', besetzte Schlesien und Polen; er gründete einen Militärstaat, der sich nach der Niederlage Napoleons vom Rhein bis Rußland erstreckte. Der 'Eiserne Kanzler', Bismarck, führte auch dieselbe Machtpolitik durch: mit Siegen über Oesterreich (1866) und dann Frankreich, wurde

Preußen zu einer Weltmacht. Im Jahre 1871 ernannte sich der König von Preußen zum Kaiser des "Deutschen Reichs". Berlin war jetzt die Hauptstadt eines vereinigten Deutschlands (60 Millionen Einwohner).

EIN AUSFLUG WIRD GEPLANT

Paula hatte voriges Jahr ihre Ferien im Tirol verbracht, und dort hat sie einen jungen Mann kennengelernt, mit dem sie seither viel umhergegangen ist. Gerhard kommt jetzt öfters in seinem Wagen von Frankfurt her, wo sein Geschäft ist, um ein paar Stunden mit Paula zu verbringen. Dieser junge Mann treibt sehr gern Sport und macht sehr gern Wanderungen, besonders mit Paula. Darum bat er einmal Karl, ihm einen schönen Spaziergang zu empfehlen.

"Kennen Sie schon das Forsthaus? Nein! Dann kann ich Ihnen raten. Sie müssen bereit sein, drei Stunden zu laufen. Geht das? Gut! Also, Sie fahren zuerst mit der Bahn. Die Abfahrtszeit des Zuges ist 8.30 Uhr. Reservieren Sie sich einen Eckplatz an der rechten Seite des Abteils, denn die Landschaft an der rechten Hand ist sehr malerisch. Nach viertelstündiger Fahrt steigen Sie in Altwald aus."

Gerhard nahm sein Taschenbuch aus der Tasche und notierte ausführlich. "Na! Ich reserviere einen Eckplatz, acht Uhr dreißig, zweiter Klasse, in Altwald aussteigen."

"Richtig!" fuhr Karl fort. "Von Altwald gehen Sie zu Fuß, immer gerade aus, bis Sie das Dorf verlassen und den Wald betreten. Dort finden Sie einen Waldweg, der etwa drei Kilometer lang ist. Dieser Weg führt durch herrlichen hohen Eichenwald. Hier sind die schönsten eßbaren Pilze. Nachdem Sie für uns ein paar Pilze gesammelt haben, gehen Sie weiter und nach einer Stunde kommen Sie auf eine Wegbiegung mit einem Gatter an der linken Seite."

"Halt!" Gerhard schrieb alles auf. "Zuerst von Altwald immer gerade aus: dann durch den Eichenwald, wo Pilze wachsen: endlich wird ein Gatter an der linken Seite bemerkt . . ." "Ja, an einer Biegung am Weg. Dieser führt zu einem Wirtshaus, wo frische Milch zu haben ist. Während Sie dort im Garten sitzen und sich ausruhen, werden allerlei Tiere kommen und um Brot oder Obst bitten: Schafe, Gänse und auch Hirsche und allerlei Vögel. Ein kleiner Goldfink wurde letzte Woche von uns gesehen."

Gerhard schrieb alles auf: "Gasthaus, Tiere, Goldfink . . ." "Nach den Erfrischungen halten Sie sich immer rechts vom Gatter

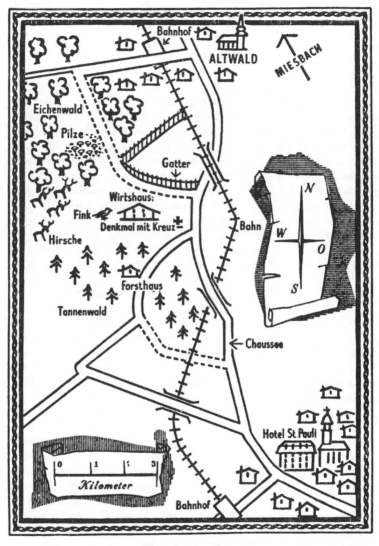

Plan des Ausflugs

auf der Fahrstraße und biegen Sie später nach rechts in den Wald
ein! Hier ist ein Denkmal mit hölzernem Kreuz. Dieser Weg führt
zum Forsthaus durch einen herrlichen Tannenwald. Nach noch
einer Viertelstunde biegen Sie nach rechts und nach einer weiteren
halben Stunde nach links ab.''

Gerhard wiederholte, "Nach rechts in den Wald einbiegen:
Tannenwald: Denkmal mit Kreuz!''

"Nachdem Sie die Bahnstrecke überschritten haben, werden Sie
sich auf der Landstraße nach Sankt Pauli befinden. Dort haben wir
vorigen Sonntag im Hotel ein Glas Bier bis zur Abfahrt des Zuges
getrunken. Das Hotel liegt dem Bahnhof gleich gegenüber,'' "Wann
fährt der Zug zurück?'' fragte Gerhard. "Ich weiß nicht genau.
Ungefähr um sechs Uhr.'' Nachdem er alles notiert hatte, dankte
Gerhard seinem Freund, indem er sagte: "Das wird eine schöne
Überraschung für Paula sein, nicht wahr?'' Karl lächelte, aber er
gab keine Antwort. Denn es fiel ihm ein, daß Paula diesen Waldweg
ebensogut wie er selber kannte.

VOCABULARY

der Eckplatz(⸚e) *corner seat*
der Goldfink(-en) *gold finch*
der Hirsch(-e) *stag, deer*
der Pilz(-e) *mushroom*
der Spaziergang(⸚e) *walk*
der Sport(-e) *sport*
der Waldweg(-e) *woodland path*
die Abfahrt(-en) *departure*
die Bahnstrecke(-n) *permanent
   way*
die Biegung(-en) *bend, turning*
die Eiche(-n) *oak tree*
die Fahrstraße(-n) *roadway*
die Gans(⸚e) *goose*
die Tanne(-n) *pine tree*
die Überraschung(-en) *surprise*
das Denkmal(⸚er) *monument*

das Forsthaus(⸚er) *forester's
   house*
das Gatter(-) *fence*
das Kreuz(-e) *cross*
das Schaf(-e) *sheep*
die Ferien (*pl.*) *holidays*
seither *since*
trotzdem *nevertheless*
umgekehrt *vice-versa*
ab-biegen (o. o.) *to turn off*
auf-schreiben (ie. ie.) *to copy*
begegnen (*with dat.*) *to meet*
bilden *to form*
ein-biegen (o. o.) *to turn*
empfehlen (a. o.) *to recommend*
notieren *to make notes*

raten (ie. a.) (*with dat.*) *to advise*

überschreiten (i. i.) *to stride across*

verbringen, verbrachte, verbracht *to spend (of time)*

wachsen (u. a.) (+sein) *to grow*

ausführlich *in detail, detailed*

eßbar *edible*

hölzern *wooden*

link *left*, links *on the left*

malerisch *picturesque*

recht *right*, rechts *on the right*

Na! *Well then!* Na—und! *So what!* Nanu! *I say!*

das Gasthaus liegt dem Bahnhof gleich gegenüber
the inn is right opposite the station

eine Wanderung machen *to go on a hike, to ramble*

er treibt viel Sport *he goes in for a lot of sport*

es fällt mir ein *it occurs to me*

es führt zu einem Wirtshaus *it leads to an inn*

immer gerade aus *keep straight on*

kennen-lernen *to get to know*

nach rechts einbiegen *to turn right*

mit der Bahn fahren *to go by rail*

GRAMMAR

Verbs governing the Dative Case

1. Er sagt mir etwas.
   Sie dankte ihrem Freund.
   Ich empfehle Ihnen dieses Buch.

It is understandable that a dative (receiver of the object) should be used after the above verbs. You say something **to** a person, give thanks **to** somebody, recommend to somebody. Similarly a dative is used after **raten,** *to advise* (*give advice to somebody*); **zeigen,** *to show* (*to somebody*); **schreiben,** *to write* (*to somebody*); **einfallen,** *to occur* (*to somebody*).

In addition to the above there are some verbs followed quite arbitrarily by a dative. These must be learnt as a grammatical peculiarity: **folgen, begegnen, dienen, glauben, passen, helfen, gefallen, schaden, leid tun, gelingen.** Mein Hund folgt mir: er diente seinem Lande: glauben Sie mir: es tut mir leid: der Anzug paßt ihm nicht, etc.

2. When any one of the above verbs is used in the Passive, the dative of the Active remains a dative in the Passive: *He was recommended,* **ihm** wurde empfohlen; *he was told,* **ihm** wurde gesagt; *she is being followed,* **ihr** wird gefolgt; *they were thanked,* **ihnen** wurde gedankt. The subject understood is **es,** which can be inserted. Es wurde ihnen gedankt, *they were thanked. They are shown,* es wird ihnen gezeigt. If this **es** does not appear at the beginning, it is omitted. Es wird einem hier nichts gegeben, *one is given nothing here*: einem wird hier nichts gegeben — hier wird einem nichts gegeben.

AUFGABEN

A. Beantworten Sie auf deutsch:

1. Wo hatte Paula voriges Jahr ihre Ferien verbracht?
2. Wen hatte sie dort kennengelernt?
3. Wo wohnt Gerhard?
4. Wie kam er von Frankfurt her?
5. Warum kam er nach Miesbach?
6. Worum bat er Karl?
7. Wie lange dauert der Ausflug?
8. Um wieviel Uhr fährt der Zug ab?
9. Wo sollte Gerhard aussteigen?
10. Was ist ein Eckplatz?
11. Ist jede Landschaft malerisch?
12. Warum nahm Gerhard sein Taschenbuch aus der Tasche?
13. Was für ein Wald war nicht weit von Altwald?
14. Sind alle Pilze eßbar?
15. Warum stand ein Gatter am Weg?
16. Was tut man in einem Wirtshaus?
17. Was für Tiere fand man hinter dem Gatter?
18. Wie heißt der Vogel, der von Karl gesehen wurde?
19. Was tut man immer, bevor man eine Bahnstrecke überschreitet?
20. Warum wird dieser Ausflug keine Überraschung für Paula?

B. Gerhard scheint nicht besonders intelligent zu sein. Woher wissen Sie dies?

C. Put the correct case endings on the following:

1. Er schreibt sein— Mutter ein— lang— Brief.
2. Dies— Anzug paßt d— Herrn nicht.
3. D— gut— Geistlich— glaubt (ich) nicht.
4. D— entlassene Just will d— Major immer noch dienen.
5. Es tut (ich) leid.
6. Folgen Sie dies— Weg bis zu— Forsthaus.
7. Zeigen Sie d— Lehrer Ihr— letzt— Aufgabe.
8. Ich kann (Sie) dies— rot— Wein empfehlen.
9. Was fällt d— Jungen ein?
10. Er hilft sein— Bruder bei d— Arbeit in d— Fabrik.

D. Change into the Imperfect Tense and translate:

1. Diese Strecke wird **in zehn Minuten** zurückgelegt.
2. Der gelbe Vogel wird **mit Brot** gefüttert.
3. Ihm wird nicht geschadet.
4. Uns wird gesagt, was wir machen sollen.
5. Es wird **Ihnen** empfohlen, diesen Roman zu lesen.
6. Im Garten des Wirtshauses werden **viele Tiere** gesehen.
7. Viel Milch wird **im Bauernhof** getrunken.
8. Das Forsthaus wird **in anderthalb Stunden** erreicht.
9. In England wird viel Sport getrieben.
10. Zwei Plätze werden **für uns** reserviet.

E. Rewrite Exercise D, putting the words in bold type first and observing the rules of word order. In Nos. 3, 4, 9 insert **es** and rewrite.

F. Erklären Sie auf deutsch mit Hilfe des nebenstehenden Planes die Route von Miesbach nach Sankt Pauli,

     1) zu Fuß,
     2) mit dem Auto,
     3) mit der Bahn.

G. Am folgenden Sonntag machen Gerhard und Paula den Ausflug, den Karl geplant hat. Um sieben Uhr abends sitzen sie im Garten des Hotels in Sankt Pauli und trinken ein Glas Bier, während sie auf den Zug warten. Was sagen sie? Schreiben Sie ein kurzes Gespräch.

DEUTSCHER SPORT

"Was für Sport wird hier in Miesbach getrieben?" fragte Herr Jones: "Ich habe keinen einzigen Sportplatz im Dorfe gesehen." Karl lachte. "Richtig gesprochen gibt es keinen im Dorfe, aber draußen am Fluß befindet sich eine Wiese, wo aller Sport getrieben wird. Im Winter, Eislauf und Skilaufen, wenn Schnee und Eis den Boden bedecken!"

"Auf dieser Wiese wird auch Fußball gespielt," fuhr Paula fort. "Wir haben zwei Mannschaften — die Elf in der Kreisliga und unsere Jungen. Handball ist auch früher viel gespielt worden, besonders von den Schuljungen."

"Wird auch Tennis gespielt?" fragte Herr Jones. "Es sind zwei harte Tennisplätze da. Sie sind vor kurzer Zeit gebaut worden, aber bis jetzt ist nur wenig Tennis gespielt worden, weil Bälle und Schläger so viel Geld kosten."

"Nicht auf der Wiese sondern gleich daneben im Fluß treibt unsere Jugend ihren beliebtesten Sport — das Schwimmen und die Bootsfahrt — die kosten nur wenig Geld," erklärte Paula. "Das Schwimmen ist frei für alle, die einen Badeanzug haben," antwortete Herr Jones. "Aber man kriegt keine Kanus und Boote ohne Geld."

Paula lächelte stolz. "Wissen Sie, was mein Vater voriges Jahr gemacht hat? Er hatte die Idee, ein Boot zu bauen — natürlich mit Hilfe der Jungen. Der Plan ist von den Schülern mit Begeisterung angenommen worden. Sie wollten alle helfen. Die Arbeit mußte in der Freizeit gemacht werden."

"Aber das Holz, die Werkzeuge, das Geld?" fragte Herr Jones. "Zuerst ist das nötige Kapital gesammelt worden. Eine Kanusportgruppe ist gegründet worden. Spenden sind von dieser Gruppe im Kreis der Eltern organisiert worden. Mit diesem Geld ist das gute, harte Holz gekauft worden. Werkzeuge haben wir in der Schule. Es wurde wochenlang gehämmert und gesägt, bis endlich das erste Kanu ins Wasser kam. Es war von rund fünfzig Schülern im Alter von 14–17 Jahren gebaut worden. Sie hatten in Schichten gearbeitet: wer vormittags Unterricht hatte, kam nachmittags zum Bauen."

"Wunderbar!" bemerkte Herr Jones. "Und war das Boot seefest?"

"Das war nur das erste. Seit der Zeit sind fünf Kanus und eine Jacht auf unserer 'Werft' gebaut worden. Sie müssen mal eine Fahrt mitmachen!"

Herr Jones begann, größere Achtung vor Anton zu haben. "Hier," sagte er, "sind Sie richtige Sportsmänner: alle Teilnehmer und keine Zuschauer! Ich komme gerne mit — wenn das Wetter wärmer wird."

VOCABULARY

der Badeanzug (¨e) *bathing suit*
der Eislauf *skating*
der Fluß (¨e) *river*
Fußball (¨e) *football*
der Kreis(-e) *circle, district*
der Plan (¨e) *plan, project*
der Schläger(-) *bat, racket*
der Sportplatz (¨e) *playing field*
der Teilnehmer(-) *participator*
der Tennisplatz (¨e) *tennis court*
der Unterricht(-e) *instruction*
der Zuschauer(-) *spectator*
die Achtung *heed, respect*
die Begeisterung *enthusiasm*
die Bootsfahrt *boating*
die Freizeit *leisure*
die Gruppe(-n) *group, team*
die Hilfe(-n) *help*
die Jacht(-en) *yacht*
die Liga *league*
die Mannschaft(-en) *crew, team*
die Schicht(-en) *shift*

die Spende(-n) *donation, gift*
die Werft(-en) *ship-yard*
die Wiese(-n) *field, meadow*
das Alter(-) *age*
das Holz(¨er) *wood*
das Kanu(-s) *canoe*
das Kapital(-ien) *capital*
das Skilaufen *skiing*
das Werkzeug(-e) *tool*
an-nehmen (a.o.) *to accept*
gründen *to found*
hämmern *to hammer*
sägen *to saw*
begeistert *enthusiastic*
seefest *seaworthy*
stolz *proud*
Sport treiben (ie. ie) *to go in for sport*
wochenlang *for weeks on end*
bis jetzt *until now*

GRAMMAR

1. *Passive Voice, Compound Tenses*

es ist kalt geworden	*it has become cold.*
es ist gekauft worden	*it has been bought.*
er ist besucht worden	*he has been visited.*

The ordinary past participle of werden is geworden, but in the Passive, the past participle of werden is **worden.** Worden comes after the other past participle.

2. *Perfect Tense, Passive*

ich bin geliebt worden	*I have been loved, was loved.*
du bist entlassen worden	*thou hast been dismissed.*
er ist freigelassen worden	*he has been let out, was let out.*
wir sind vergessen worden	*we have been forgotten.*
Sie sind geführt worden	*you have been led, were led.*
sie sind genommen worden	*they have been taken.*

3. *Pluperfect, Passive*

ich war gefangen worden	*I had been caught.*
du warst empfangen worden	*thou hadst been received.*
es war zerbrochen worden	*it had been smashed.*
wir waren befreit worden	*we had been set free.*
Sie waren eingeladen worden	*you had been invited.*
sie waren verurtcilt worden	*they had been condemned.*

4. The *Future Passive* is made with the future auxiliary **werden** plus the Passive infinitive (werden plus a past participle).

ich werde geschlagen werden	*I shall be beaten.*
du wirst gelehrt werden	*thou shalt be taught.*
er wird bestraft werden	*he will be punished.*
wir ⎫ Sie ⎬ werden gehört werden sie ⎭	*we shall* ⎫ *you will* ⎬ *be heard* *they will* ⎭

5. The *Future Perfect Passive* (not very often used) is formed thus:

Er wird gefangen worden sein *He will have been caught.*
Wir werden besucht worden sein *We shall have been visited.*

6. In making the Perfect Passive, remember that **ist** = *has,* **worden** = *been* and that **worden** cannot be used without another past participle cf.:

Die Tür ist offen	*The door is open.*
Die Tür ist offen gewesen	*The door has been open.*
Die Tür ist geöffnet **worden**	*The door has been opened.*
Er ist schon lange tot	*He has been dead a long time.*
Er ist getötet **worden**	*He has been killed.*

7. Another way of avoiding the Passive, besides using the Active voice is to use a reflexive verb, or **lassen** reflexively with another verb: Es versteht sich = Es läßt sich verstehen = Man versteht es = *It is understood.*

AUFGABEN

A. Beantworten Sie auf deutsch:

1. Welches ist der beliebteste Sport in Deutschland?
2. Was muß man haben, um Tennis zu spielen?
3. Beschreiben Sie ein Kanu, eine Jacht, eine Werft.
4. Was zieht man an, bevor man ins Wasser geht?
5. Was war Antons Plan?
6. Wie ist das Kanu gebaut worden?
7. Wie viele Boote sind von den Jungen gebaut worden?
8. Ist es besser, im Sport Teilnehmer oder Zuschauer zu sein? Warum?
9. Erklären Sie das Wort "seefest".
10. Aus was für Holz sind die Kanus gemacht worden?

B. Change the Imperfect Passive to the Perfect and vice-verse (the meaning is the same) and translate:

1. Der Plan ist mit Begeisterung von allen Schülern angenommen worden.
2. Das erste Kanu ist in drei Monaten gebaut worden.
3. Diese Aufgabe ist von der ganzen Klasse gelernt worden.
4. Diese alten Häuser sind voriges Jahr verbrannt worden.
5. Der Arbeiter ist sofort vom Herrn Direktor entlassen worden.
6. Derselbe Hut wurde zwei Jahre lang von dieser Dame getragen.

7. Das Klavierstück wurde dreimal gespielt.
8. Die Gefangenen wurden in die Wache geführt.
9. Wurden Sie bemerkt?
10. Ein neuer Versuch wurde von dem Professor gemacht.

C. Give the nominative singular and plural of the following nouns, with definite article; Fluß, Holz, Bewohner, Gasthaus, Zahnarzt, Decke, Wagen, Doktor, Zimmer, Richter, Automat, Geschichte, Muskel, Auge, Messer, Fremde, Besuch, Bank, Bauer, Arbeiter, Wiese, Plan.

D. Geben Sie ein anderes Wort für:

Professor, Bewohner, Schmerz, öffnen, Arbeiter, Volk, zurückkehren, Beamter, Lichtspielhaus, Vorstellung, kriegen, still.

E. Geben Sie das Gegenteil zu:
leer, Erwachsener, Eltern, fangen, allmählich, annehmen, verlieren, Freizeit, der Westen, der Alte, besetzt, warm, teuer.

F. Give the 3rd person singular, Imperfect and Perfect Tenses of:

fragen, anziehen, annehmen, zerbrechen, werfen, sich durchschlagen, überlegen, wissen, organisieren, treiben, sägen, verstehen.

G. Form a noun derived from or connected with:

kennen, fehlen, sprechen, studieren, sitzen, richten, fangen, wohnen, besuchen, reisen, deutsch, leben, legen, gut, senden, bauen.

H. Beschreiben Sie in hundert Worten:

1) Einen Sommertag am Flusse,
2) Das Bauen der Kanus von den Dorfschülern.

I. Translate into German:

When ice covers the ground a lot of winter-sport is indulged in. But in summer boys like swimming best. It does not cost much money and is very healthy. Last year a canoe was built by the boys of our school and now they are building a yacht. Cricket has never been played by Germans. It is hard to find a good pitch (Spielplatz). But football has been played in the large towns for many years.

DER BRAND

Karl war noch außer Atem, als er eines Abends von der Arbeit nach Hause kam. "Ist etwas passiert?" fragte die Mutter. Da erzählte Karl Folgendes:

"Ich stand an der Ecke der Schillerstraße und wartete auf den Omnibus. Da sah ich einen Herrn, der sehr schnell vorbeirannte. Der Polizist, der dort die Kreuzung kontrolliert, hielt ihn auf, indem er sagte, "Wohin rennen Sie so schnell, mein Herr?" "Ich renne nach Hause," antwortete dieser; "Mein Haus brennt."

"Woher wissen Sie das?" fragte der Schupo, der keine Eile hatte.

"Ein Nachbar hat seinen Jungen geschickt, um es mir zu sagen. Entschuldigen Sie, bitte, Herr Polizist, ich muß mich beeilen."

"Warten Sie mal!" sagte der Polizist. "Ich weiß nichts von einem Brand. Wo wohnen Sie denn eigentlich?" "Friedrichstraße, Nummer siebzehn."

Dann fiel mir ein, daß der Herr mir bekannt war, daher ging ich auf den Schupo zu und sagte: "Ich kenne diesen Herrn." Dann wandte ich mich gegen den Herrn und sagte: "Sie heißen Herr Ganns, nicht wahr?"

"Ja," antwortete er. "Und Sie heißen Schulz. Sie sind mit meinem Sohn bekannt. Der ist auch Student an der Abend-Fachschule."

So hatte ich den Herrn richtig erkannt. "Entschuldigen Sie, bitte," stammelte er, "Mein Haus brennt: ich muß weitereilen." Und damit wandte er sich um und lief fort.

Ich folgte ihm: der Schupo auch: zu Fuß, im Dauerlauf. So ging es zehn Minuten lang wie ein Marathonlauf bis zur Friedrichstraße.

Als wir endlich atemlos an seinem Haus ankamen, war keine Spur vom Brand. Aber sein Nachbar stand vor der Tür und wartete auf ihn. Der Polizist war nicht nur atemlos; er war auch erregt. "Wie erklärt sich denn das?" fragte er hitzig, indem er sich an Herrn Ganns wandte.

"Ach, es ist meine Schuld, Herr Wachtmeister," sagte der Nachbar. "Es war ein Brand, aber das Feuer ist jetzt aus. Ich erzähle

Ihnen alles. Ich habe durch das Fenster große Flammen bemerkt. Da ich wußte, daß Herr Ganns nicht zu Hause war, habe ich sogleich an das Schlimmste gedacht. So sandte ich meinen kleinen Jungen, um Herrn Ganns zu suchen, während ich selber ein Fenster zerbrach, und ins Haus kletterte . . ."

Herr Ganns nickte zufrieden. Der Polizist dagegen war noch immer erregt und ganz rot im Gesicht. Der Nachbar fuhr fort: "In der Küche sah ich den jungen Ganns. Der ist nämlich Student an der Technischen Fachschule. In der Abwesenheit seines Vaters machte er Experimente mit Magnesiumdraht. Das waren die Flammen, die ich gesehen hatte. Sobald er mir alles erklärt hatte, habe ich gewußt, daß ich mich geirrt hatte." Bevor der Schupo wieder sprechen konnte, sagte Herr Ganns: "Es macht nichts. Sie haben ein wenig rasch aber sehr klug gehandelt. Es ist gut, daß das Feuer aus ist. Aber wo ist mein Sohn?"

"Ihr Sohn ist auch aus," antwortete der Nachbar.

VOCABULARY

der Atem(-) *breath*
der Brand(ː-e) *fire*
der Dauerlauf(ː-e) *double*
der Wachtmeister(-) *sergeant*
die Abwesenheit(-en) *absence*
die Eile *hurry, haste*
die Flamme(-n) *flame*
die Kreuzung(-en) *crossing*
die Spur(-en) *trace*
das Experiment(-e) *experiment*
das Gesicht(-er) *face*
atemlos *breathless*
erregt *excited*
nämlich *as a matter of fact*
neulich *recently, a few days ago*

auf-halten (ie. a.) *to hold up, stop*
beeilen, sich *to hurry*
erkennen *to recognise*
erklären *to explain*
fort-eilen *to hurry away*
fort-laufen (ie. au.) *to keep on running*
irren, sich *to make a mistake*
klettern *to climb*
kontrollieren *to control*
stammeln *to stammer*
um-wenden, sich *to turn round*
zu-gehen, ging, gegangen (auf with acc.) *to go up to*

das ist, **das** sind *that is,* THOSE *are*
das waren die Flammen THOSE *were the flames*
er denkt ans Schlimmste *he thinks of the worst*

im Dauerlauf *at the double* auf die Dauer *in the long run*
warten Sie mal JUST *wait* (mal = einmal)
Wie erklärt sich denn das? *What is the explanation of that, now?*

GRAMMAR

"Mixed" Verbs

Inf.	Impf.	Perf. Part.	Meaning
rennen	rannte	gerannt	*run*
brennen	brannte	gebrannt	*burn*
nennen	nannte	genannt	*name*
kennen	kannte	gekannt	*know (personally)*
denken	dachte	gedacht	*think*
bringen	brachte	gebracht	*bring*
verbringen	verbrachte	verbracht	*spend (time)*
wissen	wußte	gewußt	*know (about)*
wenden	{ wendete / wandte	gewendet / gewandt }	*turn*
senden	sendete / sandte	gesendet / gesandt }	*send*

The above verbs and their compounds are called mixed verbs. They change their vowels like strong verbs, but have weak endings. They are conjugated like weak verbs.

AUFGABEN

A. Beantworten Sie auf deutsch:

1. Wo stand Karl eines Abends?
2. Worauf wartete er?
3. Warum rannte der Mann, den er sah?
4. Wer hielt den Mann auf?
5. Woher hat der Mann gewußt, daß sein Haus brannte?
6. Was fragte ihn der Polizist?
7. Warum ging Karl auf den Herrn zu?
8. Wie heißt der Herr?
9. Wer stand vor der Tür, als sie am Haus ankamen?

   10. Wie ist der Nachbar ins Haus gekommen?
   11. Warum war der Polizist erregt?
   12. Was machte der junge Ganns?

B. Change to the Imperfect Tense:

   1. Er sendet seinen Sohn in die Stadt.
   2. Sie rennt so schnell wie möglich.
   3. Das Haus brennt.
   4. Ich weiß nichts davon.
   5. Woher kennen Sie diesen Herrn?
   6. Ich denke immer an meine Mutter.
   7. Wir bringen das Buch ins Klassenzimmer.
   8. Das Pferd wendet sich schnell um.
   9. Erkennen Sie diesen Hut?
   10. Er weiß, daß es spät ist.

C. Reread Exercise B in the Perfect Tense.

D. Beschreiben Sie auf deutsch einen Brand, den Sie selber gesehen haben (100 Worte ungefähr), oder Beenden Sie auf deutsch die Anekdote in Aufgabe E.

E. Translate into German:

  Just wait a minute and I shall tell you about the fire which I saw yesterday. Many people were running and turned (einbiegen) into a side street. I turned (sich wenden) to a man whom I knew (kennen) but he did not know (wissen) what was happening. So I ran after the other people. They were standing in front of a shop. The crowd was very excited and talked and shouted. At this moment a police sergeant hurried out of the shop. He had sent for the fire brigade (die Feuerwehr).

READING PASSAGE

Die Weimarer Verfassung

Zum Zweiten Reich gehörten alle deutschen Länder (mit Ausnahme Bayern-Oesterreichs) und auch Elsaß-Lothringen, Schleswig-

Holstein und die Hälfte Polens, die, wie Süd-West-Afrika, 'kolonisiert' wurden. Diese mußten am Ende des Ersten Weltkriegs aufgegeben werden. Der Kaiser trat ab und damit war das Zweite Reich zu Ende (1919). Unter der 'Weimarer Verfassung' bekamen die Deutschen zum ersten Mal das allgemeine Wahlrecht. Dies führte zu zahllosen Splitterparteien und Koalitionen, so daß keine Regierung stabil funktionieren konnte.

DER BÜRGERMEISTER MACHT EINEN BESUCH

Anton arbeitet im Garten. Er ist in Hemdärmeln und trägt ein Paar Gummistiefel. Ihm gefällt das Gärtnern fast so sehr wie die Musik. Er hat den einzigen Rasenplatz in Miesbach (nach englischem Muster), den er jede Woche walzt und mäht. Es ist spät im September, aber ein paar Rosen blühen noch, und die Nelken und die Dahlien sind jetzt am schönsten. Anton ist im Augenblick im Gemüsegarten beschäftigt, denn seine kleine Ernte muß eingetragen werden — Kartoffeln, rote und gelbe Rüben und die letzten Tomaten — bevor das schlechte Wetter kommt.

Anna kommt zu ihm und meldet, daß der Bürgermeister im Hause sei und mit Anton sprechen wolle. Anton sieht nicht sehr erfreut aus. Der Bürgermeister von Lippstadt ist im Dorfe nicht besonders beliebt. Anton sagt: "Sagen Sie ihm, ich könne nicht gleich kommen, ich müsse zuerst diese Kartoffeln ausgraben." Er setzt hinzu, wenn der Bürgermeister nichts dagegen habe, könne er in den Garten herauskommen. Anna kehrt ins Haus zurück.

"Na, Anna, und ist Herr Schulz da?" grüßt sie der Bürgermeister. Anna antwortet, er solle entschuldigen, daß Herr Schulz im Garten arbeite und keinen Sonntagsanzug trage: wenn er wolle, so dürfe der Bürgermeister mit ihm im Garten sprechen. "Natürlich, es freut mich!" und der Beamte geht durch die Hintertür, über den Rasen, bis zum Ende der Blumenbeete, wo Antons Gemüsegarten liegt.

Die beiden Männer begrüßen sich, und Anton benutzt diese Gelegenheit, ein wenig auszuruhen und seine Pfeife anzuzünden. Er sieht Herrn Krafft ruhig an, obwohl er weiß, daß dieser nur zu Besuch kommt, wenn er eine Bitte hat. "Was bringt Sie hierher?" fragt Anton. "Ich habe gehört, Sie hätten einen Engländer bei sich zu Besuch. Ich habe mir gedacht, dieser könnte uns vielleicht einen Vortrag halten, nicht wahr?"

Dieser Vorschlag gefällt Anton nicht. Er denkt, es müsse etwas dahinter stecken. Aber er antwortet ruhig: "Am besten kommen Sie heute abend wieder, wenn er zu Hause ist." "Ja, gut, Herr Schulz!

Das werde ich machen." Nach langem Schweigen nimmt Anton
wieder die Gabel in die Hand. Der Bürgermeister bleibt noch immer
da. Es scheint, als ob er nicht gehen wolle. "Ist sonst noch etwas?"
fragt Anton.

"Meine Frau läßt Sie grüßen. Sie entschuldigt sich, daß sie selber
nicht komme, weil sie Kopfweh habe: aber sie läßt fragen, ob Sie und
der Engländer morgen bei uns Kaffee trinken könnten." Anton
entschuldigt sich. Er selber hätte für morgen einen Ausflug geplant;
er habe frei, und dies wäre eine gute Gelegenheit, dem Engländer
etwas von der Umgegend zu zeigen. Es würde ihn freuen, wenn der
Bürgermeister und Frau am Abend zu ihnen kämen.

Der Bürgermeister sagt, er käme gerne: er wisse nicht, ob seine
Frau imstande sei zu kommen. "Auf Wiedersehen!" grüßt Anton
und greift wieder nach der Gabel. Der Bürgermeister rührt sich noch
immer nicht. "Kann ich Ihnen sonst helfen?" fragt Anton höflich.
"Ich will meinen Sohn nach England hinüberschicken. Glauben
Sie, dieser Herr Jones hätte ein Zimmer für ihn im Hause?"

Anton erklärte ihm, daß Herr Jones sehr gutherzig sei, aber, daß
die Sache ganz unmöglich wäre: Herr Jones wohne in einer kleinen
Wohnung in London und hätte keine Hausangestellte: außerdem
wäre er sehr beschäftigt: er selber würde ihn auf diese Weise nicht
stören. Anton sah ganz verlegen aus. Selbst der Bürgermeister wurde
rot und ging endlich unzufrieden weg.

VOCABULARY

der Bürgermeister(-) *mayor*
der Gemüsegarten(⸚) *vegetable garden*
der Gummistiefel(-) *gumboot*
der Hemdärmel(-) *shirt sleeve*
der Rasen(-) *lawn*
der Rasenplatz(⸚e) *lawn*
der Sonntagsanzug(⸚e) *Sunday suit*
der Vortrag(⸚e) *lecture*
die Bitte(-n) *request*

die Dahlie(-n) *dahlia*
die Gelegenheit(-en) *opportunity*
die Pfeife(-n) *pipe*
die Nelke(-n) *carnation*
die Rose(-n) *rose*
die Rübe(-n) *turnip*
   rote Rübe *beet*
   gelbe Rübe *carrot*
die Umgegend *environs*
die Wohnung(-en) *flat*

das Blumenbeet(-e) *flower bed*
das Gärtnern *gardening*
das Kopfweh *headache*
das Muster(-) *pattern*
dieser *the latter*
jener *the former*
derjenige, welcher *he who*
diejenigen, welche *those who*
beschäftigt *busy, employed*
gutherzig *kind-hearted*
unmöglich *impossible*
unzufrieden *dissatisfied*
aus-graben (u. a.) *to dig up*

an-zünden *to light*
benutzen *to use*
hinzu-fügen *to add*
imstande-sein (war, gewesen)
    to be able
ein-tragen (u. a.) *to gather*
    (*harvest*)
mähen *to mow*
melden *to report, announce*
rühren sich *to move*
stören *to disturb*
verlangen *to demand desire*
walzen *to roll*

es scheint, als ob (+subj.) *it seems as if*
er läßt Sie grüßen *he sends you his best wishes*
auf diese Weise *in this way*
es steckt etwas dahinter *there is more in it than meets the eye*
ich habe nichts dagegen *I don't mind*
einen Vortrag halten *to give a lecture*
ist sonst noch etwas? *is there anything else?*

GRAMMAR

Reported Speech, Subjunctive

Er sagte: "Herr Jones wohnt in einem kleinen Haus."
Er sagte, Herr Jones wohne in einem kleinen Haus.
Er sagte, daß Herr Jones in einem kleinen Haus wohne.
Er sagte: "Die Jones haben keine Hausangestellte."
Er sagte, die Jones hätten keine Hausangestellte.
Er sagte, daß die Jones keine Hausangestellte hätten.
Sie meldet: "Der Bürgermeister ist da."
Sie meldet, daß der Bürgermeister da sei.

Subjunctive

1. In Indirect Speech (leaving out the inverted commas), when reporting what anybody says or thinks or believes, the Subjunctive is used.

Der Seemann sagte: "Dieser Hund beißt nicht."
The sailor said: "This dog does not bite."
Der Seemann sagte, der Hund beiße nicht.
The sailor said the dog didn't bite.

2. If **daß** is used, put the verb last. Daß is optional and, if omitted, the normal order of words is used.

Marie sagte: "Ich will morgen in die Stadt gehen."
Marie sagte, sie wolle morgen in die Stadt gehen.
Marie sagte, daß sie morgen in die Stadt gehen wolle.

3. The Subjunctive is always regular—except haben and sein—and is formed as follows:

Subjunctive, Present Tense, Model Verbs.

strong		**weak**	**sein**	**haben**	**werden**
ich trage		mache	sei	habe	werde
du tragest		machest	seiest	habest	werdest
er sie es	trage	mache	sei	habe	werde
wir Sie sie	tragen	machen	seien	haben	werden

Subjunctive, Imperfect Tense

ich trüge		machte	wäre	hätte	würde
du trügest		machtest	wärest	hättest	würdest
er sie es	trüge	machte	wäre	hätte	würde
wir Sie sie	trügen	machten	wären	hätten	würden

Note: 1. The regularity of the stem and endings,
2. The ubiquity of **e** in the ending.
3. No change of vowel in the 3rd person singular Present strong verb.
4. Modification in the Imperfect strong verb.
5. Imperfect weak Subjunctive exactly like the Indicative.

4. In English Reported (Indirect) Speech, we change the tense. In German Reported Speech, the mood is changed, but the tense need not be changed.

Direct Speech:	*He said: "I* AM *ill."*
	Er sagte: "Ich **bin** krank.
Indirect Speech:	He said he *was* ill.
	Er sagte, **er sei** krank or
	Er sagte, er **wäre** krank.

5. The Subjunctive is a linguistic attempt to convey an impression of non-responsibility. The Indicative is used for facts (e.g. He is a German. The world is round). The Subjunctive is used for non-facts (e.g. He says he is a German, may be a German, might be a German, could be a German. They thought the world *was* round, might be round.) In Reported Speech the speaker does not guarantee the truth of his statement. For this reason, **als ob** is also always followed by the Subjunctive.

Er sieht aus, als ob er arm wäre. *He looks as if he were poor.*
It is not a *fact* that he is poor, he only looks like it.
Es sieht aus, als ob es regnen werde. *It looks as though it might rain.*
Es scheint, als ob der Zug spät ankomme. *It seems as if the train is going to be late (might be late).*

AUFGABEN

A. Beantworten Sie auf deutsch:

1. Was trägt Anton, wenn er im Garten arbeitet?
2. Warum will er den Bürgermeister nicht gerne sehen?
3. Arbeitet er, wenn der Bürgermeister zu ihm in den Garten kommt?
4. In welchem Teil des Gartens wachsen die Rüben?
5. Womit gräbt man Kartoffeln aus?
6. Was tut man mit einer Gabel?
7. Warum kommt die Frau des Bürgermeisters nicht mit?
8. Warum konnte Anton den Bürgermeister nicht am nächsten Tag besuchen?

9. Warum sollte der Sohn des Bürgermeisters die Jones nicht besuchen?
10. War der Bürgermeister endlich zufrieden?

B. Give the 3rd person singular and plural, Present and Imperfect, Indicative and Subjunctive, of these verbs:

Finden, bringen, wohnen, stecken, stehen, geben, kommen, fahren, haben, sein, werden, tragen, leben, legen, liegen.

C. Reread the text of Chapter 40 in the light of the grammatical comments. Make each Indirect statement Direct and note how often (or not) the tense is changed as well as the mood, e.g.

Sie meldet, daß der Bürgermeister im Garten sei . . .
Direct—Sie meldet: "Der Bürgermeister ist im Garten (same tense)
Sie meldet, er habe gesagt, er wolle mit ihm sprechen.
Direct—Sie meldet: "Er hat gesagt, 'ich will mit ihm sprechen.'"

D. Rewrite in Reported Speech by prefixing, Der Polizist sagte, or Der Polizist sagte, daß . . . and translate:

1. "Die ganze Geschichte kam von einer Feier her."
2. "Sie hatten eine Flasche Schnaps getrunken."
3. "Der Alkohol war den Jungen zu Kopf gestiegen."
4. "Wilhelm hatte seine Muskeln an einem Automaten ausprobiert."
5. "Er hat sogar die Maschine zerbrochen."
6. "Er warf den Automaten zu Boden."
7. "Ich habe den Lärm gehört.
8. "Ich habe versucht, den Jungen gefangen zu nehmen."
9. "Wir haben sie beide zur Wache geführt."
10. "Ich verlange zwei Monate Gefängnis als Strafe für sie."

E. Translate into German:

1. He has no objection.
2. I don't mind.
3. A good lecture was given by the Englishman.

4. My wife sends her greetings.
5. He ran across the lawn in this way.
6. She looks as though she were ill.
7. He said he was ill.
8. He thought I was wrong.
9. She believed I was right.
10. She announced that the dog was lost.

F. Beschreiben Sie in vierzig Worten:

1. Antons Garten.
2. Den Bürgermeister von Lippstadt.

EINE WANDERUNG

Am nächsten Tag wurde der Ausflug gemacht. Die Gesellschaft bestand aus Anton, der Mutter, Karl und dem Engländer. Karl trug ein Paar Lederhosen, das er voriges Jahr im Tirol gekauft hatte. Die anderen waren normal gekleidet.

Es war ein herrlicher Tag. Sie fuhren langsam, um die schöne Landschaft zu genießen und auch um den alten Motor zu schonen. Sie besuchten zuerst eine Schloßruine, die auf dem Schloßberg lag. Alles stieg aus dem Wagen und ging zu Fuß den Berg hinauf. Die Burg war ganz mit Gras und Pflanzen überwachsen, aber man konnte noch die dicken Mauern sehen. Sie waren fünf Meter breit.

Anton erklärte seinem Freund, dieses Schloß sei im zwölften Jahrhundert gebaut und während des Bauernkrieges von den Bauern zerstört worden. Nur so hätten sich diese von der Knechtschaft der Ritter befreit. "Lang lebe die Freiheit!" rief Karl aus. Herr Jones, der etwas ironisch war, bemerkte, daß die Freiheit sehr oft Ruinen mit sich gebracht habe. Anton gab dies zu, indem er fragte, "Glauben Sie nicht, es wäre besser, die Freiheit unter Ruinen zu genießen, als die Knechtschaft in einem Schloss?"

Marie merkte, daß eine politische Diskussion darauf folgen könnte, da wandte sie klug die Rede wieder auf das Schloß: "Man sagt, daß dieser Berg immer noch von den Geistern der getöteten Ritter und Bauern heimgesucht werde." "So ähnlich wie der Brocken im Harz," sagte Karl. Als Herr Jones fragte, was der Brocken sei, erwiderte Karl, er sei der höchste Berg in Mitteldeutschland. Am ersten Mai, in der sogenannten Walpurgisnacht, sollen die Hexen dort mit dem Teufel tanzen.

Herr Jones wollte wissen, wer diese Geister gesehen hätte: er selber hätte niemals an Geister geglaubt. Karl berichtete, daß dies nur so eine Art Legende sei, und daß man davon im "Faust" lesen könnte. Herr Jones mußte gestehen, er hätte das Drama niemals gelesen, aber er möchte es gerne sehen, besonders im Weimarer Festspiel. Anton nickte traurig mit dem Kopf. "Es wäre schön, einmal dorthin zu gehen. Aber jetzt liegt Weimar hinter dem 'Eisernen Vorhang' in der D.D.R. Es ist für uns verbotenes Gebiet.

Indem sie sprachen, waren sie von der Burg heruntergestiegen und wanderten jetzt im Walde, am Abhang des Berges. Karl hatte gesagt, er kenne einen guten Ort, wo sie zu Mittag essen könnten; sie sollten nur noch fünf Minuten laufen, dann kämen sie zu der Stelle. Er merkte, daß seine Mutter müde war, deshalb schlug er vor, ihren Korb selber zu tragen. "Gott behüte!" sagte Marie beleidigt.

Sie kamen endlich zu der Stelle, wo sie ihr Schinkenbrot und Obst aßen, und verbrachten den Rest des Tages ruhig im Walde.

VOCABULARY

der Abhang(⸚e) *slope, side*
der Bauernkrieg(-e) *Peasants' War*
der Geist(-er) *spirit, ghost, mind*
der Ort(-e and ⸚er) *place*
der Rest(-e) *remainder*
der Ritter(-) *knight*
die Burg (-en) *citadel, castle*
die Diskussion(-en) *discussion*
die Freiheit *freedom*
die Gesellschaft (-en) *company*
die Hexe(-n) *witch*
die Knechtschaft(-en) *servitude*
die Lederhose(-n) *leather shorts*
die Legende(-n) *legend*
die Mauer(-n) *wall*
die Ruine(-n) *ruin*
das Bein(-e) *leg*
das Festspiel(-e) *festival*
das Jahrhundert(-e) *century*
das Obst *fruit*

das Schloß(⸚er) *castle*
das Schinkenbrot (-e) *ham sandwich*
ähnlich *similar*
beleidigt *insulted*
ironisch *ironical*
normal *normal(-ly)*
sogenannt *so-named, so-called*
überwachsen *overgrown*

aus-steigen (ie. ie.) *to get out*
begleiten *to accompany*
berichten *to report, inform*
genießen (o. o.) *to enjoy*
gestehen, gestand, gestanden *to confess*
heim-suchen *to haunt*
kleiden *to clothe*
reiten (ritt, geritten) *to ride*
zerstören *to destroy*
zertrümmern *to ruin*

eine Art Legende *a sort of legend*
ich möchte gerne wissen *I should very much like to know*
Gott sei Dank! *Thank God!*
Gott behüte! *God forbid!*

ich glaube an ihn *I believe in him*
es lebe der König! *Long live the King!*
es wäre schön *it would be nice*
hinter dem 'Eisernen Vorhang' *behind the 'Iron Curtain'*

GRAMMAR

1. There are six tenses in all in the Subjunctive, as there are in the Indicative. The Present and Imperfect were treated in the previous chapter. The remaining tenses are made as follows:

Perfect Subjunctive

Normal	*Verbs with* sein
ich habe getragen	ich sei gewesen
du habest getragen	du seiest gewesen
er habe getragen	er sei gewesen
wir ⎫ Sie ⎬ haben getragen sie ⎭	wir ⎫ Sie ⎬ seien gewesen sie ⎭
I have (may have) carried, etc.	*I have (may have) been, etc.*

Pluperfect Subjunctive

ich hätte gesprochen	ich wäre gewesen
du hättest gesprochen	du wärest gewesen
er hätte gesprochen	er wäre gewesen
wir ⎫ Sie ⎬ hätten gesprochen sie ⎭	wir ⎫ Sie ⎬ wären gewesen sie ⎭
I had (might have) spoken, etc.	*I had been, etc.*
I might have been (should have been) speaking, etc.	*I might have been, etc.*

Future Subjunctive

ich werde sprechen
du werdest sprechen
er werde sprechen
wir ⎫
Sie ⎬ werden sprechen
sie ⎭
I shall speak, shall be speaking,
    may speak, may be speaking, etc.

Future Perfect Subjunctive

ich werde gesprochen haben	*I may have spoken, shall have spoken*
du werdest gelegt haben	*thou mayest have laid*
er werde gehabt haben	*he will have had, may have had*
wir werden gewesen sein	*we shall have been, may have been*
Sie werden geworden sein	*you will have become, may have become*
sie werden getragen haben	*they will (may) have carried*

2. *Further Uses of the Subjunctive*

Present. In a main clause, where a wish or command is understood. This is sort of 3rd person imperative.

Gott sei Dank! *Thank God!*
Gott behüte! *The Lord forbid!*
Es lebe die Freiheit! *Long live freedom!*

Past. In a main clause where something, which usually is not immediately possible, is hinted at. This is often represented in English by **might, would, should.**

Es wäre schön, dorthin zu gehen. *It would be nice to go there.*
Ich möchte wissen. *I should like to know.*

AUFGABEN

A. Beantworten Sie die folgenden Fragen:
  1. Wer nahm am Ausflug teil?
  2. Was für einen Anzug trug Karl?
  3. Wie waren die anderen gekleidet?
  4. Warum fuhren sie langsam?
  5. Was besuchten sie zuerst?
  6. Wie war die Burg zerstört worden?
  7. Warum waren die Bauern keine Freunde der Ritter?
  8. Wo ist der Brocken, und was passiert da am 1. Mai?
  9. Warum wurde Marie müde?
  10. Was war im Korbe?

B. Erklären Sie die folgenden Wörter auf Deutsch:

(Z.B. Ein Palast ist ein sehr großes Haus, wo ein König oder ein reicher Mann wohnt. Man findet dort viele Diener, einen großen Garten, gute Möbelstücke.) Lederhose: Festspiel: Wald: Bürgermeister: Kopfweh: Sonntagsanzug: Ruine.

C. Give the 3rd person singular, Subjunctive, Present, Imperfect and Perfect of: machen, halten, leben, sein, laufen, bringen, sprechen, verlieren, tragen, gehen, kommen.

D. Put into Indirect Speech by prefixing **Er sagte** (or **fragte**):

1. Er hat den Kaffee in eine Thermosflasche gegossen.
2. Sie hatten in einem Restaurant getanzt.
3. Sie war in der Klasse eingeschlafen.
4. Das Kind ist sehr groß geworden.
5. Wann haben Sie Ihre Aufgabe gemacht?
6. Sie spielten mit ihren Freunden am Strande.
7. Der Wagen ist sehr langsam gefahren.
8. Hat der Bauer seine Ernte eingetragen?
9. Hat Ihnen das Konzert gefallen?
10. Wie viele Zigaretten haben wir geraucht?

E. Translate into German:

A. I am very proud of my house. A few years ago it was completely ruined. But we built it and repaired it ourselves.
B. I should like to buy it. Would you care to sell it?
A. The Lord forbid! It would be nice to have the money. But where should we go? You know we like living here.
B. I don't know. My husband has been looking for a house for five years (**schon 5 Jahre** plus Present Tense). I believe he will never find one.
A. Would it be possible to build if you had a piece of land?
B. I don't think so. Thank the Lord, my parents have a big house and we are able to live with them.

F. Beschreiben Sie mit 30-50 Worten: 1) eine Ruine, 2) den Brocken.

AM FLUGHAFEN

Der Ausflug am vorigen Tag war für den Engländer eine Art Abschiedsfeier gewesen. Heute sollte er nach Hause abreisen. Anton begleitete ihn nach Frankfurt, denn er wollte seinem Freund die Sehenswürdigkeiten der alten Reichsstadt zeigen. Sie hatten kaum Zeit den 'Römer' (das alte Rathaus) und Goethes Geburtshaus zu besuchen, da mußten sie sich wieder auf den Weg zum Flughafen machen. Sie kamen rechtzeitig an.

Der Flughafen ist sehr günstig gelegen, liegt gleich an der Autobahn und ist leicht erreichbar von der Stadt. Jede Minute landeten Flugzeuge aus allen Teilen der Welt, und andere flogen ab.

Herr Jones meldete sich am Empfangsschalter in der Vorhalle, wo er seinen Flugschein vorzeigte und seinen Koffer dem Angestellten übergab. "Flug Number 345," sagte dieser. "Hat keine Verspätung! Wird gleich gemeldet!" und gab ihm seine Landungskarte.

Anton hatte inzwischen einen Parkplatz für seinen Wagen gefunden und kam herbeigeeilt. "Alles in Ordnung?" sagte er. "Schön! Jetzt gehen wir zur Anzeigetafel, wo die An- und Abflugzeiten angezeigt werden. Dort steht es, "sagte Anton." 16 Uhr 40. Direkter Flug nach London, Sammelpunkt 6." Zur gleichen Zeit hörten sie die Meldung der Ansagerin durch den Lautsprecher. Sie bestätigte, der Flug 345 sei schon flugbereit, und die Fluggäste sollten sich gleich mit Handgepäck am Sammelpunkt 6 melden.

Hierauf nahmen die zwei Freunde Abschied von einander. "Vielen herzlichen Dank, Anton!" sagte Herr Jones. "Gar nichts zu danken," antwortete Anton. "Es war ein echtes Vergnügen, Sie bei uns zu haben. Kommen Sie bald wieder! —Hals und Beinbruch!"

Das schloß sich der Engländer den Mitreisenden an, und nach Paß- und Gepäckkontrolle wurde die Gruppe zum Flugzeug geführt. Die Stewardess zeigte Herrn Jones seinen Platz in der Nichtraucherkabine, wo er den Sicherheitsgurt anschnallte. Bald rollte das Düsenflugzeug über die Rollbahn; der Pilot beschleunigte die Motoren und das Flugzeug erhob sich gleich vom Boden.

VOCABULARY

fliegen(o.o) *to fly:* der Flug (¨e) *flight:* der Flughafen(¨) *airport*
der Flugplatz(¨e) *airfield:* der Fluggast(¨e) *passenger*
das (Düsen-) Flugzeug(-e) *(jet) aircraft:* flugbereit *ready for take-off:*
der Flügel(-) *wing:* die Flucht (¨e) *flight, escape*
ab-fliegen *to take off:* der Abflug *take off:* landen *to land*

der Empfangsschalter(-)*reception counter*
der Pilot (-en) *pilot*
der Sicherheitsgurt (¨e) *safety-belt*
der Sammelpunkt(-e) *"gate"*
die Abschiedsfeier *farewell celebration*
die Anzeigetafel(-n) *indicator*
die Meldung(-en) *announcement*
die Rollbahn(-en) *runway*
die Sehenswürdigkeit(-en) *"sights"*
die Stewardess(-es) *air-hostess*
die Vorhalle(-n) *lounge*
an-schließen(o.o.) sich *to join*
anschnallen *to buckle on, fasten*

anzeigen *to advertise, indicate*
bestätigen *to confirm*
beschleunigen *to accelerate*
erheben (o.o.) *to raise:* (sich) *to rise*
günstig gelegen *conveniently situated*
leicht erreichbar *within easy reach*
Hals und Beinbruch! *safe Home! (Don't break your neck!)*
erhob sich vom Boden *was airborne*
kam herbeigeeilt *came running up*
sich auf den Weg machen *to set out*
Gar nichts zu danken! *Don't mention it!*
rechtzeitig *in good time*

AUFGABEN

A. Beantworten Sie auf deutsch:

   1. Wie wollte Herr Jones zurückfahren?
   2. Warum begleitete ihn Anton?
   3. In wie fern ist der Frankfurter Flughafen günstig gelegen?
   4. Nennen Sie zwei der Sehenswürdigkeiten in Frankfurt.
   5. Was tat (*a*) Anton, (*b*) Herr Jones, bei der Ankunft im Flughafen?

6. Was bekam Herr Jones, als er seinen Koffer übergab?
7. Was sagte Anton als letzten Gruß?
8. Wie lautete die Meldung der Ansagerin?
9. Was für Kontrollen gibt es am Flughafen?
10. Beschreiben Sie den Abflug eines Flugzeugs.

B. Beschreiben Sie kurz (*a*) einen Flughafen, (*b*) die Arbeit einer Stewardess.

EINE LEKTÜRE AUS "IMMENSEE"

Es war Donnerstag Abend. Nur Marie war zu Hause geblieben. Der Vater war noch nicht von Frankfurt zurückgekommen. Karl war in Lippstadt, wo er an der Fachschule seine englischen Studien trieb. Paula war noch nicht im Büro fertig geworden: sie hatte telefoniert, sie werde erst um zehn Uhr ankommen.

Das gefiel der Mutter natürlich nicht, aber was konnte sie machen? Sie las eine von ihren Lieblingsnovellen — Immensee, von Theodor Storm. Wir wollen ein Stück mitlesen.

Reinhard, der Held dieser Novelle, wächst als Kind mit seiner kleinen Nachbarin Elisabeth auf. Die zwei lieben einander als Kinder und auch später. Aber Reinhard muß das Dorf verlassen, um auf der Universität zu studieren. Während seiner Abwesenheit heiratet Elisabeth einen reichen Bauern, Erich. Dies tut sie nur ihrer Mutter und Erich zu Gefallen, denn sie ist immer noch in Reinhard verliebt. Nach langjährigem Studieren im Ausland besucht Reinhard, der von Erich eingeladen worden ist, seine alten Freunde auf ihrem Gut "Immensee". Gleich im ersten Augenblick wird Reinhard gewahr, daß Elisabeth ihren Mann nicht liebt. Sie sieht ihn mit "schwesterlichen Augen" an. So versucht er, seine ehemalige Freundin zu vermeiden . . . jetzt folgt die Stelle:

"Seit dem zweiten Tage seines Hierseins pflegte er abends einen Spaziergang an den Ufern des Sees zu machen. Der Weg führte hart unter dem Garten vorbei. Am Ende desselben stand eine Bank unter hohen Birken: hier saß oft Elisabeth abends.

Von einem Spaziergang an diesem Wege kehrte Reinhard eines Abends zurück, als er vom Regen überrascht wurde. Er suchte Schutz unter einem am Wasser stehenden Lindenbaum. Aber die schweren Tropfen schlugen bald durch die Blätter. Durchnäßt wie er war, setzte er langsam seinen Rückweg fort.

Es war fast dunkel: der Regen fiel immer dichter. Als er sich der Bank näherte, glaubte er zwischen den Birken eine weiße Frauengestalt zu unterscheiden. Sie stand unbeweglich, als wenn sie jemanden erwarte.

Er glaubte, es sei Elisabeth. Als er aber rascher zutritt, um sie zu erreichen und dann mit ihr zusammen durch den Garten ins Haus zurückzukehren, wandte sie sich langsam ab und verschwand in den dunkeln Seitengängen."

Es war ihm, als ob sie aus seinem Leben verschwinde. Endlich erwachte er aus seinem jugendlichen Traum. Er hätte niemals kommen sollen.

VOCABULARY

der Gefallen(-) *pleasure*
der Lindenbaum(⸚e) *lime tree*
der Ofen (⸚) *stove, fire*
der Rückweg(-e) *way back*
der Schutz *protection*
der Seitengang(⸚e) *side path*
der Tropfen(-) *drop*
die Bank(⸚e) *seat*
die Birke(-n) *birch tree*
die Gestalt(-en) *form, figure*
die Lektüre(-n) *reading, extract*
die Nachbarin(-nen) *neighbour*
die Novelle(-n) *short story*
die Rückkehr *return*
das Gut(⸚er) *estate, farm*
das Hiersein *presence, stay*
das Ufer(-) *bank*
erwarten *to wait, expect*
fort-setzen *to continue*
gewahr-werden (wurde, geworden) *to perceive*
nähern (sich + dat.) *to approach*
pflegen *to be in the habit of, to be used to*
unterscheiden (ie. ie.) *to distinguish*

damit *so that*
der (die, das) -selbe *the same, he, it*
Lieblings- *favourite*
bequem *comfortable*
dicht *dense, close*
durchnäßt *saturated, soaked*
ehemalig *former*
schwesterlich *sisterly*
unbeweglich *motionless*
verliebt in *in love with*
er macht einen Spaziergang *he takes a walk*
er macht es sich bequem *he makes himself comfortable*
er ist in sie verliebt *he is in love with her*
er wuchs als Kind auf *he grew up as a child*
er tut es mir zu Gefallen *he does it to please me*
gleich im ersten Augenblick *at the very first moment*
jener Weg führt am Berg vorbei *that way leads past the hill*
immer dichter *thicker and thicker*

vermeiden (ie. ie.) *to avoid*
verschwinden (a. u.) *to dis-
  appear*
zu-treten (a. e.) (auf) *to step
  up to*

zweifeln *to doubt*
auf der Universität studieren
  to study at the University

GRAMMAR

Revise all tenses, Indicative and Subjunctive, relative pronouns and prepositions.

AUFGABEN

A. Beantworten Sie auf deutsch:

1. Wer war allein im Hause?   2. Wo war Anton?
3. Was trieb Karl?   4. Warum hatte Paula telefoniert?
5. Wie heißt das Buch, das Marie las?
6. Warum las sie es?
7. Wo studierte Reinhard?
8. Was war Erich?
9. Warum heiratete Elisabeth Erich?
10. Woher wußte Reinhard, daß Elisabeth Erich nicht liebte?
11. Wo pflegte Reinhard einen Spaziergang zu machen?
12. Wo suchte Reinhard Schutz und warum?
13. Was glaubte er auf dem Weg nach Hause zu sehen?

B. Give the Present, Imperfect and Perfect Indicative and Subjunctive of the following verbs:

1. Er (bleiben) im Ausland.
2. Sie (springen) aus dem Bett.
3. Er (treten) in den Wald.
4. Er (vermeiden) den Polizisten.
5. Er (studieren) Chemie.
6. Er (suchen) eine Pflanze im Walde.

Repeat in *a*) the 1st person singular and in *b*) the 1st person plural.

C. Put the missing article in the correct case:

   1. Der Wind kommt von — Osten.
   2. Der Junge wirft den Ball gegen — Wand.
   3. An — nächsten Tag wurde ein Ausflug gemacht.
   4. Er studiert an — Fachschule.
   5. Sie tritt durch — Gartentür herein.
   6. Bei — Näherkommen erkannte er seine Freundin.
   7. Die Bank stand unter — hohen Bäumen.

D. Prefix Er sagte . . . or Er glaubte . . . to the sentences in Exercise C and make the necessary alterations.

E. Give the Active equivalents of the following Passive sentences. (e.g. Er wurde vom Regen überrascht — Der Regen überraschte ihn.)

   1. Die Bücher wurden auf den Tisch gelegt.
   2. Die Kanus wurden von den Schülern gebaut.
   3. Der Freund seiner Jugend wurde von Erich eingeladen.
   4. Die Gestalt wurde hinter den Bäumen unterschieden.
   5. Von wem wurde der Flughafen besucht?
   6. Das Schloß wurde von den Franzosen zerstört.
   7. Die Lektüre wurde von uns allen genossen.

F. Change the sentences in Exercise E to the Perfect Tense (e.g. Er ist vom Regen überrascht worden).

G. Insert the correct relative pronoun. (It will agree with its antecedent in gender and number, but its case will depend on its function in the sentence.)

   1. Die Birken, unter — er Schutz suchte, ließen den Regen durch.
   2. Die Frau, — Gesicht weiß war, trug ein weißes Kleid.
   3. Er ging durch den Wald, — Seitengänge dunkel waren.
   4. Der junge Mann versuchte, seine Freundin, — er nicht mehr liebte, zu vermeiden.
   5. Weimar ist die Stadt, in — die Festspiele stattfinden.
   6. Die Romane, — sie liest, sind alle Liebesgeschichten.
   7. Der Junge, auf — er zornig war, war ganz unschuldig.
   8. Das Flugzeug, auf — wir warteten, hatte keine Verspätung.

H. Put the verbs in brackets in the correct position:

1. Die Vögel (werden singen) auf den Bäumen.
2. Die Ritter (sind getötet worden) von den Bauern.
3. Am Ende des Gatters (wird gesehen werden) ein Pfad, der (führt) zu einem Wirtshaus.
4. Die Leute, die (kamen) vom Osten, heißen Heimatlose.
5. Im Wirtshaus wir (haben getrunken) gestern Bier.
6. Wenn Sie (vorbeigehen) am Postamt, (anrufen) Sie mich.

I. Give the definite article and the plural of the following nouns:

Anklage, Arm, Feier, Gefängnis, Messer, Schmerz, Mund, Abfahrt, Allee, Kenner, Pilz, Hirsch, Kreuz, Schaf, Erwachsene, Entlassung, Spur, Ecke, Draht, Flamme, Rübe, Rose, Wohnung, Held, Beamte, Birke, Gestalt, Berg, Burg, Gabel, Ansagerin.

J. Nennen Sie a) drei Bäume, b) zwei Vögel, c) vier Farben, d) drei Länder, e) drei Tiere, f) vier deutsche Schriftsteller, g) drei deutsche Komponisten, h) fünf Teile eines Autos.

K. Translate into German:

1. He makes himself comfortable, doesn't he?
2. This pleasant old street leads past my window.
3. I am not angry with you. Everything is all right.
4. At the moment he is in love with his work.
5. She was a wise girl: she married a rich farmer.
6. He took a walk along the shore of the lake.
7. I can see the birds in the trees.
8. He continued his way home without saying a word.
9. Sit down, please! I want to talk to you.
10. This large room was not used in the evening.
11. The air-hostess told us to fasten our seat-belts.
12. The plane arrives at half past ten. Please be in time!

L. Machen Sie einen kurzen Bericht von der Lektüre aus "Immensee" (nicht mehr als 60 Worte).

EIN BRIEF AUS FRANKREICH

Es klopft an der Tür: Wotan bellt: der Briefträger ist da. Karl eilt an die Tür, aber Paula kommt ihm zuvor. Es sind fünf Briefe und ein Paket. Paula eilt in das Eßzimmer mit ihrer Beute und verteilt sie.

"Hier, Vater, ist ein eingeschriebener Brief für dich—ich habe schon unterzeichnet—und die Gasrechnung. Für Mutti ist dieses Paket. Es sieht aus, als ob es ein neuer Hut wäre. Ja, ich glaube, es ist ein neuer Hut. Für Karl ist dieser Brief aus England."

Liesel guckt hinein, als Karl den Brief ergreift, und sagt: "Darf ich die Briefmarke haben? Dies ist eine neue." "Du darfst auch diese haben," sagt Paula: "eine schöne französische für deine Samm-lung."

Paula hat nämlich zwei Briefe bekommen: ein gedrucktes Rundschreiben von ihrer Theatergruppe und einen Brief von ihrer Freundin, die sich neulich mit einem Franzosen verheiratet hat und jetzt in Paris wohnt. Paula reißt den Brief auf und liest Folgendes:

Paris

den neunten November.

Liebe Paula!

Es freut mich, Dir endlich schreiben zu können. Es gelang uns endlich, hier in Paris eine Wohnung zu finden. Du wirst es kaum glauben, aber die Wohnungsfrage ist noch schwieriger hier als in Lippstadt. Unser Liebesnest ist zwar nur klein, aber mein Mann ist damit sehr zufrieden.

Es ist gut, daß es uns gelungen ist, sogleich in das Haus zu ziehen, da das Wetter in den letzten Tagen sehr schlecht geworden ist. Es regnet fast jeden Tag, und gestern hat es sogar in der Nacht gefroren. Man erwartete nicht, daß es so früh friert. Daher habe ich meinen alten Pelzmantel aus der Rumpelkammer herausgeholt und die Motten herausgebürstet.

Trotz des schlechten Wetters lohnt es sich, hier zu sein. Es gibt überall so viel Neues zu sehen: besonders in den Museen. Es wundert Dich, daß ich die Museen besuche, denn ich war sonst nicht so ernst.

Aber ich kenne wenige Leute, und da mein Mann den ganzen Tag im Geschäft arbeitet, wird mir die Zeit etwas lang.

Es freut mich, daß wir eine Hausgehilfin haben: ich kann mit ihr Französisch üben. Sie ist ein ganz nettes Mädchen, und sie verbessert meine Aussprache, wenn ich Fehler mache, was nicht selten vorkommt, kann ich Dir versichern. Es wird mir klar, daß meine Aussprache nicht hundert Prozent fehlerfrei ist. Auch fehlt mir zuweilen der Mut, etwas zu sagen, weil ich nicht gerade auf das richtige Wort komme. Trotzdem gelingt es mir gewöhnlich, mich verständlich zu machen — besonders wenn ich Einkäufe mache.

Es tut mir leid, daß ich nicht fleißiger im Französischen in der Schule war. Wir haben immer so viel Spaß in den französischen Stunden gehabt, nicht wahr? Erinnerst Du Dich an Mademoiselle Dupont und ihren komischen Hut? Ach, das waren schöne Tage, Paula. Und jetzt bin ich verheiratet und noch glücklicher als je — aber auf andere Weise. Ach, ich will niemals alt werden, Paula. Es ist mir so wohl!

Ich werde Dich nicht langweilen: ich spreche immer nur von mir. Wie geht es Dir und der Familie? Schreibe mir einen recht langen Brief, damit ich genau weiß, wie es Dir und Toni und Willi und allen anderen in der Theatergruppe geht. Wir, das heißt mein Mann und ich, denken so oft an alle unsere Freunde in Lippstadt und auch in Miesbach.

Es grüßt Dich,
Deine Gerda.

VOCABULARY

der Brieftäger(-) *postman*
der Mut *courage*
der Pelzmantel(-̈) *fur coat*
die Aussprache(-n) *accent*
die Beute(-n) *booty, prey*
die Gasrechnung(-en) *gas bill*
die Hausgehilfin(-nen) *maid*
die Motte(-n) *moth*
die Rumpelkammer(-n) *lumber room*

die Sammlung(-en) *collection*
die Theatergruppe(-n) *dramatic society*
das Museum (Museen) *museum*
das Nest(-er) *nest*
das Rundschreiben(-) *circular (letter)*
ernst *serious*
fehlerfrei *faultless*
gedruckt *printed*

auf-reißen (i. i.) *to tear open*
aus-bürsten *to brush out*
bellen *to bark*
ein-schreiben (ie. ie.) *to register*
ergreifen (i. i.) *to take hold of, grasp*
fehlen (an) *to be short of, lack*
frieren (o. o.) *to freeze*
gelingen (a. u.) *to succeed*
gucken *to peep*
lohnen *to reward*
lohnen sich *to be worth while*
unterzeichnen *to sign*
verbessern *to improve, correct*
versichern *to assure*
verteilen *to give out, distribute*
verheiraten sich *to marry*
vor-kommen (a. o.) *to occur, happen*
wundern sich to *marvel*

zuvor-kommen (a. o.) *to anticipate*
auf andere Weise *in a different way*
ein eingeschriebener Brief *a registered letter*
er macht sich verständlich *he makes himself understood*
es gelingt mir *I succeed*
es ist ihm gelungen *he succeeded*
die Zeit wird ihm lang *he gets bored*
es ist mir wohl *I feel fine*
es war ihm wohl *he felt grand*
hundert Prozent fehlerfrei *absolutely perfect*
sie ist glücklicher als je *she is happier than ever*

GRAMMAR

Impersonal Verbs

1. Es ist klar, daß . . . *It is clear that . . .*
   Es ist gut, daß . . . *It is a good thing that . . .*

Impersonal Verbs, i.e. verbs used only in the 3rd person singular neuter, occur in English as in German.

2. Es klopft an der Tür. *There is a knocking at the door.*
   Es kommt jemand. *There is somebody coming.*
   Es wird viel gearbeitet. *There is a lot of work being done.*

An indefinite subject **there** is referred to in German by **es.**

3. Es gibt, *there is, there are.*
   Es ist, *there is*; Es sind, *there are.*

Es gibt Leute, die kein Fleisch essen. *There are people (existing somewhere or other) who don't eat meat.* Es sind dreißig Personen in diesem Zimmer. *There are thirty persons in this room (a definite and demonstrable fact.)*

Es gibt is used for intangible and remote things. **Es ist (sind)** is used for tangible, definite facts.

4. Es regnet. *It is raining*; es regnete, es hat geregnet.

Es hagelt: *There is hail*; es hagelte, es hat gehagelt.

Es friert: *It is freezing*; es fror, es hat gefroren.

Phenomena of the weather are impersonal in German, as they are in English.

5. Es freut mich. *I am glad.*

Es gelingt mir. *I am successful, I succeed.*

Some English personal verbs have impersonal equivalents in German. These must be learnt. Their subject is the impersonal **es,** and the person affected is in the accusative or dative case according to the verb.

Impersonal Verbs governing the Accusative of the Person

Es freut mich: *I am glad*; es freute mich, es hat mich gefreut.

Es wundert sie: *She is surprised.*

Impersonal Verbs governing the Dative of the Person

Es gelingt mir: *I succeed*; es gelang mir, es ist mir gelungen.

Es fehlt mir (an Brot): *I lack (bread)*; es fehlte mir, es hat mir gefehlt.

Es fällt mir ein, daß . . . : *It occurs to me, that* . . . ; es fiel mir ein, es ist mir eingefallen.

Es gefällt mir hier: *I like it here*; es gefiel mir, es hat mir gefallen.

Es geht mir gut: *I am well*; es ging mir gut, es ist mir gut gegangen.

Es ist mir, als ob . . . : *I feel, as if* . . . ; es war mir, es ist mir gewesen.

Es tut ihm leid: *He is sorry*; es tat Ihnen leid: *you were sorry*; es hat mir leid getan: *I was sorry.*

Es schadet nichts: *It doesn't matter*; es schadete nichts, es hat nichts geschadet.

6. Some verbs have an impersonal use side by side with the personal form.

Es grüßt Sie — Ich grüße Sie.

Es freut mich — Ich freue mich.

7. Du, Dich, Dir, Dein — observe the capital letter, used *in letters* only.

8. Ich glaube, es ist ein neuer Hut. The Subjunctive is only used for non-facts. By using the Indicative, Paula makes the new hat a fact.

AUFGABEN

A. Beantworten Sie die folgenden Fragen:

1. Wer klopft an der Tür?
2. Was bringt der Briefträger mit?
3. Für wen sind die Briefe?
4. Was verlangt Liesel und warum?
5. Warum wohnt Paulas Freundin in Frankreich?
6. Warum ist sie froh, eine Wohnung zu haben?
7. Warum besucht sie die Museen?
8. Woher wissen wir, daß ihr Französisch fehlerhaft ist?
9. Was hatte Gerda in den französischen Stunden gemacht?
10. An wen denkt Gerda oft?

B. Use an Impersonal verb instead of the following expressions:

1. Ich freue mich.
2. Wir freuen uns.
3. Reinhard grüßte sie.
4. Er hat sich wohl gefühlt.
5. Wie befinden Sie sich?
6. Wie haben sie sich befunden?
7. Man klopft an der Tür.
8. Sie ist froh, daß der Regen kommt.
9. Sie wundern sich.
10. Er hat sich gewundert.

C. Give the German for:

1) A registered letter. 2) The gas bill. 3) A printed circular. 4) A stamp collection. 5) It is raining. 6) It was freezing. 7) You are surprised. 8) Are you glad? 9) They do not succeed. 10) They have at last succeeded.

D. Schreiben Sie Paulas Antwort an ihre Freundin.

EIN BRIEF AUS ENGLAND

Während Paula ihren Brief las, musterte Karl den Umschlag seines Briefes. "Die Handschrift ist mir bekannt," sagte er. "Es ist unser alter Freund Bill Wilkins. Er muß es dringend eilig haben, denn der Brief ist mit Luftpost gekommen. Na, Liesel, hier sind deine Marken. Wollen wir sehen, was er schreibt?"

London
den achten November.

Lieber Karl!
Ich habe Ihnen lange nicht geschrieben, weil ich nichts Neues zu berichten hatte. Das Leben ist ganz einförmig — Essen, Schlafen und Arbeiten. Ich vermute aus Ihrem langen Schweigen, daß dies auch bei Ihnen der Fall ist. Aber in der letzten Zeit habe ich die Automobilausstellung besucht. Ich habe mir gedacht, Sie würden sich freuen zu hören, was wir dort gesehen haben.

Ich ging mit einigen von meinen Mitstudenten (Sie erinnern sich wohl an Tom Williams? Er war auch dabei). Wir mußten je zwei Pfund Eintrittsgeld bezahlen. Es gibt dort so viel zu sehen, daß wir nicht wußten, wo anzufangen. Wir haben zuerst viel Zeit verloren, weil wir uns nicht gleich entschließen konnten, was wir sehen wollten..

Gleich beim Eingang aber stand ein Beamter, der uns fragte, was wir uns gerne ansehen möchten. "An Ihrer Stelle," schlug er vor, würde ich den neuen Sonnenscheinwagen besichtigen. Er ist sehr empfehlenswert." "Das würde sicher sehr interessant sein," stimmte ich zu. "Aber wenn er so beliebt ist, dann werden sich sehr viele Leute um den Wagen drängen, und wir würden ihn nicht sehen können." Es müßte augenblicklich viel mehr Platz geben, als später am Tag," entgegnete der Beamte.

Tom Williams unterbrach ihn: "Wenn wir Zeit hätten, so würden wir gerne überall umherwandern und alles ansehen. Aber das geht nicht. Was würden Sie als besonders sehenswert empfehlen, wenn Sie nur ein paar Stunden Zeit hätten?"

"Es kommt darauf an, was Sie interessiert," antwortete der Beamte. "Ich würde selber gerne die Stereoanlagen besichtigen," sagte Tom. "Aber vielleicht wäre das von wenig Interesse für meine Freunde."

"Sie haben recht, Tom ," sagte Fred. "Ich halte Ihren Vorschlag für dumm. Ich bin gekommen, um die Auslandswagen zu besichtigen. Die Stereos und Kassetten gehen mich nichts an."

"Also," schlug ich vor, "wie wäre es, wenn wir uns trennen. Und wir treffen uns um ein Uhr im Restaurant?" "Abgemacht!" stimmten alle zu.

Das taten wir, und nach einer kurzen Pause für das Mittagessen verbrachten wir auch den ganzen Nachmittag dort. Wenn wir mehr Zeit gehabt hätten, so würden wir viel mehr gesehen haben. Aber, Gott sei Dank, war das nicht möglich. Wenn wir noch länger geblieben wären, hätte ich dort schlafen müssen — ich wurde so schrecklich müde.

Dieser "Sonnenschein" ist ein herrliches Auto. Es würde Ihnen gefallen. Ich selber würde gerne eins kaufen. Aber, wie Sie wissen, habe ich leider kein Geld. Und auch wenn ich Geld hätte, wäre es unmöglich, eins zu kaufen. Denn man läßt seinen Namen auf eine Warteliste schreiben. Ein Beamter der Firma hat geäußert, ich würde wenigstens drei Monate auf eine Lieferung warten müssen.

Sie würden viel Freude an einem Gegenstand gehabt haben, Karl. Das war das Modell eines Motorrads, Marke "Schwarzvogel". Es stammte aus dem Jahre 1901. Als ich es sah, mußte ich gleich an Ihr Rad denken: es sah so ähnlich aus: nur mit diesem Unterschied — dieses Modell war in guter Ordnung.

Es ist mir sogleich eingefallen, was Sie brauchen könnten, sei kein neuer Motor, sondern ein neuer Akkumulator. Was meinen Sie? Ich schließe hiermit einen Prospekt von diesem Akkumulator ein. Falls Sie sich dafür interessieren, würde ich gern bereit sein, Ihnen Näheres darüber zu berichten.

Inzwischen wünsche ich Ihnen alles Gute,

und verbleibe

Ihr Freund,

Bill.

VOCABULARY

der Akkumulator(-en) *accumulator*
der Gegenstand(¨e) *object*
der Mitstudent(-en) *fellow student*
der Prospekt(-e) *prospectus*
der Platz(¨e) *room, space*
der Unterschied(-e) *difference*
die Ausstellung(-en) *exhibition*
die Firma (Firmen) *firm*
die Freude(-n) *joy, pleasure*
die Handschrift(-en) *writing*
die Kassette(-n) *cassette*
die Lieferung(-en) *delivery*
die Luftpost *air-mail*
die Marke(-n) *model, stamp*
die Stereoanlage(-n) *Hi-Fi equipment*
die Ordnung(-en) *order*
die Warteliste(-n) *waiting list*
das Eintrittsgeld *admission fee*
das Modell(-e) *model*
augenblicklich *immediately, for the moment*
einförmig *monotonous*
empfehlenswert *worth recommending*

dringend *urgent*
sehenswert *worth seeing*
abgemacht *agreed*
leider *unfortunately*
falls, im Falle daß *in case of*
äußern *to express (an opinion), comment*
besichtigen *to inspect, look at*
drängen, sich *to crowd*
ein-schließen (o. o.) *to enclose*
entschließen, sich (o. o.) *to decide*
entgegnen *to rejoin, retort*
mustern *to examine*
stammen *to come from, originate*
trennen *to separate*
unterbrechen (a. o.) *to interrupt*
verbleiben (ie. ie.) *to remain*
verlieren (o. o.) *to lose*
vermuten *to suspect, surmise*
zu-stimmen *to agree*

an Ihrer Stelle *in your place*: mit der Post *by post*
das geht mich nichts an *that has nothing to do with me*
er hat es eilig *he is in a hurry*
er war dabei *he was there*
es kommt darauf an *it all depends*
es sah so ähnlich aus *it looked something like that*
ich halte ihn für dumm *I think he is stupid*

ich werde Ihnen Näheres darüber schreiben
I shall send you more details about it
Was möchten Sie sehen? *What would you like to see?*
er interessiert sich FÜR Marken *he is interested* IN stamps

GRAMMAR

Conditional Tense

1. *Present*

ich würde schreiben	*I should write*
du würdest sagen	*thou wouldst say*
er würde sein	*he would be*
wir würden haben	*we should have*
Sie würden werden	*you would become*
sie würden gehen	*they would go*

Past Conditional

ich würde geschrieben haben	*I should have written*
du würdest gesagt haben	*thou wouldst have said*
er würde gehabt haben	*he would have had*
wir würden gewesen sein	*we should have been*
Sie würden geworden sein	*you would have become*
sie würden getragen haben	*they would have worn*

2. The Conditional is a form of the Subjunctive. It is only used for suppositions, possibilities or improbabilities.

Wenn ich Geld habe, trinke ich Wein. *When I have money, I drink wine.*

This is a statement of fact, so the Indicative is used.

Wenn ich Geld hätte, würde ich Wein trinken. *If I had money, I should drink wine.*

Here the Subjunctive and Conditional are used to show that this is *not* a fact but only a hypothetical case.

Wenn er Zeit hat, liest er Romane. *When he has time, he reads novels.*

It is a fact that he reads novels—certainly not all day long but only when he has time.

Wenn er Zeit hätte, würde er Romane lesen. *If he had time, he would read novels.*

But he has no time, therefore we are outside the realm of fact.

3. Instead of the Conditional Tense, the Imperfect Subjunctive may be used with strong·verbs.

Ich würde geben or Ich gäbe. *I should give.*

Ich würde gerne mitkommen or Ich käme gerne mit. *I should like to come with you.*

Er würde reich sein or Er wäre reich. *He would be rich.*

Sie würden es verlieren or Sie verlören es. *They would lose it.*

Instead of the Past Conditional, the Pluperfect Subjunctive is often used.

Ich würde gesungen haben *or* Ich hätte gesungen. *I should have sung.*

Er würde bald gekommen sein *or* Er wäre bald gekommen. *He would soon have come.*

Wir würden es gemacht haben *or* Wir hätten es gemacht. *We should have done it.*

Sie würden Deutschland besucht haben *or* Sie hätten Deutschland besucht. *They would have visited Germany.*

4. The above forms are particularly useful with modal verbs, which would otherwise be so clumsy.

He would have had to go. Er hätte gehen müssen is much simpler than er würde haben gehen müssen.

Er hätte gehen sollen. *He ought to have gone.*

Ich hätte schweigen dürfen. *I should have been allowed to keep quiet.*

Wir hätten bleiben können. *We could have stayed.*

Sie hätten kommen mögen. *They would have liked to come.*

Note the order of words in such a sentence when subordinate.

Weil sie hätten singen sollen. *Because they should have sung.*

Wenn er hätte gehen müssen. *If he had had to go.*

With the three verbs together, the order is tense word, Infinitive, modal verb (T.I.M.).

5. **would** and **should** are general service words in English and are not confined to the Conditional.

Er würde eins kaufen, wenn er das Geld hätte. *He would buy one, if he had the money.* (*Conditional.*)

Er wollte nicht versprechen, den Wagen zu kaufen, *He* WOULD
not promise to buy the car. (*i.e. refused, did not wish.*)

Sie sollten einen Akkumulator probieren. *You* SHOULD *try an
accumulator.* (*Ought to, feel an obligation to.*)

Er pflegte von Morgen bis Mitternacht zu singen. *He* WOULD
sing from morn to midnight. (*Used to, was wont to.*)

AUFGABEN

A. Beantworten Sie die folgenden Fragen:

  1. Was für Gegenstände waren in dieser Ausstellung zu sehen?
  2. Ist Bill allein gegangen?
  3. Wieviel Eintrittsgeld mußte er bezahlen?
  4. Was war besonders sehenswert?
  5. Was wollte Tom ansehen?
  6. Wo würden sie sich um ein Uhr treffen?
  7. Warum konnte Bill kein Auto kaufen?
  8. Was schloß Bill im Brief ein?
  9. Warum?
  10. Nennen Sie vier Teile eines Autos.
  11. Nennen Sie fünf Gegenstände mit Rädern.
  12. Nennen Sie drei öffentliche Gebäude.

B. Give the Conditional, Present and Past, 3rd person singular and
plural of:

Verkaufen, bringen, singen, legen, lesen, fahren, bieten,
schreiben, machen, bezahlen.

C. Rewrite the following sentences with the Subjunctive equivalent
for the Conditional and translate:

  1. Wenn ich Zeit hätte, würde ich nach Deutschland fahren.
  2. Wenn ich Zeit hätte, würde ich ins Kino gehen.
  3. Wenn ich Lust hätte, würde ich eine Zigarette nehmen.
  4. Wenn ich Zeit hätte, würde ich viele Bücher lesen.
  5. Wenn ich Zeit hätte, würde ich Sport treiben.
  6. Wenn er uns gesehen hätte, würde er uns gegrüßt haben.

7. Wenn er uns gesehen hätte, würde er nicht fortgelaufen sein.
8. Wenn er uns gesehen hätte, würde er den Hut aufgesetzt haben.
9. Wenn er uns gesehen hätte, würde er mit uns gesprochen haben.
10. Wenn er uns gesehen hätte, würde er uns haben grüßen müssen.
11. Wenn sie reich wären, würden sie bessere Kleider tragen.
12. Wenn wir krank wären, würden wir den Arzt anrufen.

D. Complete the following with a main clause (in the Conditional, if hypothetical; Indicative, if a fact):

1. Wenn ich einen großen Garten hätte, . . .
2. Wenn wir in Deutschland wären, . . .
3. Als ich in Deutschland war, . . .
4. Wenn er blind wäre, . . .
5. Wenn Sie schnell laufen, . . .
6. Wenn Sie schnell liefen, . . .
7. Wenn sie Wein trank, . . .
8. Wenn sie Wein tränke, . . .
9. Wenn er viel Geld gehabt hätte, . . .
10. Wenn Karl einen guten Akkumulator gehabt hätte, . . .

E. Translate into German:

1. It all depends on what you would like to see.
2. I should like to buy a watch if it is not too dear.
3. In your place I should inspect the battery.
4. Will you please give me more details about this prospectus.
5. In case you can't go, I will give you your money back.
6. He would have done it, if you had spoken quietly.
7. When I speak German I don't think of English words.
8. If I spoke German, I should go abroad for my holidays.
9. If he had spoken German, we should have understood him.

F. Schreiben Sie Karls Antwort auf diesen Brief (120 Worte).

READING PASSAGE

Das Dritte Reich

Diese Nachkriegszeit war auch eine Zeit der Inflation, der Not, der Enttäuschung, der Unruhe und Arbeitslosigkeit. Die Deutschen sahen sich in diesen dunklen Tagen nach einem Retter um. Viele wurden von der hysterischen Propaganda Hitlers verblendet; diejenigen, die Widerstand leisteten, wurden von den Nazis übermächtigt, verhetzt, eingesperrt, oder ermordet. Nach seiner 'Machtübernahme' (1933), ernannte sich der Kanzler Hitler mit Zustimmung von 38 Millionen Ja-Wahlen zum Präsidenten des 'Dritten Reichs'. Er versprach "Weltmacht oder Niedergang". Nach elf bitteren Jahren voller Schuld und Schande für die Deutschen und voller Schrecken und Greuel für die ganze Welt, kam der Niedergang.

DIE RÄUBER

Paula liebt das Theater. Sie gehört einer Liebhabertheatergruppe (alle Laien, natürlich) an, und hatte angefangen, als sie erst fünfzehn Jahre alt war, kleine Rollen zu spielen. Das erste Mal, als sie auf der Bühne erschien, hat sie Lampenfieber gehabt: aber das ist schon lange her. Sie mag die klassischen Stücke am liebsten, und es hat sie gefreut, daß ihre Gruppe sich entschlossen hat, "Die Räuber" von Schiller aufzuführen.

Dieses große Schauspiel wurde im Jahre 1781 geschrieben und hat sofort großen Beifall gefunden. Die stürmische, leidenschaftliche Sprache, die rasche, klare Handlung machen dieses Werk zum Lieblingsdrama der deutschen Jugend. Daher ist Paula begeistert, daß sie die Rolle der Amalia hat spielen dürfen. Die erste Probe sollte Freitag stattfinden.

Die jungen Leute haben um sechs Uhr anfangen wollen, aber Toni, der Intendant, hat erst um sieben Uhr kommen können. Daher haben sie auf ihn warten müssen. Jetzt ist es sieben Uhr. Obgleich es sehr kalt im ungeheizten Theater ist, steht Toni, wie alle Intendanten, in Hemdärmeln. Er hat die ganze Gruppe um sich auf die Bühne rufen lassen. Dort stehen sie in ihren Alltagskleidern und hören dem Intendanten zu.

Sie sind alle gute Freunde, kennen einander seit Jahren, daher duzen sie einander. Toni ermuntert sie zuerst mit ein paar Witzen, um alle in die richtige Stimmung zu bringen. "Seid ihr alle da?" fragt er, und schaut herum im Kreise. "Aber, Fritz, ich bemerke, daß du schon dein Bühnenkostüm trägst! Was? Das ist dein Trainingsanzug? Entschuldige, bitte, das hätte ich niemals glauben können." Alle sehen den dicken Fritz an und lachen. "Paula, mein schönes Kind, du lächelst: vergiss nicht, daß wir hier keine Posse spielen: in diesem Schauspiel geht es ernst zu. Nun dann, meine Freunde, zur Sache! Ihr kennt alle eure Rollen, nicht wahr? Steckt eure Texte in die Taschen und bildet euch ein, der Saal sei voll und das Publikum sehr kritisch.

Toni hat ein merkwürdiges Talent und mit großen Gesten zeigt er ihnen, wie jeder Charakter sprechen, handeln und selbst denken soll. "Und noch eins," fügt er hinzu. "Vergesst nicht die Ihr-Form des Verbs zu gebrauchen. Statt "Sie sehen", sagte Schiller "Ihr seht" – "Ihr" für "Sie", "Euch" für "Ihnen", "Euer" für "Ihr". Das war im achtzehnten Jahrhundert die höfliche Form, die auch Kinder ihren Eltern gegenüber gebraucht haben." Dann beginnt er zu lesen, von Anfang an, den Ersten Aufzug, die Erste Szene.

VOCABULARY

der Aufzug (⁼e) *act*
der Beifall *applause*
der Druck *print*
der Laie(-n) *amateur*
der Liebhaber(-) *lover, amateur*
die Liebhabertheatergruppe(-n) *amateur dramatic society*
der Intendant(-en) *producer*
der Räuber(-) *robber*
der Trainingsanzug(⁼e) *track-suit*
die Geste(-n) *gesture*
die Handlung(-en) *action*
die Pflicht(-en) *duty*
die Posse(-n) *farce*
die Probe(-n) *rehearsal*
die Rolle(-n) *role, part*
die Stimmung(-en) *mood*
das Alltagskleid(-er) *working clothes*
das Lampenfieber *stage fright*
das Publikum *audience*

das Talent (-e) *talent*
begeistert *enthusiastic*
deutlich *clear, obvious*
gotisch *Gothic*
kritisch *critical*
(un)geheizt (*un*)*heated*
an-gehören (+dat.) *to belong*
auf-führen *to produce*
gebrauchen *to use*
duzen *to address intimately*
ermuntern *to encourage, stimulate*
zur Sache *to the point*
es geht ernst zu *things are serious*
erst um sieben Uhr *not until seven o'clock*
macht es zum Lieblingsdrama *make it a favourite play*
ihren Eltern gegenüber *when addressing their parents*

GRAMMAR

I. Ihr *form*
   Ihr seht: ihr seid: es ist eure Pflicht.

Ihr is the second person plural familiar form, the plural of **du**. It is used when talking to a number of children or intimate friends. It was used as the polite form (instead of Sie) until the end of the eighteenth century. After ihr the verb ends in -t, e.g. ihr geht, ihr habt, ihr werdet, ihr arbeitet, ihr tragt: exception, ihr seid. The accusative and dative of ihr are euch. Ich sage euch – *I tell you*. The possessive adjective 'your', familiar form, is euer, with the same endings as sein, e.g.

euer Vater, eu(e)ren Vater, eu(e)res Vaters, eu(e)rem Vater
eu(e)re Pflicht   eu(e)rer Pflicht
euer Herz   eu(e)res Herzens, eu(e)rem
                           Herzen

The Imperative of this form is made by dropping the pronoun. Seht! *See*! Geht! *Go*!

2. *Past Tense of Modal Verbs*

Sie hat spielen dürfen.   *She has been allowed to play.*
Er hat nicht kommen können   *He was not able to come.*

The past participle of modal verbs used modally is the same as their infinitive, i.e. no ge-

This rule is extended to the occasional modal verbs, lassen sehen, hören, heißen, when they are used with another infinitive.

Er hat uns gehen heißen.
Ich habe sie spielen sehen.
Er hat einen Anzug machen lassen.
Wir haben sie kommen hören.
Man hat einen Arzt holen lassen.

AUFGABEN

A. Beantworten Sie die folgenden Fragen auf deutsch:

1. Wann hatte Paula Lampenfieber?
2. Was ist eine Theatergruppe?
3. Was hat sich diese Theatergruppe entschlossen, aufzuführen?
4. Wann wurden "Die Räuber" geschrieben und von wem?
5. Warum wurde es gleich zum Lieblingsdrama der deutschen Jugend?
6. Warum hat die Gruppe erst um sieben Uhr beginnen können?

7. Wie fängt die Probe an?
8. Wie ermunterte Toni die jungen Schauspieler?
9. Warum tadelte Toni Paula?
10. Erklären Sie die Wörter (*a*)Posse, (*b*)Laie, (*c*)duzen!

B. Give the second person plural familiar form of the following sentences; and translate:

1. Du sollst nicht stehlen.   2. Sie sehen blaß aus.
3. Es ist dir wohl.   4. Du hast mich gefragt.
5. Wüßtest du, wie deine Aufführung deine Mutter ängstigt!
6. Wie sind Sie darauf gekommen?
7. Seien Sie so gut, Ihre Violine mitzubringen.
8. Lassen Sie mich in Ruhe!   9. Gehen Sie weg!
10. Du würdest mehr aufpassen, wenn du klug wärest.

C. Give the Perfect Tense of these sentences and translate:

1. Ich muß meine Pflicht tun.
2. Sie dürfen diese Rolle spielen.
3. Er kann nicht schnell laufen.
4. Wir konnten dieses Stück üben.
5. Man ließ mich dieses Buch lesen.
6. Ich sehe den Räuber kommen.
7. Er soll seiner Mutter schreiben.
8. Ihr wollt ins Theater gehen.
9. Du magst uns nicht besuchen.
10. Sie mußte ins Geschäft eilen.

D. Geben Sie das Gegenteil zu: Voll, glücklich, gesund, schwierig, müde, dick, vorige Woche, unmöglich, zufrieden, gutherzig, im Dauerlauf, sprechen, der Erwachsene, gefangennehmen, allmählich.

E. Give the definite article and plural of: Bühne, Probe, Aufzug, Brief, Briefmarke, Museum, Korb, Schloß, Bein, Gesellschaft, Pflanze, Wohnung, Landschaft, Fabrik, Liebhaber, Stimmung.

F. Give a synonym in German for: Theaterstück, im Falle daß, ahnen, besichtigen, das Arbeiten, vorkommen, stattfinden, verbessern, Obst, Burg, Ort, Raum, Anekdote, senden, sich nennen.

G. Translate and give the Perfect Tense of:

1. Ich denke nicht daran.
2. Er schließt einen Prospekt ein.
3. Er vergißt, mich zu grüßen.
4. Es fällt mir ein, er äußert sich sehr schlecht.
5. Wir unterbrechen Sie nicht.
6. Ich mag es sehen.
7. Sie besichtigt das Museum.
8. Wir entschließen uns, zu gehen.
9. Ihr macht es an seiner Stelle.
10. Sie lassen sich das Haar schneiden.

H. Welches Drama würden Sie aufführen, wenn Sie Intendant einer Theatergruppe wären? Warum? Schreiben Sie ungefähr 150 Worte.

I. Translate into German:

We did not want to go to the theatre, but Wilhelm Tell was being produced. Besides, our old friend Brause was playing the chief part. Brause was an unhappy man. He had wanted to become a writer, but his father had made him an actor. As we had never seen him play, we decided to go. We did not arrive at the theatre until eight o'clock, but succeeded in getting good seats in the circle. The tension in the first act is dreadful and in the first scene you find yourself in the midst of the action. It was a very fine production and we enjoyed it very much.

READING PASSAGE

Das Neue Deutschland

Nach der Vernichtung der Nazis im Zweiten Weltkrieg(1945) war der Wiederaufbau der befreiten Länder(Deutschland inbegriffen) die Aufgabe der Alliierten. Die Russen verweigerten alle Mithilfe. Da Ostdeutschland in russischen Händen blieb, wurde es, wie alle anderen besetzten osteuropäischen Staaten, zu einer kommunistischen Republik(D.D.R), Teil eines Ostblocks, der den Westmächten gegenüberstand. Westdeutschland, aber, wurde zu einem demokratischen Bundesstaat(B.R.D), mit Landesverwaltung in den zehn Ländern und einer Zentralregierung in Bonn für Bundessachen. Die zehn Länder sind:-Schleswig-Holstein, Nieder-Sachsen, Nord-Rhein-Westfalen, Hessen, Rheinland-Pfalz, die Saar, Baden-Württemberg, Bayern und die Freistädte Hamburg und Bremen.

Die Bundesrepublik umfaßt rund 60 Millionen Einwohner, die in der Nachkriegszeit, durch vernünftige Politik und fleißige Arbeit West-Deutschland zum reichsten Staat in Europa gemacht haben. Die drei Parteien bringen ein politisches Gleichgewicht zustande — die C.D.U (Christlich-Demokratische Union) steht rechts, die S.P.D. (Sozialdemokratische Partei Deutschlands) links, und die F.D.U. (Frei-Demokraten) in der Mitte. Adenauer, der erste Kanzler war C.D.U; sein Nachfolger, Willi Brandt war S.P.D., sowie Schmidt, der gegenwärtige Chef einer S.P.D.-F.D.U Koalitionsregierung.

West-Berlin bildet eine Enklave mitten in der D.D.R, mit eigner Regierung und Oberbürgermeister. Es ist theoretisch ein Teil der B.R.D. aber praktisch nur durch Luftverkehr und zwei kontrollierte Autobahnen erreichbar, und durch 'die Mauer' von Ost-Berlin (Hauptstadt der D.D.R.) getrennt.

NOTE ON THE USE OF GOTHIC TYPE

There were formerly two kinds of type used in German printing. Roman type (the English kind) has now almost completely replaced their old Gothic type in daily use for newspapers and books. To familiarise the student with the Gothic, still seen in antiquated texts, a key is given on page 260.

Some Germans of the older generation continue to use Gothic script instead of the normal Roman letters.

THE ALPHABET

Roman	Gothic Type		Name (pronounced as in English)	Gothic Script	
	Capital	Small		Small	Capital
a	A	a	ah		
b	B	b	bay		
c	C	c	tsay		
d	D	ð	day		
e	E	e	eh		
f	F	f	eff		
g	G	g	gay		
h	H	h	hah		
i	J	i	ee		
j	J	j	yot		
k	K	k	kah		
l	L	l	ell		
m	M	m	em		
n	N	n	en		
o	O	o	oh		
p	P	p	pay		
q	Q	q	koo		
r	R	r	airr		
s	S	ſ, s	ess	(FINAL)	
t	T	t	tay		

Roman	Gothic Type		Name (pronounced as in English)	Gothic Script	
	Capital	Small		Small	Capital
u	U	u	oo		
v	D	v	fow		
w	w	w	vay		
x	X	x	iks		
y	Y	y	ipsilon		
z	3	3	tset		

ck = ck   ss = ſſ   tz = tz   sz = ß

KEY TO EXERCISES

(Alternative renderings are given in brackets)

Chapter 1: Page 20

A. Der Seemann, das Dorf, die Strasse, das Boot, der Mann, das Kind, die Frau, die Kirche, das Haus, der Baum, der Wagen, das Buch.

B. Ein Seemann, ein Dorf, eine Strasse, ein Boot, ein Mann, ein Kind, eine Frau, eine Kirche, ein Haus, ein Baum, ein Wagen, ein Buch.

C. 1. Ja, sie ist schön. 2. Ja, es ist klein. 3. Ja, sie ist warm. 4. Ja, es ist klein. 5. Ja, es ist deutsch. 6. Ja, es ist jung. 7. Ja, es ist alt.

D. 1. Nein, er ist nicht jung sondern alt. 2. Nein, sie ist nicht gross sondern klein. 3. Nein, er ist nicht jung sondern alt. 4. Nein, er ist nicht klein sondern gross. 5. Nein, sie ist nicht kalt sondern warm. 6. Nein, es ist nicht gross sondern klein. 7. Nein, es ist nicht alt sondern jung.

E. 1. Miesbach (Es) ist ein Dorf. 2. Ein Seemann (Er) ist ein Mann. 3. Die Sonne (Sie) scheint. 4. Ein Boot (Es) segelt. 5. Die Sonne (Sie) ist warm. 6. Dieses Dorf (Es) ist klein. 7. Die Kirche (Sie) ist alt. 8. Der Wagen (Er) ist klein. 9. Die Kirche (Der Baum) ist gross. 10. Dieses Dorf (Das Dorf, dieser Mann, der Mann) ist alt.. 11. (a) Der Engländer spricht Englisch.

(b) Der Franzose spricht Französisch.

(c) Der Italiener spricht Italienisch.

12. (a) Der Ostdeutsche wohnt in Ostdeutschland (in der Deutschdemokratischen Republik or DDR)

(b) Die Westdeutsche wohnt in Westdeutschland (in der Bundesrepublik Deutschland or BRD)

(c) Der Franzose wohnt in Frankreich.

Chapter 2: Page 24

A. Das Wasser, die See, der Mann, der Gott, der Wind, das Boot, das Schiff, der Sturm, der Seemann, die Wolke, die Sonne, die Luft, das Land, das Bild, der Kapitän.

B. Ein Wasser, eine See, ein Mann, ein Gott, ein Wind, ein Boot, ein Schiff, ein Sturm, ein Seemann, eine Wolke, eine Sonne, eine Luft, ein Land, ein Bild, ein Kapitän.

C. Dieses Wasser *this water*, welche See *which sea*, kein Mann *no man*, sein Gott *his God*, mein Wind *my wind*, dieses Boot, *this boat*, welches Schiff *which ship*, kein Sturm *no storm*, sein Seemann *his sailor*, meine Wolke *my cloud*, diese Sonne *this sun*, welche Luft *which air*, kein Land *no land*, sein Bild *his picture*, mein Kapitän *my captain*.

D. 1. blau (grau, schwarz, etc.) 2. freundlich (gut, etc.) 3. klein (alt, stark, schwarz, etc) 4. warm 5. schön (still etc.) 6. still (blau, schwarz, etc.)

7. frisch (freundlich, still, etc.) 8. freundlich (gut, schön, etc.) 9. blau
(schwarz, neu, alt, etc.) 10. schwarz.

Page 25

E. 1. Er 2. Er 3. Es 4. Sie 5. Es 6. Sie 7. Er 8. Er 9. Es 10. Sie

F. 1. Deutschland (Es) ist (auch) ein Land. 2. Der Kapitän (Er) ist (auch) ein
Seemann. 3. Ein Segelschiff (Es) ist (auch) ein Boot. 4. Ja, der Tag (er) ist auch
warm. 5. Das Wasser (Es) ist (auch) blau. 6. Der Wind (Er) ist freundlich 7. Die See (Sie) ist blau 8. Der Himmel (Er) ist blau (grau, etc.)
9. Die Luft (Sie) ist klar. 10. Ja, der, Kapitän (er) ist an Bord. 11. Der
Seemann ist (auch) an Bord. 12. Ja, das Bild (es) ist hier. 13. Ja, das Land (es) ist
auch hier. 14. Ja, der Seemann (er) ist freundlich. 15. Der Kapitän (der
Seemann) ist an Bord. 16. Der Seemann ist Kapitän. 17. Der Seemann (der
Kapitän) segelt. 18. Der Himmel (die Luft) ist klar. 19. Der Himmel (die See)
wird grau. 20. Der Wind (die See) wird - unfreundlich. 21. Die Sonne ist
warm. 22. Der Seemann wird nicht unglücklich. 23. Das Boot kommt an das
Land. 24. Die Sonne scheint. 25. Der Kapitän (der Seemann) macht alles.

H. 1. Das Wasser ist kalt. 2. Sein Boot ist alt. 3. Jener Mann ist sehr
freundlich. 4. Die Kirche ist klein. 5. Ist der Himmel blau? 6. Der Kapitän ist
nicht an Bord. 7. Wer segelt von Deutschland nach England? 8. Die Sonne
scheint heute nicht. 9. Der Seemann macht alles an Bord. 10. Dieses Kind ist
sehr jung. 11. In Ost-England ist es kalt, wenn der Wind kommt. 12. Wo wohnt
diese Deutsche? 13. Die Sonne scheint in Süd-Italien. 14. Meine Mutter ist
französisch aber sie wohnt in England. 15. Wer ist dieser Mann? Ist er der Kapitän?

Chapter 3: Page 30

A. Der Bruder, den Bruder; der Sohn, den Sohn; die Tochter, die Tochter; das
Fräulein, das Fräulein; der Hund, den Hund; das Haus, das Haus; das Dorf, das Dorf;
das Kind, das Kind; die Schwester, die Schwester; der Mann, den Mann; der
Himmel, den Himmel; der Wind, den Wind; der Tag, den Tag; der Stuhl, den Stuhl;
die Maus, die Maus; das Schiff, das Schiff.

B. Kein Bruder, keinen Bruder; kein Sohn, keinen Sohn; keine Tochter, keine
Tochter; kein Fräulein, kein Fräulein; kein Hund, keinen Hund; kein Haus, kein
Haus; kein Dorf, kein Dorf; kein Kind, kein Kind; ihre Schwester, ihre Schwester; ihr
Mann, ihren Mann; ihr Himmel, ihren Himmel; ihr Wind, ihren Wind; ihr Tag,
ihren Tag; ihr Stuhl, ihren Stuhl; ihre Maus, ihre Maus; ihr Schiff, ihr Schiff;

C. 1. alt (schön, gross, klein etc.) 2. gross (alt, klein etc.) 3. alt (schön, klein,
etc.) 4. schön (alt, etc) 5. Wotan. 6. ein Mann (an Bord) 7. alt (schön,
etc) 8. jung (schön). 9. Mädchen (Kind) 10. Paula (Liesel) 11. ein Mann.
12. alt.

Page 31

D. 1. Sie liebt es. 2. Es liebt ihn. 3. Er hat es. 4. Sie scheint nicht. 5. Sie
fängt sie. 6. Er hat einen(ihn) 7. Es hat keinen. 8. Er liebt es.

E. 1. Die Mutter liebt das Kind nicht. 2. Das Kind liebt den Vater nicht. 3. Der Vater hat kein Haus. 5. Die Katze fängt keine Maus. 6. Der Hund hat keinen Stuhl. 8. Der Seemann liebt sein Schiff nicht.

F. 1. Liesel ist ein Kind (ein Mädchen). 2. Sie liebt das Bild (ihren (den) Hund). 3. Sie liebt ihre Mutter (ihren Vater ihren Bruder etc.) 4. Paula ist ein Fräulein. 5. Paula liebt die Katze. 6. Ihr Bruder (Er) heisst Karl. 7. Herr Anton Schulz (Er) hat ein Haus (eine Familie). 8. Herr Schulz (Frau Schulz) hat einen Sohn. 9. Dieser Sohn ist nicht alt; er ist auch nicht jung. 10. Der Hund (Er) liebt Liesel (sehr). 11. Der Hund (Er) ist gross und braun und freundlich. 12. Ja, sie ist alt (nicht sehr alt). 13. Das Kind ist jung. 14. Die Katze (Sie) fängt eine Maus. 15. Miesbach (Es) ist ein Dorf. 16. Nein, das Haus (es) ist nicht klein, sondern gross (Nein, es ist gross). 17. Er kommt. 18. Er sitzt. 19. Nein, Karl (er) hat keine Frau. 20. Ja, das Dorf (es) hat eine Kirche. 21. Der Seemann (Der Kapitän) liebt sein Schiff (es). 22. Ja, das Kind (es) hat ein Buch. 23. Ja, es (das Schiff) hat einen (Mast). 24. Liesel (Herr Schulz, die Familie) hat einen (Hund).

H. 1. Er hat einen Hund. 2. Sie liebt ihr Kind. 3. Niemand liebt die Katze. 4. Hat ihr Vater ein Haus? 5. Dieser Junge hat keinen Bruder. 6. Sein Vater ist kein Seemann. 7. Haben sie einen Hund? 8. Niemand liebt dieses Bild. 9. Ihre Schwester heisst Liesel. 10. Diese (Jene) Frau hat keine Tochter sondern einen Sohn (aber sie hat einen Sohn). 11. Dieses Fräulein ist ganz hübsch. 12. Meine Tochter ist ein Teenager; sie ist nur achtzehn Jahre alt.

Chapter 4: Page 34

A. den Tag, die Küche, das Bett, diesen Abend, diese Nacht, dieses Klavier, meinen Hund, meine Tochter, mein Dorf, kein Schiff, keine Katze, sein Zimmer, diese Milch, diesen Kaffee, keinen Tee, jeden Lehrer, jedes Zimmer, sein Bier.

B. 1. Dieser Tag hat kein Ende 2. Dieser Student hat kein Buch 3. Mein Vater trinkt keinen Wein 4. Meine Mutter trinkt diesen Wein. 5. Dieses Kätzchen liebt den Teenager. 6. Die Violine ist ein Instrument. 7. Sie haben einen Lehrer. 8. Das Kätzchen wird eine Katze. 9. Sie lieben die Arbeit. 10. Der Hund trinkt keine Milch.

Page 35

C. Sie lachen, sie singen, sie arbeiten, sie kochen, sie sitzen, sie studieren, sie haben, sie wohnen, sie spielen, sie segeln.

D. 1. Der Garten ist schön, wenn die Sonne scheint. 2. Nein, Möhrchen ist keine Katze sondern ein Kätzchen. 3. Er ist zu alt; er schläft. 4. Marie (die Mutter) singt gern. 5. Der Vater arbeitet, wenn Liesel spielt. 6. Die Mutter (sie) arbeitet auch (sie hat viel Arbeit). 7. Der Vater (Er) spielt abends (Klavier). 8. Marie (Sie) spielt kein Instrument; sie singt. 9. Marie (die Mutter) macht das Haus sauber. 10. Marie (Die Mutter) macht das (jedes) Bett. 11. Anton und Marie (sie) wohnen in Miesbach. 12. Ein Wohnzimmer ist da, wo man wohnt und sitzt. 13. Der Vater (Er) trinkt Wein. 14. Paula und Karl (sie) trinken Tee. 15. Die Mutter trinkt Kaffee. 16. Der Kaffee ist warm (schwarz). 17. Die Sonne ist warm. 18. Nein, die Sonne scheint abends nicht. 19. Karl studiert. 20. Er studiert abends (Tag und Nacht). 21. Er studiert gern Englisch. 22. Jedes Kind hat (s) ein Schlafzimmer. 23. Der Tag ist schön, wenn die Sonne scheint. 24. Anton (Der Vater) spielt Klavier. 25. Das Schiff kommt an das Land, wenn Gott will.

E. 1. Welches Instrument spielt er? 2. Der Junge studiert gern. 3. Sie trinken Milch. 4. Das Schlafzimmer ist gross und sauber. 5. Jedes Haus hat auch eine Küche. 6. Was kocht die Mutter? 7. Sie arbeiten Tag und Nacht. 8. Was trinken sie gern? 9. Wer spielt gern Klavier? 10. Dieser Student studiert sein Buch abends (abends sein Buch). 11. Sie haben kein Fernsehgerät.

Chapter 5: Page 40

A. des Tag(e)s, des Freund(e)s, des Lied(e)s, des Zimmers, der Küche, der Mutter, eines Mannes, eines Hund(e)s, einer Katze, einer Frau, seines Kindes, eines Mädchens, ihres Bruders, seiner Schwester, welcher Tochter, meines Kuchens, dieses Glases, jedes Stück(e)s, seines Biers, meiner Arbeit.

B. 1. an Bord (ein Seemann). 2. Musiker (Meister jedes Instruments) (Herr Anton Schulz). 3. Schulz. 4. Schubert 5. Marie (Frau Schulz). 6. die Violine. 7. Klavier. 8. des Hundes 9. des Kindes 10. der Familie.

C. 1. Anton ist musikalisch. 2. Paula spielt Klavier. 3. Anton spielt jedes Instrument. 4. Der Hund bewacht das Haus. 5. Sie singt ein Lied. 6. Das Lied (Es) heisst Der Erlkönig. 7. Das Hausmädchen (Es) bringt etwas zu trinken. 8. Man trinkt Tee, Kaffee, Bier, Milch, Wein oder Wasser. 9. Wotan (Der Hund) bewacht das Haus. 10. Nein, er (Wotan) liebt die Musik nicht. 11. Der Name der Katze ist Möhrchen (Die Katze heisst Möhrchen). 12. Sie spielen ein Trio von Mozart. 13. Paula ist Antons Tochter. 14. Der Name der Königin ist Elisabeth (Die Königin heisst Elisabeth). 15. Marie hört gern Musik (ein Trio). 16. Anton (Er) trinkt gern ein Glas Bier (oder Wein) 17. Der Name eines Instruments ist das Klavier (eine Violine, ein Cello). 18. Anton (Er) spielt Cello (Klavier (Er spielt jedes Instrument). 19. Liesel lacht. 20. Karl und Paula (Sie) essen ein Stück Kuchen.

Page 41

E. 1. Das Ende des Stücks ist schön. 2. Der Name des Spielers ist Karl (der Spieler heisst Karl). 3. Sie essen ein Stück Kuchen. 4. Der Vater der Familie heisst Anton. 5. Das Hausmädchen bringt eine Tasse Kaffee. 6. Das ist das Ende des Tages. 7. Die Arbeit einer Mutter hat kein Ende. 8. Der Komponist jenes Lieds ist sehr jung. 9. Sie sagen 'Gute Nacht' uhd gehen zu Bett. 10. Mein Hund bewacht die Tür des Schlafzimmers. 11. Nicht jede Familie hat ein Fernsehgerät.

Chapter 6: Page 44

A. (a) dem Bruder, (b) keinem Bruder; dem Sohn, keinem Sohn; der Tochter, keiner Tochter; dem Fräulein, keinem Fräulein; dem Hund, keinem Hund; dem Haus, keinem Haus; dem Dorf, keinem Dorf; dem Kind, keinem Kind; der Schwester, ihrer Schwester; dem Mann, ihrem Mann; dem Himmel, ihrem Himmel; dem Wind, ihrem Wind; dem Tag, ihrem Tag; dem Stuhl, ihrem Stuhl; der Maus, ihrer Maus; dem Schiff, ihrem Schiff.

Page 45

B. 1. ein Paket (Zigarettenetui). 2. ein Messer. 3. 'Alles Gute zum Geburtstag'. 4. Danke schön. 5. ein Stück Kuchen. 6. die Kaffeekanne (eine Tasse Kaffee). 7. ihrem Bruder (Karl). 8. ihm (ihrem Bruder, Karl) 9. ihrem Sohn (ihm, Karl) 10. der Mutter. 11. seiner Freundin (ihr, Leni) 12. ihrem Mann (Anton)

C. ich bringe, ich spiele, ich öffne, ich bin, ich gebe, ich sage meinem (seinem), ich habe, ich hole, ich bin, ich sitze, ich mache, ich habe.

D. 1. Sie bringen, Sie spielen, Sie öffnen, Sie sind, Sie geben, Sie sagen Ihrem (seinem) Sie haben, Sie holen, Sie sind, Sie sitzen, Sie machen, Sie haben.

E. 1. Es ist Karls Geburtstag. 2. Der Vater gibt seinem Sohn eine Schallplatte. 3. Die Mutter schenkt ihrem Sohn ein Buch (Wörterbuch). 4. Paula gibt ihm einen Schlips. 5. Liesel schenkt ihm Zigaretten. 6. Karls (seine) Freundin ist (heisst) Leni. 7. Sie bringt ihm ein Paket (ein Zigarettenetui). 8. Sie gibt es ihm (Karl, ihrem Freund). 9. Leni raucht nicht (ich rauche nicht). 10. Ja, ich trinke gern Bier (Nein, ich trinke nicht gern Bier). (Bier nicht gern). 11. Nein, sie nimmt keinen Zucker. 12. Ja, ich nehme Zucker (Nein, ich nehme keinen Zucker). 13. Marie gibt Leni eine Tasse Kaffee. 14. Karl studiert Englisch. 15. Ich studiere Deutsch.

G. 1. Ich studiere Deutsch. 2. Sie gibt ihrem Bruder einen Schlips. 3. Danke schön! 4. Bitte schön! 5. Das Kind gibt seinem Bruder Zigaretten. 6. Die Mutter bringt ihrem Sohn eine Tasse Kaffee. 7. "Auf Wiedersehen", sagt er (zu) seiner Freundin. 8. Rauchen Sie diese Zigaretten gern? 9. Er bringt (holt) ihr den Mantel. 10. Sie geben dem Kind abends ein Glas Milch. (Man gibt dem Kind abends ein Glas Milch)

Chapter 7: Page 50
A.

N.	Der Anzug	der Schneider	die Familie	keine Arbeit
A.	den Anzug	den Schneider	die Familie	keine Arbeit
G.	des Anzugs	des Schneiders	der Familie	keiner Arbeit
D.	dem Anzug	dem Schneider	der Familie	keiner Arbeit

N.	das Bett	dieses Haus	welche Farbe	mein Mantel
A.	das Bett	dieses Haus	welche Farbe	meinen Mantel
G.	des Bettes	dieses Hauses	welcher Farbe	meines Mantels
D.	dem Bett(e)	diesem Haus(e)	welcher Farbe	meinem Mantel

N.	dieser Preis	jener Stoff	welches Kleid
A.	diesen Preis	jenen Stoff	welches Kleid
G.	dieses Preises	jenes Stoff(e)s	welches Kleid(e)s
D.	diesem Preis(e)	jenem Stoff(e)	welchem Kleid(e)

N.	kein Ende	ihr Mann
A.	kein Ende	ihren Mann
G.	keines Endes	(ihres) Mann(e)s
D.	keinem Ende	(ihrem) Mann(e)

B. ich sage; Sie sagen; er, sie, es sagt; wir, Sie, sie sagen.

ich antworte; Sie antworten; er, sie, es, antwortet; wir, Sie, sie antworten.

ich wünsche; Sie wünschen; er, sie, es, wünscht; wir, Sie, sie, wünschen.

ich öffne; Sie öffnen; er, sie, es öffnet; wir, Sie, sie, öffnen.

ich bin; Sie sind; er, sie, es ist; wir, Sie, sie sind.

ich habe; Sie haben; er, sie, es hat; wir, Sie, sie haben.

ich werde; Sie werden; er, sie, es wird; wir, Sie, sie werden.

C. 1. Der . . . dem. 2. Der . . . einen. 3. der . . . seinen. 4. Mein . . . seinem . . . einen. 5. Das . . . seinem . . . ein. 6. Das . . . der . . . eine. 7. Die . . . des 8. Der . . . des. 9. . . . den . . . den. 10. des.

D. 1 Er segelt (macht alles an Bord). 2. Er arbeitet nach Mass (macht einen Anzug, nimmt bei jedem Kind Mass). 3. Er macht Musik (spielt Klavier, Geige, etc.). 4. Der Himmel ist blau (grau, etc.). 5. Es ist braun. 6. Mein Anzug ist braun (blau etc.) 7. Nein, es ist nicht zu teuer. 8. Dieses Buch ist gut. 9. Er hat schon einen. 10. Er macht ein Kostüm für Paula. 11. Er macht einen Mantel für Liesel. 12. Er zeigt dem Vater (und der Mutter) seinen Stoff. 13a) Er ist braun. Er passt gut zu seinem (Paulas) Schlips. 13b) Ihr Stoff ist blau (Wolle aus England). 14. Die Farbe (des Stoffes) ist zu dunkel: sie steht ihr nicht. 15. Er antwortet immer, "Das stimmt!" 16. Er ist (nicht nur klein; sondern) auch dick und schlau. 17. Wolle kommt aus England. 18. Er macht das Kostüm bald (Montag) fertig. 19. Der Stoff des Schneiders (Die Wolle aus England) ist nicht zu teuer. 20. Ich studiere Deutsch. 21. Ja, ich spiele Klavier (Nein, ich spiele nicht Klavier). 22. Ja, ich esse gerne Kuchen. 23. Ja, ich habe einen Hund (Nein, ich habe keinen (Hund)). 24. Nein, Montag bin ich nicht hier (Ja, Montag bin ich hier); (ich bin Montag hier). 25. Ja, wir spielen Klavier (Nein, wir spielen nicht Klavier). Ja, wir essen gerne Kuchen. Ja, wir haben einen Hund (Nein, wir haben keinen (Hund)). Wir sind Montag nicht hier (Montag sind wir nicht hier) (Montag sind wir hier).

Page 51

F. 1. Ich kaufe ein Buch. 2. Sehen Sie den Seemann? 3. Er zeigt ihr das Tuch. 4. Sie haben recht. 5. Das stimmt. 6. Dieser Junge nimmt den Kuchen. 7. Ich kaufe gern(e) einen Hut. 8. Das Tuch ist nicht zu teuer, nicht wahr? 9. Der Schneider holt seinen Mantel. 10. Er öffnet das Paket nicht. 11. Er macht nichts. 12. Es macht nichts. 13. Wir essen gern(e) Kuchen und trinken gern(e) Wein. 14. Arbeitet Ihr Schneider nach Mass? Ja, mein Anzug passt sehr gut, nicht wahr?

Chapter 8: Page 57

A. das Jahr, die Jahre; die Stadt, die Städte; das Dorf, die Dörfer; der Mann, die Männer; der Sturm, die Stürme; der Gott, die Götter; der Tag, die Tage; die Wolke, die Wolken; das Boot, die Boote; das Land, die Länder; der Bruder, die Brüder; die Schwester, die Schwestern; die Mutter, die Mütter; die Tochter, die Töchter; der Vater, die Väter; das Mädchen, die Mädchen; das Kind, die Kinder; das Bett, die Betten; das Zimmer, die Zimmer; die. Maus, die Mäuse; der Wein, die Weine; die Kanne, die Kannen; der Musiker, die Musiker; die Arbeit, die Arbeiten; die Gabe, die Gaben; das Paket, die Pakete; die Freundin, die Freundinnen; das Buch, die Bücher; der Mantel, die Mäntel; der Anzug, die Anzüge; der Schneider, die Schneider; der Preis, die Preise; die Feder, die Federn; das Kleid, die Kleider; die Farbe, die Farben.

B. 1. Liesel ist acht Jahre alt. 2. Paula ist zwanzig Jahre alt. 3. Er zeigt zwei Stoffe. 4. Sie hat drei Kinder. 5. Liesel (Sie) gibt ihm Zigaretten. 6. Kaffee, Tee, Bonbon, Etui (Fremdwörter) haben die Endung -s im Plural. 7. Ja, ich mache oft Fehler (Nein, nicht zu oft) 8. Katzen und Hunde sind oft Freunde. 9. Katzen fangen Mäuse. 10. Das Haus hat acht Zimmer. 11. Nein, nicht alle Häuser haben acht Zimmer (Viele Häuser haben nur vier oder fünf Zimmer) 12. Nicht alle Dörfer sind klein (einige sind gross, aber viele sind klein) 13. Ja, heute hat der Himmel Wolken (Nur im Sommer sind keine Wolken am Himmel) 14. Viele Frauen haben Hausarbeit gern (Nicht alle Frauen haben Hausarbeit gern). 15. Karls Vater (Er) spielt alle Instrumente (Er ist Meister jedes Instruments). 16. Ein Schneider macht Kostüme und Anzüge. 17. England und Deutschland sind Länder. 18. Wotan und Möhrchen sind Tiere. 19. Blau und schwarz sind Farben. 20. Hamburg und Frankfurt sind Städte (in Deutschland).

C. 1. Die Mütter lieben die Kinder. 2. Die Väter der Kinder spielen nicht. 3. Die Katzen bringen den Kindern Mäuse. 4. Die Töchter holen ihren Müttern die Kleider. 5. Die Brüder lesen ihre Bücher. 6. Die Preise der Stoffe sind hoch. 7. Die Schneider geben ihren Söhnen Bonbons.

Page 58
D. 1. Diese Wörter sind deutsch. 2. Wie viele Studenten sind hier? 3. Welche Jungen rauchen Zigaretten? 4. Katzen und Hunde sind Tiere. 5. Die Häuser des Dorfes sind klein. 6. Die Städte sind nicht sehr gross. 7. Ich gebe meinen Freunden Bücher und Bilder. 8. Macht dieser Schneider Ihre Anzüge? 9. Rot-weiss-blau sind die Farben unseres Landes. 10. Die Freunde des Jungen bringen ihm Geschenke. 11. Lieder ohne Worte.

Chapter 9: Page 63
B. 1. *I shan't speak another word now*: Jetzt spreche ich kein Wort mehr. 2. *The innkeeper asks, "Is that true?"* "Ist das wahr," fragt der Wirt. 3. *I don't see any friend here*: Hier sehe ich keinen Freund. 4. *In the end, the sailor comes with his dog*: Endlich verkauft der Seemann seinen Hund. 5. *One day a tailor comes with his material*: Eines Tages kommt ein Schneider mit seinem Tuch. 6. *The family lives in Miesbach*: In Miesbach wohnt die Familie. 7. *He pours out a glass for the child as well*: Auch füllt er ein Glas für das Kind. 8. *The sailor says, "That won't do!"* "Das geht nicht," sagt der Seemann. 9. *"Monday will suit me, too," says Karl*: "Montag passt mir auch," sagt Karl. 10. *It often catches a mouse*: Oft fängt sie eine Maus.

C. 1. Ist der Seemann schlau? *Is the sailor artful?* 2. Liebt die Familie ihren Hund? *Do the family love their dog?* 3. Spielt Karl gern Klavier? *Does Karl like playing the piano?* 4. Verkaufen sie ihr Haus? *Are they selling their house?* 5. Ist das nicht wahr? *Isn't that true?* 6. Heisst er Wotan? *Is his name Wotan?* 7. Wohnt die Familie in Miesbach? *Do the family live in Miesbach?* 8. Isst das Kind gern Bonbons? *Does the child like sweets?* 9. Nimmt sie Zucker und Milch? *Does she take sugar and milk?* 10. Schreiben Sie Ihre Aufgabe? *Are you writing your exercise?*

D. 1. Geben Sie mir einen Kuchen! *Give me a cake.* 2. Nehmen Sie bitte, ein Stück Papier! *Please take a piece of paper.* 3. Gehen Sie nicht in das Wirtshaus! *Don't go into the inn.* 4. Sagen Sie kein Wort! *Don't say a word.* 5. Machen Sie das Bett! *Make the bed.* 6. Schreiben Sie Ihre Aufgabe! *Write your exercise.* 7. Sehen Sie doch meinen Hund! *Do look at my dog.* 8. Trinken Sie zuerst Ihre Medizin! *First drink your medicine.* 9. Essen Sie dann ein Bonbon! *Then eat a sweet.* 10. Geben Sie dem Fräulein eine Zigarette! *Give the girl a cigarette.*

E. 1. Bitte, holen Sie mir den (meinen) Mantel! 2. Der Wirt öffnet eine Flasche Wein. 3. Mein Junge arbeitet jetzt nicht. 4. Heute gehe ich nach Hause. 5. Verkaufen Sie Ihr Haus? 6. Der Seemann ist sehr erstaunt. 7. Geben Sie mir zehn Mark für den Hund! 8. Bitte, Geben Sie meinem Freund ein Glas Wasser! 9. Die Mädchen schreiben ihre Aufgaben jeden Montag. 10. Katzen und Hunde sind nicht immer freundlich (Freunde). 11. Schweigen Sie doch! Ich lese mein Buch. 12. Ich habe kein Geld; ich bezahle morgen. Das mag ich nicht; bitte, bezahlen Sie heute!

Chapter 10: Page 67

A. 1. Die Stadt ist fünf Kilometer weit von Miesbach. 2. Marie geht jeden Freitag (Jeden Freitag geht Marie) nach Lippstadt. 3. Sie (geht zu ihren Freundinnen und) macht Einkäufe in der Stadt. 4. Der Bus hält der Kirche gegenüber. 5. Der Arzt holt seinen Wagen aus der Garage. 6. Der Arzt fährt nach der Stadt. 7. Eine Freundin von Frau Schulz (Marie) wohnt dem Krankenhaus gegenüber. 8. Sie trinkt eine Tasse Tee bei ihrer Freundin. 9. Im Supermarkt kauft sie (ein Pfund) Butter (ein Kilo) Zucker, (500 Gramm) Wurst, (zwei) Brote und (hundert Gramm) Kaffee. 9b) Beim Metzger kauft sie (ein Pfund) Fleisch. 10. Zwei Strümpfe machen ein Paar. 11. (Die Freundin kauft nichts im Supermarkt, aber) im Kaufhaus kauft sie Strumpfhosen, einen Hut und eine Handtasche. 12a) Marie kauft Bonbons, Zigaretten, zwei Paar Strümpfe und eine Bluse im Kaufhaus. b) Ihre Freundin kauft Strumpfhosen, einen Hut und eine Handtasche (im Kaufhaus).

Page 68

B. 1. meiner 2. Jahren 3. dem 4. einer 5. der 6. dem 7. seinem 8. dem 9. der 10. seinem 11. dem 12. seinem.

C. 1. Wir sprechen von unseren Arbeiten. 2. Wir wohnen seit acht Jahren in England. 3. Wer wohnt bei den Doktoren? 4. Sie schreiben mit Federn. 5. Wir spielen nach den Arbeiten. 6. Die Schiffe segeln nach den Ländern. 7. Die Kinder spielen mit ihren Vätern. 8. Die Garagen sind den Häusern gegenüber. 9. Unsere Freundinnen fahren aus den Städten. 10. Die Hunde gehen ihren Herren entgegen. 11. Ausser den Kindern war die ganze Familie da. 12. Sie sprechen von ihren Freunden.

D. 1. Aus der Garage holt der Arzt seinen Wagen. 2. Jeden Montag macht die Familie Musik. 3. Jeden Tag kaufen wir zehn Zigaretten. 4. Zuerst sieht mein Freund meine Aufgabe. 5. In zehn Minuten kommen sie nach Lippstadt. 6. Seit zwei Jahren wohnt der Schneider hier. 7. Hier wohnt der Schneider seit zwei Jahren. 8. Eines Tages kommt der Schneider zu der Familie. 9. Hier spricht man

Deutsch. 10. Nach Hause fahre ich nach der Arbeit. 11. Im Kaufhaus kauft man Damen- und Herrenkleider. 12. Heute hat der Metzger keine Wurst.

Page 69

F. 1. Der Arzt fährt aus der Garage. 2. Ich wohne mit (bei) meinen Freunden. 3. Er spricht von dem Wirt. 4. Dieser Schneider wohnt seit zwei Jahren hier. 5. Sie geht (fährt) mit ihrer Freundin. 6. Der Seemann trinkt aus der Flasche. 7. Ich trinke nicht aus Flaschen (aus keinen Flaschen). 8. Nach der Arbeit gehe ich nach Hause. 9. Mein Freund (Meine Freundin) kommt von diesem Dorf(e). 10. Strumpfhosen sind nicht zu teuer in diesem Kaufhaus. 11. Jede Hausfrau macht gern Einkäufe in einem Supermarkt. 12. Einige Deutsche essen jeden Tag gern Wurst.

Chapter 11: Page 73

A. 1. Gegen Mittag gehen die zwei Damen zum Restaurant. 2. Man isst und trinkt im Restaurant. 3. Der Kellner findet einen Platz für sie. 4. Ja, Marie ist hungrig (Sie isst zwei Portionen). 5. Sie isst ein Paar Würstchen mit Kartoffelsalat (und als Nachspeise, Apfeltorte). 6. Sie isst keine Kartoffeln, denn sie hat keinen Hunger. 7. Marie hat zwei Portionen, denn sie ist sehr hungrig. 8. Das Orchester spielt (im Radio) während des Essens. 9. Marie (Frau Schulz) bezahlt das Essen. 10. Die Damen besuchen eine Freundin. 11. Sie fahren mit einer Taxe. 12. Sie wohnt in der Hansastrasse (jenseits des Krankenhauses) (in Lippstadt).

B. 1. den 2. diesen 3. die 4. meine 5. den 6. unseren 7. ihren 8. der 9. seiner 10. des . . . dem 11. des 12. des 13. des 14. der.

C. die Wurst, der Wurst, die Würste; das Auto, des Autos, die Autos; das Fenster, des Fensters, die Fenster; der Strumpf, des Strumpfes die Strümpfe; die Kirche, der Kirche, die Kirchen; die Garage, der Garage, die Garagen; der Arzt, des Arztes, die Ärzte, die Stadt, der Stadt, die Städte; die Minute, der Minute, die Minuten; die Stunde, der Stunde, die Stunden; der Eingang, des Eingangs, die Eingänge; der Fahrer, des Fahrers, die Fahrer; die Rechnung, der Rechnung, die Rechnungen.

D. nach der Fahrt, *after the trip(drive)*; durch die Stadt, *through the town*; ohne einen Strumpf, *without a stocking*; mit einem Hut, *with a hat*; aus dem Fenster, *out of (from)* the window; während des Essens, *during the meal*; von dem Auto, *from (of)* the car; ausserhalb der Kirche, *outside the church*; innerhalb der Garage, *inside (within)* the garage; um das Haus, *around the house*; durch den Eingang, *through the entrance*; trotz des Windes, *in spite of the wind*; für den Hund, *for the dog*; ausserhalb des Wirtshauses, *outside the inn*; ohne ein Wort, *without a word*.

Page 74

F. 1. Während des Regens sitzen wir im Wagen. 2. Anstatt (Statt) eines Mantels macht er einen Anzug für meinen Vater. 3. Die Jungen laufen aus dem Hause und durch den Garten. 4. Diese Dame kommt mit ihrem Mann(e). Sie geht nie ohne ihn. 5. Die Studenten sitzen um den Tisch. 6. Er fährt nicht schnell durch das Dorf. 7. Nach ihrer Arbeit sitzt meine Mutter gern(e) mit meinem Vater. 8. Trotz seiner Fehler spricht er gut Deutsch. 9. Was (Wie viel) bezahlen Sie für diese Äpfel? 10. Nehmen Sie die Hand aus der Tasche.

Chapter 12: Page 78

A. 1. Der Arzt geht (fährt) in das Krankenhaus (geht in das Zimmer). 2. Er hängt seinen Mantel an die Wand. 3. Er setzt sich auf einen Stuhl (an den Tisch). 4. Die Schwester klopft an die Tür. 5. Sie legt die Liste auf den Tisch. 6. Die Katze (Sie) springt auf den Tisch. 7. Das Kind geht hinter den Stuhl. 8. Das Spielzeug ist (liegt) unter dem Tisch. 9. Die Eltern warten im Warteraum (mit ihren Kindern). 10. Neben dem Arzt steht eine Schwester. 11. Der Wagen wartet vor der Tür (dem Krankenhaus). 12. Die Klinik liegt im zweiten Stockwerk (des Krankenhauses). 13. Toni hat eine Geschwulst hinter dem Ohr. 14. Auf dem Tisch liegen die Instrumente des Arztes. 15. Die kleine Patientin hat Augenschmerzen. 16. Er fühlt ihren Puls und misst die Temperatur. 17. Er gibt ihr ein Bonbon. 18. Die Eltern sitzen mit den Kindern im Warteraum. 19. Die (Eine) Schwester bringt die Kinder zum Arzt. 20. Der Arzt macht die Kinder (Patienten) gesund.

B. 1. der 2. das 3. die 4. dem 5. dem 6. den 7. dem (im) 8. der 9. die 10. dem 11. der ... dem 12. den.

Page 79

C.

Ich lasse	wir lassen;	ich hänge	wir hängen;
ich öffne	wir öffnen;	ich bin	wir sind;
ich schlafe	wir schlafen;	ich warte	wir warten;
ich habe es gern	wir haben es gern;	ich gehe	wir gehen;
ich sitze	wir sitzen;	ich tue	wir tun;
ich laufe	wir laufen;	ich messe	wir messen.

D. In der Nacht; am Tage; inzwischen; zuerst; danke schön; bitte schön; das stimmt; Sie haben recht; nicht wahr? noch ein Glas, bitte; legen Sie mein Buch auf den Tisch; ich habe Augenschmerzen; zeigen Sie mir die Zunge!

Chapter 13: Page 81

A. der Wald, des Waldes, die Wälder;   das Gewehr, des Gewehrs, die Gewehre; der Baum, des Baum(e)s, die Bäume;   die Krankheit, der Krankheit, die Krankheiten;

der Tisch, des Tisches, die Tische;   der Brief, des Brief(e)s, die Briefe;

der Boden, des Bodens, die Böden;   die Wand, der Wand, die Wände;

die Lampe, der Lampe, die Lampen;   das Ohr, des Ohr(e)s, die Ohren;

das Krankenhaus, des Krankenhauses, die Krankenhäuser;

der Wagen, des Wagens, die Wagen;   der Hund, des Hund(e)s, die Hunde;

das Buch, des Buch(e)s, die Bücher;   der Schneider, des Schneiders, die Schneider;

das Tuch, des Tuch(e)s, die Tücher;   die Tochter, der Tochter, die Töchter;

das Glas, des Glases, die Gläser;   das Brot, des Brot(e)s, die Brote;

der Stoff, des Stoff(e)s, die Stoffe;   die Tasse, der Tasse, die Tassen;

das Fenster, des Fensters, die Fenster;   der Kellner, des Kellners, die Kellner;

der Anzug, des Anzugs, die Anzüge;   die Schule, der Schule, die Schulen;

der Abend, des Abends, die Abende;   die Nacht, der Nacht, die Nächte;

der Freund, des Freund(e)s, die Freunde;   die Freundin, der Freundin, die Freundinnen;

B. ich mache, er, sie, es macht, Sie machen; ich schiesse, er schiesst, Sie schiessen; ich sage, er sagt, Sie sagen; ich spreche, er spricht, Sie sprechen; ich antworte, er antwortet, Sie antworten; ich lasse, er lässt, Sie lassen; ich schreibe, er schreibt, Sie schreiben; ich sehe, er sieht, Sie sehen; ich gehe, er geht, Sie gehen; ich fahre, er fährt, Sie fahren.

C. 1. (ans) das. 2. das. 3. keinen . . . einen. 4. meinen . . . des (meines). 5. einen . . . seinem. 6. den. 7. (im) dem. 8. unserem. 9. des . . . die. 10. Ihrer. 11. den. 12. seinem. 13. des. 14. der. 15. jeden . . . die. 16. der. 17. diesen . . . dem. 18. meiner. 19. das . . . sein. 20. der.

Page 82

D. 11. Durch den Wald läuft die Strasse. 12. In seinem Zimmer arbeitet Herr Schulz. 13. Ausserhalb des Dorfes wohnt unser Freund, der Schneider 14. Am Freitag arbeitet der Arzt in der Klinik (In der Klinik arbeitet der Arzt am Freitag) 15. Jeden Freitag fährt er in die Klinik. (In die Klinik fährt er jeden Freitag—*only, as in 14, to emphasise Klinik.*) 17. Unter dem Tisch hat der Schneider diesen Stoff. 18. Bei meiner Schwester wohnt dieser Junge. 19. Unter sein Buch legt der Student das Papier. 20. An der Wand hängt das Bild.

F. 1. Der Arzt will kein Geld. 2. Es geht jetzt besser. 3. Eine elektrische Lampe hängt über dem Tisch. 4. Woher kommen Sie (Wo kommen Sie her)? 5. Wohin gehen Sie? 6. Ist ein Platz frei, bitte? 7. Die Hausfrau macht gern(e) Einkäufe (macht Einkäufe gern(e). 8. Wir hören gern das Orchester im Café (Restaurant). 9. Es hängen keine Bilder an unseren Wänden. 10. Gehen Sie jeden Freitag in die Stadt? 11. Mein Freund wohnt in der Stadt (Meine Freundin wohnt . . .)

Chapter 15: Page 91

A. sechs; acht; elf; dreiundzwanzig; vierundfünfzig; neunundsechzig; fünfundachtzig; zweiundneunzig; hunderteinundzwanzig; dreihundertsiebenundachtzig; vierhundertzweiunddreissig; elfhundertzweiundsiebzig; tausendvierhundertachtundneunzig (vierzehnhundertachtundneunzig); dreitausendzweihundertvierundsechzig; fünfzehntausendvierhundertachtundsiebzig; zweihundertsechsundfünfzigtausendsiebenhunderteinundachtzig; eine Million achthundertsiebenundneunzigtausendfünfhundertsechsunddreissig; vierunddreissig Millionen achthundertneun tausendsiebenhundertachtundfünfzig; vierundneunzig; zweiundfünfzig; dreiunddreissig; achtundfünfzig; neunzehn; fünf.

B. 1. Es sind –?– Stundenten in dieser Klasse (In dieser Klasse sind –?– Studenten). 2. Dieses Jahr ist neunzehnhundert –?–. 3. Ich rauche –?– (keine) Zigaretten am Tage. 4. Karl ist achtzehn Jahre alt. 5. Der (Monat) April hat dreissig Tage; der (Monat) Mai hat einunddreissig Tage; der (Monat) Dezember hat einunddreissig Tage. 6. Zweimal vier macht acht; dreimal vier macht zwölf; fünfmal vier macht zwanzig. 7. neunmal acht ist zweiundsiebzig; neunmal neun ist einundachtzig; neunmal zehn ist neunzig. 8. Vier und sechs sind zehn; sechs und zehn sind sechzehn; zehn und neun sind neunzehn. 9. Neunzehn und achtzig sind neunundneunzig; einundvierzig und elf sind zweiundfünfzig. 10. Vier weniger zwei ist zwei; acht weniger eins ist sieben; zehn weniger drei ist sieben; einundzwanzig weniger neun ist zwölf; hundert weniger eins ist neunundneunzig. 11. Die Tage sind lang im Sommer. 12. Die Tage sind kurz im Winter (Im Winter sind die Tage kurz). 13. Die Blätter fallen im Herbst. 14. Im Frühling beginnen die Pflanzen zu wachsen. 15. Im Winter findet man Eis auf der Erde (Man findet Eis im Winter auf der Erde). 16. Die Bauern ernten ihr Korn (und Kartoffeln) im Herbst. (Im Herbst ernten die Bauern ihre Kartoffeln). 17. Eine Woche hat sieben Tage (Es sind sieben Tage in der Woche). 18. Die Tage der Woche heissen; – Sonntag, Montag, Dienstag, Mittwoch, Donnerstag, Freitag, Sonnabend oder Samstag. 19. Die Monate des Jahres heissen: Januar, Februar, März, April, Mai, Juni, Juli, August, September, Oktober, November, Dezember. 20. Das Jahr hat (Es sind im Jahre) dreihundertfünfundsechzig Tage. 21. Jeder Tag hat vierundzwanzig Stunden.

C. 1. sind (werden); *the leaves fall because they are (become) old.* 2. hat; *the sailor doesn't have a drink, because he has no money.* 3. scheint; *A day is lovely, when the sun shines.* 4. habe; *I eat bread, when I have no cake.* 5. hat; *the earth sleeps, when it has a mantel of snow.* 6. ist; *nobody loves the cat, because it is not faithful.* 7. ist; *we don't get into the boat, because the sky is grey.*

Page 92
D. 1. Die Tage sind kürzer im Herbst. 2. Es ist wärmer im Sommer. 3. Wir haben weniger Eis im Frühling (Im Frühling haben wir weniger Eis), weil es wärmer ist. 4. Ich bin älter als Sie. 5. Er trägt wärmere Kleider, wenn es kalt ist. 6. Mein Garten ist länger als unsere Strasse. 7. Wenn ich kein Fleisch habe, esse ich Fisch. 8. Weil sie hungrig ist, bestellt sie noch zwei Würste. 9. Wenn die Tage kurz sind, gehen wir früh ins Bett. 10. Karl übt ein neues Stück, weil er es gern hat (mag).

Chapter 16: Page 96
A. Der Vater (die Mutter) ist älter als Paula. 2. Liesel ist am jüngsten. 3. Ein Deutscher (mein Lehrer) spricht besser Deutsch als ich. 4. Nein, eine Katze ist nicht so gross wie ein Hund. (Sie ist kleiner als ein Hund.) 5. Der Amerikaner kommt aus Boston. 6. Der Deutsche zeigt ihm den Kölner Dom (die ältesten Gebäude der Stadt). 7. Er prahlt zu viel. 8. Ein Wort für ein sehr hohes Gebäude ist ein Wolkenkratzer. 9. Stein ist schöner, aber Eisenbeton ist stärker. 10. Der Amerikaner lacht endlich, weil man ihn zum besten hat.

B. 1. als . . . wie. 2. wie . . . als. 3. als . . . wie. 4. als . . . wie. 5. als. 6. wie . . . als.

Page 97
C. 1. stärker, am stärksten. 2. grösser, am grössten. 3. höher, am höchsten. 4. schwerer, am schwersten. 5. besser, am besten. 6. mehr, am meisten.

D. eines netten Kerls, nette Kerle; meines englischen Freund(e)s, meine englischen Freunde; der älteren Stadt, die älteren Städte; seines schönen Land(e)s, seine schönen Länder; einer neuen Kirche, neue Kirchen; meines besten Freund(e)s, meine besten Freunde; eines Londoner Wolkenkratzers, Londoner Wolkenkratzer.

F. 1. Paula ist schöner (hübscher) als Karl, aber er ist klüger als sie. 2. Kennen Sie meinen Arzt? Er ist der beste in der Stadt. 3. Diese Brücke ist länger als die (jenigen) in England. 4. Jener (dieser) Wolkenkratzer in Boston ist nicht so hoch wie der Dom. 5. Ich spreche gut Deutsch, aber nicht so gut wie ein Deutscher. 6. Welche ist Ihre interessanteste Anekdote? 7. Ich mag (ich habe) am liebsten die vom Amerikaner in Deutschland. 8. Mein älterer Bruder raucht gern(e) Zigaretten, aber am liebsten raucht er Pfeife (aber er raucht lieber Pfeife). 9. Karls bester Freund ist etwas älter als er. 10. Welches Ihrer Kinder (von Ihren Kindern) ist am klügsten? (Welches ist Ihr klügstes Kind?)

Chapter 17 Page 101

A. 1. Sobald Karl nach Hause kommt, geht er (zuerst) in die Garage. 2. Er hat sein Motorrad in der Garage. 3. Der Wagen seines Vaters steht auch dort. 4. Ein (jedes) Auto hat vier Räder. 5. Karl kauft eine neue Batterie, weil die alte kaputt (so schwach) war(ist). 6. Kaputt heisst *broken, finished, done for* (nicht mehr nützlich). 7. Wenn Karl den Starter dreht, passiert nichts. 8. Er ruht, weil er müde wird (ist). 9. Seine Mutter ruft, "Karl, es ist Zeit zum Mittagessen (zu kommen)." 10. Er verlässt sogleich die Garage, weil er hungrig ist. 11. Er antwortet nicht, weil sein Mund voll ist. 12. Er lacht, weil er ein freundlicher Kerl ist.

B. 1. als: *A dog runs more quickly than A man.* 2. wie: *this car is not so good as it used to be* (*was*) (*once was*). 3. als, so gross wie: *Germany is bigger than England, but not so large as America.* 4. als: *everybody works better in the day-time than at night.* 5. als . . . am grössten: *a cat is bigger than a mouse, but a dog is biggest.* 6. jünger . . . am jüngsten: *Paula is younger than the (her) mother, but Liesel is the youngest.* 7. als: *in summer the days are longer than in winter.* 8. zu: *the tailor tries to mend the suit.* 9. zu: *this gentleman has nothing to say to me.* 10. als: *the teacher speaks better German than the student.*

C. 1. *He is repairing the engine, because it is broken* (*won't go*): Weil die Maschine kaputt ist, repariert er sie. 2. *He is buying a new battery, because the starter doesn't work:* Weil der Starter nicht geht, kauft er eine neue Batterie. 3. *She goes into the restaurant, because she is hungry:* Weil sie hungrig ist, geht sie ins Restaurant. 4. *The tailor will make us a new suit, if we give him the money:* Wenn wir ihm Geld geben, macht uns der Schneider einen neuen Anzug. 5. *The doctor visits us when we are ill:* Wenn wir krank sind, besucht uns der Arzt. 6. *The boat gets to the land, when the wind gets stronger:* Sobald der Wind stärker wird, kommt das Boot ans Land. 7. *The child likes the dog, because it is good:* Weil der Hund gut ist, hat ihn das Kind gern.

Page 102

D. 1. Dieser Wagen fährt schneller als das Motorrad. 2. Unser Hund ist klüger als unsere Katze. 3. Er arbeitet gern, und ich spiele gern. 4. Nach zehn Minuten geht er ins Haus. 5. Weil er hungrig ist, geht er in ein Restaurant. 6. Wenn ich zu Hause bin, spiele ich meine Violine. 7. Wenn sie krank ist, geht sie zum Arzt.

Key to Illustration of Bicycle

1. Das Fahrrad (¨er), Rad, Zweirad, *cycle*
   Der Radler(-), die Radlerin(-nen) *cyclist*
   Der Radfahrer(-), die Radfahrerin radeln *to cycle*
2. der Lenker(-), die Lenkstange(-n) *handle bar*
3. der Handgriff(-e) *grip*
4. die Fahrradglocke(-n), der Fahrradklingel(-n) *bell*
5. die Handbremse(-n) *brake*
6. der Scheinwerfer(-) *head-lamp*
7. die Vorderradgabel(-n) *front fork*
8. das vordere Schutzblech(-e) *front mudguard*
9. der Kindersitz(-e) *child's pillion seat*
10. der Fahrradsattel(-) *saddle*
11. die Sattelfeder(-n) *saddle spring*
12. die Satteltasche(-n) *saddle-bag*

13. das Rad, Vorderrad, *front wheel*
14. die Nabe(n) *hub*
15. die Speiche(-n) *spoke*
16. die Felge(-n) *rim*
17. der Reifen(-) *tyre* der Schlauch(¨e) *tube* der Mantel(¨) *cover*
18. das Ventil(-e) *valve*
19. das Kettenrad *chain-wheel*
20. die Kette(-n) *chain*
21. das hintere Kettenzahnrad *rear gear-wheel*
22. das Pedal(-e) *pedal*
23. das hintere Schutzblech *rear mudguard*
24. der Gepäckträger(-) *carrier*
25. der Rückstrahler(-), das Katzenauge(-n) *reflector*
26. das Rücklicht(-er) *rear-light*
27. die Fahrradpumpe(-n) *pump*

in der Tasche -*in the saddle-bag*
die Ölkanne(-n) *oil-can*
2 Reifenheber *tyre-levers*
der   Schraubenschlüssel(-)   *adjustable spanner*
der Mutternschlüssel(-) *wrench*
der Schraubenzieher(-) *screwdriver*
das Flickzeug(-e) *repair outfit*
das Glaspapier(-e) *glass-paper*
der Rundflick *circular patch*
die Gummilösung *rubber solution*

Chapter 18: Page 106

A. (*a*) eins; dreiundzwanzig; vierundfünfzig; neunundsechzig; fünfundachtzig; zweiundneunzig; hunderteinundzwanzig; dreihundertsiebenundachtzig; vierhundertzweiunddreissig; elfhundertzweiundsiebzig (tausendhundertzweiundsiebzig; dreitausendzweihundertvierundsechzig; fünfzehntausendsiebenhundertachtundvierzig; hundertneunundachtizigtausendsiebenhundertsechsundfünfzig; neunzehnhundertfünfzig; neunzehnhunderteinundfünfzig; neunzehnhundertzweiundfünfzig; neunzehnhundertneununddreissig (tausendneunhundertneununddreissig).
(*b*) Die Hälfte; zwei Drittel; drei Viertel; sieben Achtel; sieben Zehntel; neun Zwanzigstel; ein Sechzigstel.
(*c*) Erster(-e, es), zweiter(-e, -es), fünfte, achte, dritte, vierte, zwanzigste, zweiunddreissigste, hundertste, hunderterste;

Page 107

B. ein Uhr; acht Uhr n.M.; Viertel nach acht (Viertel neun); Viertel vor neun (Dreiviertel neun); zwanzig Minuten nach fünf (fünf Uhr zwanzig); fünfundzwanzig Minuten nach neun (Uhr) (neun Uhr fünfundzwanzig (Minuten)); fünf Minuten nach acht (Uhr); zehn Minuten vor drei; Viertel vor elf (Dreiviertel elf); halb elf; zwanzig Minuten vor sieben; halb acht.

C. Es ist der dritte (Den dritten) Juli, neunzehnhundertfünfundvierzig.

Es ist der zwölfte (Den zwölften) Februar achtzehnhundert (tausendachthundert) fünfundzwanzig.

Es ist der dreissigste(Den -n) November, siebzehnhundertvierzehn.

Es ist der fünfundzwanzigste April, tausenddreiundneunzig.

Es ist der zweite September, neunzehnhundertneununddreissig.

Es ist der erste März, neunzehnhundertfünfzig.

Es ist der dritte Juli, neunzehnhunderteinundfünfzig.

Es ist der sechsundzwanzigste Oktober, neunzehnhundertfünfundfünfzig.

Es ist der erste Januar, achtzehnhundertfünfzehn.

Es ist der neunundzwanzigste Juni, achtzehnhundertfünfundneunzig.

Es ist der neunzehnte Dezember, neunzehnhundertzwei.

Es ist der siebenundzwanzigste Mai, fünfzehnhundertfünfunfünzig.

D. Dann schreibe ich . . . meiner Schuhe u.s.w. . . . die Telefonnummern meiner Freunde, meiner Freundinnen und meiner Bekannten . . . . . . ich habe wenigstens . . . . So schreibe ich . . . . ich lerne daraus . . . , wenn ich . . . will . . . . finde ich das Einmaleins . . . . ich beginne zu schreiben. (*page 103*) Hier schreibe ich . . . Ich kann . . . . So schreibe ich.

E. 1. Neujahr ist (der erste) am ersten Januar. 2. Mein Geburstag ist am −en −?. 3. Ich gehe um acht Uhr ins Büro. 4. Ich gehe um elf Uhr ins Bett. 5. Der Sommer endet im Monat September (wenn der Herbst kommt). 6. Der Winter dauert drei bis vier Monate. 7. In diesem Buch sind dreihundertachtzig Seiten. 8. Zwei Achtel und drei Achtel machen fünf Achtel. 9. Der erste Tag der Woche heisst Sonntag. 10. Der dritte Tag der Woche heisst Dienstag. 11. Es ist jetzt −?−. 12. Heute ist der −e −?. (Heute haben wir den −n −?.) 13. Auf die erste Seite eines Notizbuches schreibt man seinen Namen und seine Adresse. 14. In einem Notizbuch findet man nützliche Auskunft über die Post, Kirchenfeste und Feiertage. 15. Ostermontag ist am −?−. 16. Weihnachten ist am fünfundzwanzigsten Dezember. 17. Meine Autonummer ist −?−. 18. Mein Hut hat −?−. 19. Mein Haus ist Nummer −?−. 20. Am ersten Januar lernt Karl zwei Stunden lang Englisch; er versucht sein Motorrad zu reparieren; er besucht abends ein Konzert in Lippstadt (mit seiner Freundin, Leni).

Chapter 19: Page 110

B. 1. Liesel setzt sich in den Schatten des alten Apfelbaums im Garten. 2. In der Hand hat sie ein (Bilder) buch. 3. Die Charaktere in Reineke Fuchs sind alle Tiere - Nobel, der Löwe; Braun, der Bär; und Reineke Fuchs. 4. Der Honig (und auch der Zucker) ist süss. 5. Der Fuchs ist schlau, der Löwe ist edel, der Bär ist einfältig, der Hund ist treu und die Katze ist falsch. 6. Man findet Honig in einem Baum; man findet Äpfel auf einem Baum; man findet Löwen in Afrika (in Indien, im Zoo

(Zoologischem Garten)); man findet Bären in Amerika (in Spanien, in Russland, im Zoo). 7. Der Bauer schiesst mit einem Gewehr.

8. z. B. Der Löwe ist eine grosse Katze; viel grösser als die Hauskatze, aber nicht so gross wir ein Elefant. Der Löwe hat einen sehr grossen Kopf mit langen Haaren, die Löwin aber, nicht. Er frisst nur Fleisch, aber geht auf die Jagd, nur wenn er hungrig ist. Er läuft und springt sehr schnell und tötet mit seinen Klauen und scharfen Zähnen. Seine Farbe ist braun-gelb. Er wohnt in den Wäldern in Afrika oder Indien.

C.

N. eine halbe Stunde	dieser schlaue Fuchs
A. eine halbe Stunde	diesen schlauen Fuchs
G. einer halben Stunde	dieses schlauen Fuchses
D. einer halben Stunde	diesem schlauen Fuchs(e)
pl. N & A. halbe Stunden	diese schlauen Füchse
G. halber Stunden	dieser schlauen Füchse
D. halben Stunden	diesen schlauen Füchsen
N. ein armes Tier	die kluge Antwort
A. ein armes Tier	die kluge Antwort
G. eines armen Tieres	der klugen Antwort
D. einem armen Tier(e)	der klugen Antwort
pl. N. & A. arme Tiere	die klugen Antworten
G. armer Tiere	der klugen Antworten
D. armen Tieren	den klugen Antworten
N. böser Streich	ein anderer Mann
A. bösen Streich	einen anderen Mann
G. bösen Streich(e)s	eines anderen Mannes
D. bösem Streich(e)	einem anderen Mann
pl. N. & A. böse Streiche	andere Männer
G. böser Streiche	anderer Männer
D. bösen Streichen	anderen Männern

D. 1. Der kleine Schneider macht einen neuen Anzug für das junge Kind. 2. Die dunkle Farbe des neuen Stoff(e)s steht dem blonden Mädchen. 3. Unsere alte Freundin nimmt ihren schwarzen Mantel und runden Hut. 4. An der nächsten Haltestelle des roten Omnibusses warten viele müde Menschen. 5. Jede gute Hausfrau macht viele nötige Einkäufe am Freitag. 6. Der neue Eingang dieses schönen Hauses kostet viel Geld. 7. Bringen Sie mir ein kleines Stück kalten Fleisches und ein frisches Bier. 8. Am nächsten Tag geht unser alter Freund, der Bär, vor den König. 9. Er setzt sich auf einen Stuhl in dem (im) Garten. 10. Alle Bären lieben den süssen Honig.

Page 111

E. 1. mich: *I'm not interested in books today.* 2. sich: *He is pleased now to see so much honey.* 3. sich: *This woman's name is Hilda.* 4. uns: *We never remember nasty tricks.* 5. sich: *The bad boy always excuses himself with clever answers.* 6. sich: *They are setting off for Köln this evening.* 7. sich: *Have a really enjoyable time!*

F. 1. Heute interessiere ich mich nicht für Bücher. 2. Jetzt freut er sich, so viel Honig zu sehen. 3. Hilda nennt sich diese Frau. 4. Niemals erinnern wir uns an böse Streiche. 5. Immer entschuldigt sich der böse Junge mit klugen Antworten. 6. Heute machen sie sich auf den Weg nach Köln. 7. Amüsieren Sie sich recht schön!

G. Der einfältige Bär freut sich, so viel Honig zu sehen. Er steckt das Gesicht in den süssen Stoff und bemerkt nicht den Bauer. Glücklicherweise ist dieser langsam, und schiesst nicht gut. Braun fällt aus dem Baum und läuft nach Hause. Reineke entschuldigt sich vor dem König, aber die anderen Tiere haben ihn nicht gern. Er spielt ihnen böse Streiche.

Chapter 20: Page 116

A. 1. Fast jeden Sonntag im Sommer macht Anton einen Ausflug. 2. Die ganze Familie fährt mit ihm. 3. Karl prüft den Motor und putzt das Auto. b) Die Mutter macht das Essen fertig (und schneidet das Brot). 4. Man packt das Essen in den Korb. 5. Man trinkt den Kaffee aus Tassen (aus den Thermosflaschen). 6. Die Familie hat einen Sechssitzer (einen grossen, alten Wagen). 7. Er liegt zwanzig Kilometer weit entfernt. 8. Am See baden sie, liegen in der Sonne, sprechen und spielen mit ihren Freunden. 9. Am Abend tanzen sie im (in einem) grossen Restaurant. 10. Paula trifft viele Bekannte am See, weil ihre Freundin hier in der Nähe wohnt. 11. Die Familie fährt am Abend (um zehn Uhr) nach Hause. 12. Sie vergessen diese Tage nicht, weil sie so glücklich sind.

Page 117

C. 1. der   2. den   3. das   4. dessen   5. den   6. dessen   7. dessen   8. denen   9. dessen   10. dem   11. den   12. dem.

D. z. B. Ein Musiker ist ein Mann, der sich für Musik interessiert. Oft spielt er auch ein Instrument (Violine, Klavier u.s.w.) Die Küche ist das Zimmer, in dem man kocht . . .

Chapter 21: Page 123

A. 1. Die Sonne geht am Morgen auf. 2. Ich stehe um sieben (halb acht) Uhr auf. 3. Wenn ich ins Badezimmer gehe, ziehe ich einen Schlafrock an. 4. Wenn ich ins Bett gehe, ziehe ich die Kleider aus. 5. Die Mutter (Liesel) weckt Paula. 6. Sie klopft an die Tür und ruft. 7. Paula (Sie) steht spät auf, weil sie müde ist (weil sie spät ins Bett geht). 8. Sie muss früh aufstehen, weil sie ins Büro (zur Arbeit) gehen muss. 9. Während des Frühstücks sagt der Vater nur 'Hmm', denn er liest die Zeitung. 10. Ihre Bekannten grüssen Paula im Autobus. 11. Sie schläft schon wieder ein. 12. Die Sonne geht am Abend unter. 13. Karl (Er) singt im Badezimmer, weil er fröhlich ist. 14. Sie (Paula) hat wenig Zeit zum Frühstück, weil sie so spät aufsteht (und zur Arbeit gehen muss). 15. Um halb neun sitzt sie im Autobus. 16. (a) Wir sehen mit den Augen; (b) wir hören mit den Ohren. 17. (a) Ich brauche Seife, wenn ich mich wasche; (b) ich brauche Lippenstift, um die Lippen rot zu machen (wenn ich mich schminke) (die Männer brauchen keinen Lippenstift); (c) wir brauchen Zahnpaste, wenn wir die Zähne putzen (bürsten); (d) wir brauchen eine Haarbürste, wenn wir das Haar bürsten; (e) wir brauchen Puder, wenn wir uns schminken; (f) ich brauche einen Spiegel, wenn ich mich rasiere (wenn ich mir das Haar bürste); (g) ich brauche einen Schlafrock, wenn ich ins Badezimmer gehe.

Page 124

B. 1. Im Winter geht die Sonne spät auf. 2. Ich stehe früher im Sommer als im Winter auf. 3. Mein Hund macht die Tür auf, aber er macht sie nicht zu. 4. Sein alter Freund fährt morgen nach Deutschland zurück. 5. Warum gehen Sie so früh weg? 6. Kommen Sie doch herein, wenn Sie Zeit haben! 7. Ich ziehe den Mantel an, weil es kalt ist. 8. Liesel geht die Treppe hinauf. 9. Die Katze läuft aus dem Garten hinaus. 10. Paula macht die Tür des Schlafzimmers zu. 11. Karl beginnt das Brot zu schneiden. 12. Sie verstehen mich nicht.

C. du stehst, du verstehst, du gehst, du sagst, du machst, du singst, du hältst, du nimmst, du trägst, du bringst.

E. Im Badezimmer; während des Frühstücks; sie stehen früh auf; es ist acht Uhr; du musst aufstehen (Sie müssen aufstehen); er geht nicht weg; sie bleibt vor der Tür; die Tür des Badezimmers; sie schläft ein; machst du das Fenster in der Nacht zu? ich ziehe mir die Schuhe an; warum waschen Sie sich nicht das Gesicht? ich wasche mir immer die Hände vor dem Essen; er putzt (sich) nie die Zähne.

Chapter 22: Page 129

A. 1. Sie sitzt vor dem Feuer, weil der Tag (es) regnerisch ist. 2. (a) Paula strickt sich einen neuen Jumper (aus gelber Wolle); (b) Der Vater studiert einen Bericht über die Erziehungsprobleme (in den deutschen Hauptschulen); (c) Die Mutter (Marie) liest die Zeitung. 3. Ich weiss, dass die Mutter sehr sentimental ist, weil sie sich für das Leben anderer Leute interessiert. 4. Der Teil der Zeitung, den Marie liest, heisst das Feuilleton. 5. Der Artikel, den sie liest, heisst "der Ratgeber" (unsere Leser fragen, wir antworten). 6. Das Problem des jungen Mädchens ist: sie liebt den Mann nicht, der sie liebt. Aber ihre Mutter will, dass sie ihn heiratet. Kann sie sich mit dem Heiraten noch Zeit lassen, oder soll sie ihn nicht heiraten. 7. Onkel Konrads Antwort lautet wie folgt:"Sie haben mit dem Heiraten bestimmt noch Zeit. Wenn man siebzehn Jahre alt ist, soll man seine Arbeit machen und im übrigen lachen, singen, und tanzen." 8. Marie denkt von diesem Artikel, "das ist eine recht dumme Frage und eine sehr kluge Antwort." 9. Ja, es ist wahr, dass viele grosse Männer klein sind; z.B. Napoleon, Toulouse-Lautrec u.a.m. 10. Wenn man jung ist, soll man seine Arbeit machen, lachen, singen und tanzen.

B. er (sie) will nach Hause gehen; sie wollen nach Hause gehen. wenn er jung ist, kann er tanzen; wenn sie jung sind, können sie tanzen; er mag diese Himbeeren nicht essen; sie mögen diese Himbeeren nicht essen; er hat kein Instrument, so kann er nicht spielen, sie haben keine Instrumente, so können sie nicht spielen; er darf kein Bier trinken, sie dürfen kein Bier trinken; sie weiss, dass sie reich wird, wenn sie ihn hieratet, sie wissen, dass sie reich werden, wenn sie sie heiraten.

C. 1. Ich sehe, dass Sie glücklich sind. 2. Er weiss, dass dieser Hund keine Kinder beisst. 3. Sie schreibt, dass sie uns morgen besuchen will. 4. Während Karl in sein Tagebuch schreibt, denkt er an Leni. 5. Während die Mutter das Brot schneidet, macht Paula den Kaffee.

Revision Exercises: Page 130

A. Mann, eine Mark, Frau, Arbeitszimmer, Wagen, Arzt, anstatt, Raum, Ober, Essen, Café (Hotel, Wirtshaus), machen, Mann oder Frau, Pfad (Strasse).

B. 1.   will . . . heirate;   2.   weiss . . . liegt;   3.   steht . . . auf.   4.
ist . . . machen . . . zu.   5.   vergisst,   kann . . . 6.   Müssen . . . 7.   isst . . . 8.
schlägt . . . will.   9. liest . . . 10. verstehen . . . sagen.   11. weisst . . . liebe.   12.
läuft, kommt . . . 13. geht aus . . . ist.   14. ins Bett gehe, schlafe ich ein.   15.
geht . . . hinauf und macht . . . zu.

C. warm, klug, der Sommer, klein, warm (heiss), alt, unglücklich, klug, lachen, sich
erinnern, weiss, ins Bett gehen, arbeiten, gut, zahm (still), der Tag.

D. 1. Das arme Mädchen will den reichen, kleinen Mann heiraten.   2. Er gibt
eine kluge Antwort auf diese dumme Frage.   3. Der müde Junge steht an diesem
kalten Tag spät auf.   4. Die schwarze Katze läuft aus dem grossen Garten auf die
lange Strasse.   5. Jeder gute Schneider kann schöne Anzüge machen.   6. Der
starke Motor dieses kleinen Autos ist besser als meiner.   7. Sein schmutziges Kind
geht in unsere saubere Küche.   8. Die hungrigen Kinder essen ein grosses
Frühstück.   9. Alle wilden Tiere haben scharfe Zähne und scharfe Ohren.
10. Wie viele neue Patienten warten in dem (im) grossen Saal?

Page 131
E.   der Abend, des Abends, die Abende; die Zeitung, der Zeitung, die Zeitungen; die
Kirche, der Kirche, die Kirchen; der Stock, des Stock(e)s, die Stöcke; der Zahn, des
Zahn(e)s, die Zähne; der Körper, des Körpers, die Körper; das Gewehr, des Gewehrs,
die Gewehre; das Büro, des Büros, die Büros; das Ohr, des Ohr(e)s, die Ohren; die
Wand, der Wand, die Wände; die Lampe, der Lampe, die Lampen; der Brief, des
Brief(e)s, die Briefe; das Stockwerk, des Stockwerks, die Stockwerke; der Fisch, des
Fisches, die Fische; der Fahrer, des Fahrers, die Fahrer; die Rechnung, der
Rechnung, die Rechnungen; die Strasse, der Strasse, die Strassen; die Kartoffel, der
Kartoffel, die Kartoffeln; die Flasche, der Flasche, die Flaschen; die Karte, der Karte,
die Karten; das Krankenhaus, des Krankenhauses, die Krankenhäuser; die Minute,
der Minute, die Minuten; die Tür, der Tür, die Türen; die Jahreszeit, der Jahreszeit,
die Jahreszeiten; der Einkauf, des Einkauf(e)s, die Einkäufe; der Hut, des Hut(e)s, die
Hüte; der Doktor, des Doktors, die Doktoren; die Dame, der Dame, die Damen; das
Fenster, des Fensters, die Fenster; der Wald, des Wald(e)s, die Wälder; die Mark, der
Mark, die Mark (Markstücke); der Amerikaner, des Amerikaners, die Amerikaner;
die Brücke, der Brücke, die Brücken.

F.   1. . . . geht man zum Arzt (liegt man im Bett).   2. . . . weckt Liesel
sie.   3. . . . strickt Paula einen Jumper.   4. . . . ihre Kinder nicht albern
sind.   5. . . . die Batterie kaputt ist.   6. . . . geht er in die Garage.   7. . . . er
kein Geld hat.   8. . . . das junge Mädchen sehr albern ist.   9. . . . so müssen Sie
schwer arbeiten (in Deutschland leben).   10. . . . er mich liebt.

G. 1. (a) Ein Wirt ist ein Mann, der ein Wirtshaus besitzt; er verkauft Bier und
Wein; (b) Ein Schneider ist ein Mann, der Anzüge und Kostüme macht und Kleider
repariert;   (c) Ein Lehrer ist ein Mann, der lehrt;   (d) Ein Arzt ist ein Mann, der
uns gesund macht, wenn wir krank sind;   (e) Ein Bauer ist ein Mann, der auf dem
Lande arbeitet;   (f) Ein Mechaniker ist ein Mann, der Autos in einer Werkstatt
repariert;   (g) eine Radfahrerin ist eine Frau, die (ein Mädchen, ein Fräulein, das)
Rad fährt.   2. Fünf Tiere sind: die Katze, der Hund, der Fuchs, der Löwe, der
Bär.   3. Im Sommer ist es warm.   4. Schnee und Eis bedecken die Erde im
Winter.   5. In einer Garage findet man ein Auto (vielleicht auch ein Motorrad)

(Autos). 6. Ich stehe am Morgen (um sieben Uhr) auf. 7. Im Herbst trage ich wärmere Kleider. 8. An den Füssen trägt man Schuhe. 9. Man trägt einen Hut auf dem Kopf. 10. Im Badezimmer trägt man einen Schlafrock. 11. Wenn man ausgeht, trägt man einen Mantel. 12. Wenn man schwimmt, trägt man einen Badeanzug (eine Badehose, einen Bikini). 13. Zum Frühstück isst man Butterbrot mit Marmelade (Speck, Eier) 14. Zum Abendessen isst man Fleisch mit Kartoffeln, Käsebrot usw.) 15. Im Wirtshaus trinkt man Bier oder Wein. 16. Bei Freunden trinkt man Kaffee oder Tee. 17. Im Restaurant trinkt man allerlei Getränke: z.B. einen Aperitif vor der Mahlzeit, einen Likör nach der Mahlzeit, einen Wein mit dem Essen. 18. Wenn es kalt ist, ziehe ich (mir) dickere und wärmere Kleider an.

Page 132
H. zwei; sechs; einundzwanzig; achtundneunzig; siebenhundertsechsunddreissig; tausendsechsundsechzig; tausendsechshundert (sechzehnhundert) fünfundvierzig; siebzehnhundertvierzehn; achtzehnhundertfünfzehn; neunzehnhunderteins.

Ein Drittel; elf Zwölftel; neunzehn Zwanzigstel;

Zwanzig Minuten vor vier; Viertel nach fünf (Viertel sechs); fünf Minuten vor drei; halb eins; fünfundzwanzig Minuten nach sechs; halb zehn.

den ersten Februar neunzehnhundertfünfzig; den sechsten März neunzehnhundertdreissig; den achtundzwanzigsten Mai neunzehnhundertneunundzwanzig; den dreissigsten September neunzehnhundertneunzehn; den sechsundzwanzigsten April neunzehnhundertvierundzwanzig. Sein erster Fehler meine zweite Frau; sein drittes Glas; das achte Buch; ihr einundzwanzigster Geburtstag; hundertmal.

I. 1. der; *a sailor without a ship is unhappy.* 2. den; *the bear he is beating, is tired.* 3 dem; *the student he is talking to is good at German.* 4. der; *the town they live in is (called, named) Hamburg.* 5. die; *the church at the end of the street is very old.* 6. dem; *a child you give sweets to should say thanks.* 7. dessen; *the building with such dirty windows is empty.* 8. die; *the season I like most is autumn.* 9. die; *the acquaintances I know well become my friends.* 10. dessen; *the composer whose song she is singing is called Mozart.*

J. Ich öffne die Tür (mache die Tür auf); er kann die Tür öffnen; wenn ich die Tür aufmache; Sie machen die Tür zu; er zieht einen Schlafrock an; setzen Sie den Hut auf; setzen Sie sich (setze dich); im Winter; am Abend; der Baum ist im Garten; kommen Sie mit(mir); tun Sie es für ihn (seinetwegen); stellen Sie das Glas auf den Tisch; ihr zweiter Mann; das dritte Stockwerk; jedes kluge Kind; der Sohn kluger Eltern; der Lehrer (Professor) ist ärmer als der Arzt; er ist nicht so reich wie der Bauer; Sie lesen englische Bücher gern; danke schön; auf Wiedersehen.

Page 134 Fragen
1.(a) Silvester ist der Abend vor Neujahr, am einunddreissigsten Dezember; (b) Der Heilige Abend ist der Abend vor Weihnachten; (c) Fastnacht ist der letzte Tag vor der Fastenzeit. Sie heisst auch Fasching. 2.(a) Am Silvesterabend feiert man das neue Jahr, indem man mit seinen Freunden singt und spielt und trinkt; (b) Am Heiligen Abend legt man die Geschenke um den Weihnachtsbaum; die Kinder singen Weihnachtslieder, dann kommt die Bescherung, (c) Fasching ist die Karnevalszeit; man singt und tanzt und jeder trägt ein buntes Kostüm. 3.(a) Man wünscht ein frohes Weihnachtsfest; (b) Man wünscht ein recht glückliches Neues Jahr. 4.(a) Die Krippe besteht aus der Krippe mit dem Christkind, der Heiligen Familie, den

Weisen, den Hirten, Schafen, Eseln und Kamelen, (b) Vier rote Kerzen mit Tannenzweigen und einem roten Band; (c) Fasching ist Karnevalszeit, wo alle auf den Strassen singen und tanzen und viel trinken. Herren und Damen tragen bunte Kostüme und Masken. 5.(a) Man ziert die Zimmer mit Tannenzweigen, Sternen, Kugeln und Herzen; der Weihnachtsmann bringt seine Gaben für die Kinder; man isst, trinkt und ist froh; man singt Weihnachtslieder; (b) Alte und Junge springen über das Osterfeuer und schenken sich Osterhasen und Ostereier. 6. Man ziert die Zimmer mit Tannenzweigen, Sternen, Kugeln und Herzen. 7. Die bedeutendsten Feste des Jahres sind: Ostern, Pfingsten und Weihnachten. 8. Am Weihnachtsbild oben sieht man den Weihnachtsmann mit Pelzhut und-mantel. In seinem Sack sind seine Geschenke für die Kinder, die umherstehen. An der Wand sind Kugeln, Herzen und Sterne.

Chapter 23: Page 138
A. 1. Es ist ein schöner Tag; kein Wind; keine Wolken am Himmel. 2. Die Passagiere zweiter Klasse stehen hinten auf dem Deck. 3. Die Reisenden erster Klasse sind vorne. 4. Der Matrose trägt eine blaue Jacke. 5. Jeder Reisende gibt seine Landungskarte ab, bevor er landet. 6. Der Fliegende Holländer ist der Held einer Seelegende. Trotz der Bitten seiner Seeleute und der Passagiere segelt er bei sehr stürmischem Wetter im Atlantischen Ozean. Ein Engel erscheint auf dem Deck, aber der Kapitän lacht und er schiesst auf ihn mit seinem Gewehr. Sein Schiff geht unter und als Strafe, muss er auf ewig weitersegeln. Diese Legende bildet den Stoff zu einer Oper von Richard Wagner. 7. Die Rettungsboote sind da, um die Passagiere und Seeleute, im Falle eines Schiffbruchs, zu retten. 8. Karl setzt sich nicht, weil kein Platz frei ist (und er auf das Gepäck aufpassen muss.) 9. Viele Passagiere sitzen auf Liegestühlen. 10. Hilda braucht keine Rettungsjacke, weil sie gut schwimmen kann.

B. Es ist ein schöner Tag. Es sind keine Wolken am Himmel und das Boot fährt nach Deutschland. Es ist ziemlich vollbesetzt. Die meisten Passagiere erster Klasse sind unten in den Kabinen, aber viele Leute sind auf dem Deck. Sie stehen um das Rettungsboot, wenn der Seemann ihnen ihre Landungskarten austeilt. Karl setzt sich nicht. Er bewacht das Gepäck. (Er passt auf das Gepäck auf).

Chapter 24: Page 140
A. 1. Karl muss aufstehen, weil das Schiff schon landet. 2. In einem Hafen sieht man allerlei Boote und Schiffe, (Docks und Kais, Hafenbeamte, Seeleute, Passagiere und Gepäckträger). 3. Karl ruft einen Gepäckträger und bittet ihn, ihr Gepäck an den Zug nach Köln zu bringen. 4. Sie fahren mit dem D-Zug nach Köln. 5. Wenn das Schiff am Kai liegt, ist das Deck gewöhnlich höher als der Kai. Der Landungssteg dient als eine Art Brücke, worauf die Passagiere vom Schiff an Land gehen können. 6. Sie landen nicht sogleich, weil die Beamten noch nicht bereit sind. 7. Die Passkontrolle findet oft auf dem Schiff und später noch einmal im Zuge statt (Oft hat man den Pass im Wartesaal am Kai, bei der Gepäckuntersuchung zu zeigen). 8. Die Bekanntmachung ist auf französisch. 9. Man gibt die Landungskarten unten am Landungssteg ab. 10. Karl hat vier Koffer—alle braun und aus Leder.

B. Sobald das Schiff ankommt, steht Karl auf und holt das Gepäck. Er hat vier Koffer. Der Gepäckträger bringt diese an den Zug nach Köln, während die jungen Leute auf dem Deck warten. Viele Passagiere stehen am Landungssteg, aber die Beamten sind noch nicht fertig. Karl sieht eine Bekanntmachung auf französisch, aber Hilda kann sie nicht lesen. Sie versteht nur deutsch.

Chapter 25: Page 142
A. 1. Am Kiosk kauft Hilda ein Päckchen Zigaretten.   2. Die eine, die in der Ecke sitzt, liest ein Buch; die andere schläft. 3. Das Gepäck liegt im Gepäcknetz. 4. Karl schreibt eine Postkarte. 5. Der Schaffner will die Fahrkarten kontrollieren. 6. Sie müssen in Köln umsteigen. 7. Der Zug hat keine Verspätung. 8. Sie kommen um sieben Uhr zwanzig in Köln an. 9. An einem Bahnhof sieht man allerlei Züge (D-Züge, Personenzüge, Güterzüge) (und deren Lokomotiven; Bahnbeamte und Gepäckträger, Passagiere, die im Wartesaal warten, oder auf dem Bahnsteig hin-und her eilen). (Es gibt auch die gewöhnlichen Bahnhofsgebäude—den Warteraum, die Toiletten, einen Erfrischungsraum und Kiosks, wo man Zeitungen, Zeitschriften Zigaretten u.s.w. kaufen kann). 10. Drei Teile eines Zuges sind; die Lokomotive, die Wagen und deren Abteile.

B. A. Der Zug hat zwanzig Minuten Verspätung. Ich will eine Zeitung am Kiosk kaufen. B. Bitte, kaufen Sie mir auch ein Päckchen Zigaretten. A. Wollen Sie eine Zigarette rauchen? B. Danke schön. Darf ich um Feuer bitten? A. Ich will mal sehen, ob mein Feuerzeug funktioniert. B. Da kommt der Zug. Bitte, einsteigen, denn er fährt gleich ab!

Chapter 26: Page 145
A. 1. Der erste Beamte will ihre Pässe sehen. 2. Hilda hat ihren Pass in der Handtasche. 3. Der Beamte stempelt jeden Pass. 4. Der Zollbeamte fragt; "Haben Sie etwas zu verzollen?" 5. Man muss Schnaps, Zigaretten und Apparate verzollen. 6. Hilda muss ihren Koffer öffnen. 7. Darin liegen ihre Kleider und ganz oben, ihre Wäsche. 8. Der Zug fährt durch Belgien und später durch Deutschland. 9. Man geht den Korridor entlang vom Abteil zum Speisewagen. 10. Im Speisewagen kann man eine Tasse Tee (oder Kaffee, ein Glas Bier oder Wein) trinken, (oder zu Mittag oder zu Abend essen).

B. Hilda muss dem Beamten ihren Pass (vor-)zeigen. Sie kann ihn zuerst nicht finden, aber er ist (steckt) in ihrer Handtasche. Sie hat nichts zu verzollen — keinen Apparat, keinen Schnaps und nur wenige Zigaretten. Als der Beamte aus dem Abteil hinausgeht, schliesst sie den Koffer. Dann geht sie mit Karl den Korridor entlang zum Speisewagen, wo sie eine Tasse Kaffee trinken.

Chapter 27: Page 147
A. 1. Hilda weiss, dass sie in Köln ankommen, weil es schon sieben Uhr ist, und der Zug um sieben Uhr zwanzig in Köln ankommt. 2. Vom Fenster des Zuges sieht er die Häuser der Stadt und dann die Rheinbrücke, und dahinter, den Kölner Dom. 3. Sie kommen in einer Taxe zum Hotel. 4. Ein Karren ist ein kleiner Handwagen; er ist besonders nützlich zum Gepäcktragen. 5. Ein Gedränge besteht aus sehr vielen Menschen, alle zusammen an einem Ort. 6. Karl steigt aus dem

Abteil auf den Bahnsteig und Hilda gibt ihm das Gepäck durch das Fenster. 7. Der Gepäckträger bringt das Gepäck zum Ausgang auf seinem Karren. 8. Die Passagiere, die ihr Gepäck nicht mitnehmen wollen, können es auf ein paar Stunden (oder Tage) in der Gepäckaufbewahrung liegen lassen. 9. Sie steigen in Köln aus, weil sie dort umsteigen müssen (und in der Stadt übernachten wollen). 10. Einige der hohen Gebäude in der Stadt sind das Rathaus, das Postamt und andere Amtsgebäude, (Kaufhäuser, Fabriken und Wohnblocks).

B. Wenn man in einer fremden Stadt ankommt, ist es das Beste, man nimmt eine Taxe zu einem Hotel. Man ruft einen Gepäckträger und er stellt das Gepäck auf seinen Karren und bringt es zum Ausgang. Dort ruft er eine Taxe, stellt die Koffer in die Taxe und wartet, bis man ankommt. Wenn man ihm zwei Mark gibt, ist er sehr zufrieden.

Chapter 28: Page 149

A. 1. Der Hoteldiener öffnet die Tür der Taxe. 2. Die Freunde warten im Empfangszimmer. 3. Man schreibt seinen Namen auf einen Zettel. 4. Er bekommt ein Einzelzimmer mit fliessendem Wasser und Privatbad. 5. Sie kommen in einem Fahrstuhl zum ersten Stockwerk. 6. Sie nimmt ein Bad, weil sie sehr schmutzig von der Reise ist. 7. Nach dem Bad zieht sie rasch die Kleider an, sitzt vor dem Spiegel und schminkt sich. 8. Ein Tablett dient zum Tragen des Geschirrs, von der Küche ins Ess— (oder Schlaf)zimmer. 9. Er bleibt auf seinem Zimmer, weil er sehr müde ist. 10. Wenn er nach unten geht, gibt er den Schlüssel im Büro ab.

B. A. Darf ich, bitte, ein Einzelzimmer mit fliessendem Wasser haben? B. Jawohl. Wollen Sie, bitte, Ihren Namen auf diesen Zettel schreiben? A. In welchem Stockwerk liegt das Zimmer? und welche Nummer hat es? B. Nummer zweihunderteinunddreissig im zweiten Stock. Hier ist der Schlüssel, mein Herr. Bitte, geben Sie ihn im Büro ab, wenn Sie ausgehen. A. Ich bin sehr müde von der Reise. Ich gehe nicht aus. B. Der Kellner kann Ihnen eine Tasse Tee auf einem Tablett bringen. Bitte, nach dem Hausdienst zu telefonieren, falls Sie etwas nötig haben.

Page 150

Key to Illustration of Car

der Wagen(-), der Kraftwagen, Personenwagen,
das Auto(-mobil)(-e) *car*: der Last(-kraft)wagen *lorry*

1. das Rad(⁼er) *wheel*	11. die Windschutzscheibe(-n) *wind-screen*
2. die Tür(-en) *door*	12. der Scheibenwischer(-) *wiper*
3. die Seitenscheibe(-n) *side window*	13. das Dach(⁼er) *roof*
4. das Nummernschild(-er) *number plate*	14. das Rückfenster(-) *rear window*
5. die Stossstange (-n) *bumper*	15. der Kofferraum((⁼e) *boot*
	16. das Schluss-, Brems-, Warnlicht(-er)
6. der Scheinwerfer(-) *head-lamp*	*tail, brake, warning light*
7. der Blinker(-) *flashing light*	17. die Radkappe(-n) *hub-cap*
8. der Kotflügel(-) *mud-guard*	18. der Griff(-e) *handle*
9. die Kühlerverkleidung(-en) *radiator*	19. der Reifen(-), der Pneu(-s) *tyre*
10. die Haube(-n) *bonnet*	20. das Nebellicht(-er) *fog-lamp*

Chapter 29: Page 156

A. 1. Paula ist Stenotypistin und Privatsekretärin des Direktors. 2. Sie kommt um neun Uhr in der Fabrik an. 3. Der Direktor ist schon dort, wenn sie ankommt. 4. Der Herr Direktor hat am vorigen Abend bis zwei Uhr(früh) getanzt. 5. Er hat schon Samstag(früh) die neue Kantine besucht. 6. Paula war nicht in der Fabrik, weil sie einen freien Tag hatte; sie war zu Hause. 7. Der schwedische Konsul hat wegen des Passes des Herrn Direktors telefoniert. 8. Paula hat die Fahrkarten nach Schweden besorgt. 9. Sie hat die Karten dem Auslandskorrespondeten, Herrn Weiß gegeben. 10. Der Laufbursche heißt Alfred. 11. Er hat einen grossen Korb voller Briefe ins Büro getragen. 12. Den ganzen Morgen liest Paula Briefe und schreibt Antworten. (Sie legt alle Fakturen beiseite für den Buchhalter).

Page 157

B. 1. geklingelt 2. gefeiert (getanzt, gegessen, getrunken). 3. gesungen 4. gespielt 5. gelesen 6. gemacht 7. gegeben. 8. geschlafen 9. gefahren (gereist) 10. geblieben 11. getreten(gekommen) 12. gegessen.

C. 1. Ich habe ein deutsches Buch gelesen. 2. Du hast einen Katzenjammer gehabt. 3. Er hat eine Reise nach England gemacht. 4. Sie hat mit ihrem Mann getanzt. 5. Wir haben Karten am Abend gespielt. 6. Er hat ein Wörterbuch gekriegt. 7. Sie ist nach Deutschland gegangen. 8. Sie haben das Wort vergessen. 9. Was hat der Direktor versprochen? 10. Sie hat in ihren Schreibblock gesehen. 11. Als er nach Hause gekommen ist, hat er sein Motorrad repariert. 12. Weil ich keine Zeit gehabt habe, habe ich keine Aufgaben gemacht.

D. 1) Englisch ist eine Sprache, 2) Schweden ist ein Land, 3) eine Violine ist ein Instrument, 4) ein Hund ist ein Haustier, 5) Mittwoch ist ein Tag der Woche, 6) August ist ein Monat, 7) sieben ist eine Zahl, 8) Paula ist ein Fräulein, 9) das Frühstück ist eine Mahlzeit, 10) ein Kapitän ist ein Seemann.

E. studieren, arbeiten, spielen, geben, führen, gehen, stehen, teilen, kochen, baden, anziehen, antworten, die Studentin, die Arbeit, das Spiel, die Gabe, der Führer, der Gang, der Stand, der (das)Teil, die Küche, das Bad, der Anzug, die Antwort.

F. A. Ich habe Sie letzten Mittwoch nicht gesehen. Haben Sie vergessen, zu telefonieren? B. Ja, ich habe meinen Geburtstag gefeiert. Meine Frau hat ein paar Freunde eingeladen und wir haben bis Mitternacht getanzt. Ich bin am nächsten Morgen spät aufgestanden und bin spät im Büro angekommen. Glücklicherweise ist der Direktor ein sehr netter Herr. Er hat nichts gesagt, aber ich habe einen echten Katzenjammer gehabt. A. Hoffentlich geht's jetzt schon besser! B. Jawohl, es ist alles in Ordnung.

Chapter 30: Page 162

A. 1. Sie hat heute dem Hausmädchen freigegeben, darum muss sie selber alle Hausarbeit machen. 2. Nachdem alle ausgegangen sind, ist das Haus ganz still. 3. Liesel liest ihr Buch im Garten. 4. Sie trägt das schmutzige Geschirr in die Küche. 5. Sie geht nach oben, um die (alle) Betten zu machen. 6. Sie schält die Kartoffeln, wäscht das Gemüse und macht einen Salat für das Abendessen. 7. Zu Mittag essen sie eine Suppe. 8. Liesel weiß nicht, was los ist. Vielleicht ist eine

Schraube am Lautsprecher los, oder vielleicht sind die Transistoren kaputt. 9. Drei Teile eines Radioapparats sind, die Transistoren, der Lautsprecher, die Antenne (die Leitung, die Erde, die Verbindungen). 10. Sie hören am liebsten der Sondersendung für Kinder zu.

Page 163

B. ruhig, das Schlafzimmer, die Mahlzeit, der Wagen, sauber machen, die Dame, beantworten (erwidern), das Radio.

C. 1. . . . sein Motorrad zu reparieren. 2. . . . Einkäufe zu machen (den Laden zu besuchen). 3. . . . zu schlafen. 4. . . . Geschäfte zu machen. 5. . . . seine kranke Mutter zu besuchen. 6. ein Stück (Butter) Brot zu essen. 7. . . . zu Abend zu essen. 8. . . . zu arbeiten (Geld zu verdienen). 9. . . . zu Abend zu essen (seine Bücher zu lesen) (das Radio zu reparieren). 10. . . . im See zu baden (am Strand zu spielen).

D. 1. *because he is hungry.* 2. *when he comes home.* 3. *as soon as he has cleaned the car.* 4. *after she has made the beds.* 5. *before she goes home.* 6. *until he has enough money.* 7. *before you eat your breakfast.*

E. 1. Er geht ins Haus (in die Küche), . . . 2. Er ißt sein Abendbrot, . . . 3. Er wäscht sich die Hände, . . . 4. Sie geht zur Küche hinab (sie macht das Essen fertig), . . . 5. Sie macht alles im Büro fertig, . . . 6. Er kauft keine Zigaretten (Er kann die neue Batterie nicht kaufen), . . . 7. Man steht auf (Man wäscht sich, man kleidet sich an). . .

F. (*As.in Exercise E. above, except for inversion of verb, as follows:*) 1. Geht er 2. ißt er 3. wäscht er sich 4. geht sie 5. macht sie 6. kauft er (kann er) 7. steht man auf (wäscht man, kleidet man).

G. 1. Nachdem er ausgegangen ist, spüle ich das Geschirr ab. 2. Er hat einen Staubsauger gekauft, um die Hausarbeit leichter zu machen. 3. Der junge Mann ist früh nach Hause gekommen, um das Radio zu reparieren. 4. Während des Essens haben sie dem Radio zugehört. 5. Sie hat abgeschaltet, weil das Radio nicht sehr gut funktioniert hat. 6. Marie hat dem Hausmädchen einen freien Tag gegeben. 7. Er braucht eine neue Batterie, um seinen Wagen zu reparieren.

Chapter 31: Page 169

A. 1. Ja, ich gehe jeden Freitag Abend ins Kino (Nein, ich gehe nur selten (gar nicht, niemals,) ins Kino). 2. Ja, ich habe einen Chaplin-film einmal (im Fernsehen) gesehen. 3. Als ich zum letzten Mal das Kino besuchte, habe ich einen Disney-Film gesehen. 4. Man liest Anzeigen in der Zeitung (an einer Litfaßsäule (Anschlagsäule)). 5. Außer dem Hauptfilm sieht man Beifilme und Trickfilme (auch die Wochenschau). 6. Marie las die Anzeige vom Film in der Zeitung. 7. Karl reparierte das Radio, weil es kaputt war (nicht sehr gut funktionierte). 8. Bevor Anton und Marie ins Kino gingen, aßen sie zu Abend in einem Restaurant. 9. Sie tranken eine Flasche Wein, um in die richtige Stimmung zu kommen (weil dieses Restaurant guten Wein zu billigen Preisen hatte). 10. Er hatte telefoniert, aber die Nummer war besetzt und nachher, hatte er es vergessen. 11. Sie mußten je zehn Mark für die Plätze bezahlen. 12. Die besten

Plätze 1) im Kino sind hinten, 2) im Theater vorne. 13. Die letzte Aufführung begann um halb acht. 14. 1) das Lichtspielhaus, 2) wunderbar (fabelhaft), 3) die Aufführung 4) der Platz, 5) furchtbar. 15. Vielleicht weil die meisten Engländer leidenschaftliche Raucher sind. 16. Nein, ich finde es scheußlich, wenn mein Nachbar im Kino eine Pfeife raucht. Aber es geschieht nicht oft.

Page 170

B. 1. Ich fand meinen Hut nicht. 2. Er schlief unter dem Baum. 3. Wir lasen es in der Zeitung. 4. Warum lachten Sie? 5. Was machten Sie heute? 6. Sie kamen zur rechten Zeit an. 7. Ich verstand Sie nicht, wenn (als) Sie Deutsch sprachen. 8. Der Arzt ging niemals zu Fuß, weil er keine Zeit hatte. 9. Der Radler reparierte das Rad, bevor er ausfuhr.

C. 1. Ich habe meinen Hut nicht gefunden. 2. Er hat unter dem Baum geschlafen. 3. Wir haben es in der Zeitung gelesen. 4. Warum haben Sie gelacht? 5. Was haben Sie heute gemacht? 6. Sie sind zur rechten Zeit angekommen. 7. Ich habe Sie nicht verstanden, als Sie Deutsch gesprochen haben. 8. Der Arzt ist niemals zu Fuß gegangen, weil er keine Zeit gehabt hat. 9. Der Radler hat das Rad repariert, bevor er ausgefahren ist.

D. Ich verstand Sie. Ich habe Sie nicht verstanden. Haben Sie mich verstanden? Er las die Zeitung, bevor er ausging. Warum lachen Sie? Warum haben Sie gelacht? Er geht immer zu Fuß. Ich ging zu Fuß zur Arbeit. Sie haben recht. Sie haben nicht recht (unrecht). Er hatte recht.

Chapter 32: Page 174

A. 1. Er hat das Theater lieber als das Kino. 2. Ja, man spielt viel Kitsch in allen Kinos, aber man sieht manchmal einen guten Film. 3. Nein, Minna von Barnhelm ist ein Schauspiel (eine Komödie). 4. Lessing war einer der größten deutschen Schriftsteller. Er lebte im achtzehnten Jahrhundert. 5. Er schrieb dieses Schauspiel im Jahre 1767. 6. Die Mutter hat sie so gern, weil sie so sentimental (-isch) ist. 7. In diesem Schauspiel findet Anton Liebe, Treue, (und) Humor. 8. Antons Exemplar liegt im Bücherschrank. 9. Karl kennt die Stelle, von der sein Vater spricht auswendig; darum hat er das Exemplar nicht nötig. 10. Er kann es auswendig, weil jedes deutsche Kind es in der Schule lernen muß.

Page 175

B. 1. Ihre Mutter wohnte in Miesbach; (b) hat . . . gewohnt. 2. Sie arbeitete 48 Stunden in der Woche; (b) hat . . . gearbeitet. 3. Der Bankangestellte hatte ein schönes Haus; (b) hat . . . gehabt. 4. Die Mutter besuchte das Kino alle zwei Wochen; (b) hat . . . besucht. 5. Karl saß in der Ecke und las; (b) hat . . . gesessen und gelesen. 6. Der Film war scheußlich; (b) ist . . . gewesen. 7. Das Kind schlief ruhig im Bett; (b) hat . . . geschlafen. 8. Ich verstand ihn nicht, weil er so schnell sprach; (b) Ich habe ihn nicht verstanden, weil er so schnell gesprochen hat. 9. Er trank nur klares Wasser; (b) hat . . . getrunken. 10. Der Direktor fuhr nach Schweden; (b) ist . . . gefahren. 11. Wir aßen Wurst mit Kartoffelsalat; (b) haben . . . gegessen. 12. Der Arzt ging jeden Tag in die Stadt; ist . . . gegangen.

Translation: 1. *Their (her) mother lived in Miesbach.* 2. *She worked 48 hours a week.* 3. *The bank-clerk had a lovely house.* 4. *The mother went to the cinema once a fortnight.* 5. *Karl sat in the corner, reading.* 6. *The film was dreadful.* 7. *The child slept peacefully in bed.* 8. *I didn't understand him, as he spoke so fast.* 9. *He only drinks pure water.* 10. *The manager went to Sweden.* 11. *We ate sausage with potato salad.* 12. *The doctor went to town every day.*

C. 1. der 2. die 3. das 4. die 5. der 6. dessen 7. die 8. dem 9. denen 10. die.

Page 176

D. ein großer, deutscher Schriftsteller. klassische Werke. das deutsche Theater. keine echten, deutschen Werke. französische Komödien. die besten Stücke des englischen Theaters. die großartigen Werke. scharfe, kritische Artikel in der Hamburger Zeitung. dem deutschen Theater seine eigenen Schauspiele. In diesen Schriften für seine ersten Dramen.

Translation: *Lessing was a great German writer. He wrote classical works, which are still performed. When he first started writing, there were no really German works for the German theatre. Only French comedies were played. Lessing admired the best plays of the English stage, especially Shakespeare's magnificent works; every week, he wrote sharply critical articles in the Hamburg newspaper and ended up by presenting Germany's theatres with his own plays. In these writings, Goethe found a model for his first dramas.*

F. Ich sagte, ich habe gesagt; er machte, er hat gemacht; wir holten, wir haben geholt; Sie reparierten, sie haben repariert; sie zeigten, sie haben gezeigt; ich stand auf, ich bin aufgestanden; er ging aus, er ist ausgegangen; wir hielten, wir haben gehalten; Sie begannen, Sie haben begonnen; sie bekamen, sie haben bekommen.

G. 1. Sie geht zweimal die Woche in das Kino. 2. Sie gehen in die Kirche, um das schöne Singen zu hören. 3. Er ist heute abend im Theater. 4. Er griff nach seinem Hut, der auf dem Boden lag. 5. Ich gehe lieber ins Theater als ins (in das) Kino. 6. Der Hund wedelte mit dem Schwanz, weil er seinen Herrn sah. 7. Sie haben (Du hast) gut lachen. 8. Er stieß den Hund mit dem Fuß, weil er ihn biß. 9. Ich kann (kenne) dieses Stück auswendig. 10. Weil (Da) ich kein Freund der Hunde (von Hunden) bin, jagte ich das Tier weg (fort) (habe ich das Tier fortgejagt).

Chapter 33: Page 183

A. 1. Die Schulzes hatten Besuch von einem Bekannten (einem Engländer). 2. Nicht alle Einwohner (Nur wenige der Einwohner) des Dorfes sind Bauern. 3. Andere (Einige der) Berufe, die man im Dorfe findet, sind; ein Bankangestellter, ein Bahnbeamter, ein (Handels-) Reisender, ein Arzt, ein Geistlicher. 4. Eine Dame, die in einer Bank arbeitet, heißt eine Bankangestellte; (2) eine Dame, die bei der Bahn arbeitet, heisst eine Bahnbeamtin. 5. Leute, die krank sind, heißen Kranke; (2) Leute, die arm sind, heißen Arme; (3) Leute, die reich sind heißen Reiche. 6. Viele Lippstädter Arbeiter wohnten außerhalb der Stadt, weil das Leben auf dem Lande gesunder ist (wegen des Mangels an Häusern). 7. Im Mittelalter wohnten viele arme Landarbeiter im Dorfe. Die Straße war voller Misthaufen und Hühner. 8. Ostflüchtlinge waren die während des Krieges vom Osten hergekommenen Deutschen (*b*) Die nach dem Kriege aus der Heimat Vertriebenen waren Heimatlose. 9. Ihre Lage ist jetzt besser, weil sie eine neue Heimat im Westen gefunden haben, und der Krieg ist längst vorbei. 10. In jedem Dorfe findet man einen Arzt und einen Geistlichen.

B. 1. Ein Arzt ist ein Mann, der die Kranken wieder gesund macht (der im Krankenhaus arbeitet). 2. Ein Geistlicher ist ein Mann, der in der Kirche predigt (und die Gebete führt). 3. Ein Bahnbeamter ist ein Mann, der bei der Bahn arbeitet. 4. Eine Stenotypistin ist ein Fräulein, das im Büro arbeitet. 5. Ein Hausmädchen ist eine Frau, die (ein Fräulein, das) im Hause hilft. 6. Ein Bauer ist ein Mann, der auf dem Lande arbeitet. 7. Ein Mechaniker ist ein Mann, der in einer Werkstatt Autos repariert. 8. Ein Handelsreisender ist ein Mann, der im Lande (auch in der ganzen Welt) herumreist, um die Produkte seiner Firma zu verkaufen. 9. Ein Kellner ist ein Mann, der in einem Café oder Restaurant dient. 10. Eine Bankangestellte ist eine Frau (Dame), die in einer Bank arbeitet.

C. Ein Armer, eines Armen, Arme; die Reiche, der Reichen, die Reichen. ein Deutscher, eines Deutschen, Deutsche; eine Handelsreisende, einer Handels-reisenden, Handelsreisende; ein Alter, eines Alten, Alte; ein Bekannter, eines Bekann-ten, Bekannte; alles Gute; viel Interessantes; nichts Neues; im Freien.

Page 184

D. (*a*) reisend (*c*) der Reisende, *the traveller.*
(*a*) arbeitend (*c*) der Arbeitende, *the man who is working.*
(*a*) trinkend, (*c*) der Trinkende, *the one who is drinking.*
(*a*) lesend (*c*) die Lesende, *the woman who is reading.*
(*a*) sitzend (*c*) der Sitzende, *the man who is sitting.*
(*a*) schneidend (*c*) der Schneidende, *the man (who is) cutting.*
(*a*) gehend (*c*) der Gehende, *the man walking, the one who is going.*
(*b*) gelehrt (*c*) der Gelehrte, *the learned man, savant.*
(*b*) gestorben (*c*) die Gestorbene, *the woman who died (the dead woman)*
(*b*) gefallen (*c*) der Gefallene, *the soldier killed in the war.*
(*b*) geschrieben (*c*) das Geschriebene, *what was written.*
(*b*) gerettet (*c*) der Gerettete, *the rescued man.*
(*b*) aufgeweckt (*c*) die Aufgeweckte, *the girl (woman) who was wakened, (the alert (bright) girl.*
(*b*) gefunden (*c*) die Gefundene, *the woman who was found* (das Gefundene, *what was found)*.

E. 1. *The coffee the mother made is still quite warm.* 2. Das Motorrad, das Karl repariert hat, stand auf der Straße: *The motor-cycle Karl mended stood in the street.* 3. Das Motorrad, das auf der Straße stand, war sehr alt: *The motor-cycle standing in the street was very old.* 4. Die Leute, die im Dorfe wohnen, heißen Miesbacher: *The people living in the village, are called 'Miesbachers'.* 5. Die Pfeife, die er geraucht hat, riecht schlecht: *The pipe he smoked smells nasty.* 6. Dieses Etui, das fünfundzwanzig Zigaretten enthält, ist aus Gold: *This case, holding twenty-five cigarettes, is made of gold.* 7. Das Paket, das der Schneider getragen hat, enthält Tuch: *The parcel the tailor carried contains material.* 8. Die Studenten, die Deutsch lernen, arbeiten fleißig: *The students learning German work hard.* 9. Das Lied, das die Mutter gesungen hat, ist von Schubert: *The song the mother sang is by Schubert.*   10. Der Wagen, der nach Lippstadt fährt, gehört dem Arzt: *The car going to Lippstadt belongs to the doctor.*

Chapter 34: Page 188

A. 1. Drei Teile eines Fernsehapparats sind: der Schirm, die Röhre(-n), die Antenne (der Leitungsdraht, der Lautsprecher).   2. Ich sehe am liebsten eine gute Komödie (Sportveranstaltungen, besonders ein Fußballspiel; Boxkämpfe; Quizprogramme; Rock und Roll.).   3. Technisch wird das Fernsehen jeden Tag besser; aber die meisten Zuschauer wollen nur Kitsch sehen.   4. Anton will keinen Apparat kaufen, weil er sich für die Übertragungen nicht interessiert. (Auch hat er wenig Zeit, um fernzusehen.)   5. Marie will, daß ihre Kinder zu Hause bleiben; darum will sie einen Apparat haben.   6. Man schaltet das Gerät an, wenn man fernsehen will; man schaltet ab, wenn man genug (oder zu viel) gesehen hat.   7. Ja, wir werden mehr zu Hause bleiben (wir werden uns für andere Leute und fremde Dinge interessieren) (die Gefahr ist, dass wir nur zusehen, statt selber teilzunehmen).   8. Man hat guten Empfang in der Nähe eines Senders.   9. Die Schulzes werden viele Gäste haben, wenn sie ein Fernsehgerät kaufen.   10. Drei Möbelstücke sind ein Tisch, ein Stuhl, ein Sofa (ein Bett, ein Kleiderschrank, ein Lehnstuhl, u.s.w.)

B. 1. Er wird beginnen.   2. Man wird einen neuen Sender bauen.   3. Wir werden eine hohe Antenne brauchen.   4. Ich werde froh sein, Sie zu sehen.   5. Sie werden ein gutes Schauspiel sehen.   6. Wird dieser Wagen viel Geld kosten?   7. Ich werde hier warten, bis er ankommt.

C. 1. Er begann.   2. Man baute einen neuen Sender.   3. Wir brauchten eine hohe Antenne.   4. Ich war froh, Sie zu sehen.   5. Sie sahen ein gutes Schauspiel.   6. Kostete dieser Wagen viel Geld?   7. Ich wartete hier, bis er ankam.

Chapter 35: Page 194

A. 1. In einem Gerichtshof sieht man den Richter, die Angeklagten, Polizisten(Rechtsanwälte und Juristen).   2. Er überlegte, ob die beiden jungen Männer böse sind (ob sie unschuldig sind).   3. Die Anklage lautete wie folgt; versuchter Automatendiebstahl und Gefangenenbefreiung.   4. Wilhelm hatte ein Messer in der Tasche gehabt.   5. Es lag jetzt auf dem Gerichtstisch.   6. Die Teenager hatten eine Flasche Wein getrunken.   7. Wilhelm hatte seine Muskeln an dem Automaten ausprobiert, die Maschine kaputt gemacht und auf den Boden geworfen.   8. Ein Polizist hatte den Lärm gehört.   9. Er hatte dem Polizisten widerstanden, er hatte den Automaten auf den Boden geworfen und trug ein großes Messer bei sich.   10. Er hatte versucht, seinen Bruder zu befreien.   11. Diese Burschen wohnten in einem Keller im Armenviertel.   12. Ihr Vater war immer betrunken und ihre Mutter war weggelaufen.   13. Das Urteil des Richters war gerecht. Die beiden Jungen bekamen dieselbe Strafe, da sie gleich schuldig waren.   14. Wilhelm entschuldigte sich, indem er sagte, "Ich bin Handwerker". Aber Handwerker tragen keine großen Messer in der Tasche, wenn sie nicht arbeiten. Ich glaube er war eine Art Gangster.   15. Ich persönlich trage niemals ein Messer bei mir. Aber viele Leute halten ein kleines Taschenmesser für nützlich (auch die Boy-Scouts—die so-genannten Pfadfinder).

B. 1. an-fangen, der Gefangene. 2) richten, die Richtung, recht, das Recht, der Schiedsrichter. 3) zu-sehen, fern-sehen, der Seher, die Sicht, das Gesicht. 4) losbrechen, zerbrechen, der Bruch. 5) abstellen, anstellen, einstellen, bestellen, die Stellung, die Stelle 6) belegen, verlegen, liegen, die Lage, das Lager, 7) betrunken, trinkbar, Trinkwasser, der Trinker, der Trunk, Trunkenheit, das Getränk. 8) befreien, die Freiheit, freilich, unfrei, freiwillig. 9) sollen, schuldig, unschuldig, entschuldigen, schuldlos. 10) die Folge, folgend, das Folgende, das Gefolge.

C. 1. Der Richter verurteilt die beiden, denn sie hatten Böses getan. 2. Er verurteilte Horst, weil er versucht hatte, seinen Bruder zu befreien. 3. Der Pudel war ins Wasser gefallen. 4. Ein Polizist hatte den Lärm gehört und war herbeigeeilt. 5. Sobald er ins Bett gegangen war, schlief er ein. 6. Nachdem wir den Film gesehen hatten, gingen wir nach Hause. 7. Bevor er nach Deutschland gefahren war, hatte er die Sprache studiert. 8. Als er den Brief gelesen hatte, gab er ihn der Mutter. 9. Nachdem ihn seine Mutter dreimal gerufen hatte, kam er herein. 10. Die anderen hatten den Schnaps getrunken, bevor wir ankamen.

Page 195

D. 1. Ich habe ihn betrachtet. 2. Er hat die Tür aufgemacht. 3. Es hat mir gefallen. 4. Sie hat krank ausgesehen. 5. Haben Sie es bekommen? 6. Haben Sie ihn verstanden? 7. Sie hat mich missverstanden. 8. Sie haben den Tisch zerbrochen. 9. Sie hat es lange überlegt. 10. Die Sonne ist gestern abend sehr früh untergegangen.

E. 1. . . . zu übersetzen. 2. . . . auszugehen. 3. — 4. . . . einzuschlafen 5. . . . zu befreien. 6. —. 7. . . . gefangenzunehmen. 8. . . . zu widerstehen 9. . . . zu betrachten. 10. . . . zu untersuchen. 11. . . . zu sagen. 12. . . . zu antworten.

F. 1. Er wird einschlafen: *He will go to sleep.* 2. Sie wird ihrer Mutter schreiben: *She will write to her mother.* 3. Die anderen werden den Schnaps trinken: *The others will drink the brandy.* 4. Wir werden versuchen, die Aufgabe zu lernen: *We shall try to learn the exercise.* 5. Sie werden morgen nach Hause gehen: *You (they) will go home tomorrow.* 6. Wo werden Sie eigentlich wohnen? *Where will you actually live?* 7. Er wird ein Messer in der Hosentasche tragen: *He will carry a knife in his trouser-pocket.*

G. 1. Ich habe diesen Brief ins Deutsche übersetzt. 2. Er hat die Sache überlegt. 3. Sie hatten von ihm nicht(s) gehört. 4. Wir hatten Deutschland vor dem Krieg nicht besucht. 5. Fühlen Sie sich wohl? 6. Der Polizist hatte ein Messer gefunden. 7. Die Jungen hatten zusammen in einem Armenviertel gelebt. 8. Der Junge war breitschultrig und blond. 9. Mein kleiner Junge wird morgen zehn Jahre alt sein. 10. Sie sah sehr krank aus.

Chapter 36: Page 202

A. 1. Die Kinder werden um halb acht geweckt. 2. Das Frühstück wird (gewöhnlich) um acht Uhr gegessen. 3. Sie hat nicht geschlafen, weil sie (furchtbares) Zahnweh gehabt hat. 4. Ihr Vater wird sie zum Zahnarzt fahren. 5. Der Wagen wird aus der Garage geholt. 6. Paula wird von der Mutter in eine Decke gewickelt. 7. Sie durfte den Mund wegen der Zahnschmerzen nicht öffnen. 8. Sie hatte diese Zahnschmerzen schon eine Woche. 9. Sie hatte den Zahnarzt nicht besucht, weil sie keine Zeit gehabt hatte. 10. Er plombierte den Zahn. 11. Er sitzt im Warteraum und wartet. 12. Ein Zahnarzt wird gewöhnlich besucht, wenn man Zahnschmerzen hat.

B. *Present Passive*   *Imp. Passive*

Ich werde	geschlagen	ich wurde	geschlagen
du wirst	geschlagen	du wurdest	geschlagen
er wird	geschlagen	er wurde	geschlagen
wir werden	geschlagen	wir wurden	geschlagen
Sie, sie, werden	geschlagen	Sie, sie, wurden	geschlagen

Present Passive
ich werde verstanden, geheiratet, getadelt, getragen.

du wirst	*Ditto*	*Ditto*	*Ditto*	*Ditto*

er wird
wir werden
Sie, sie werden

Imp. Passive
ich wurde
du wurdest
er wurde
wir wurden
Sie, sie wurden

C. 1. *The animal is being killed by the hunter:* Der Jäger tötet das Tier. 2. *Breakfast is eaten by the family:* Die Familie ißt das Frühstück. 3. *The car was brought out of the garage:* Man holte den Wagen aus der Garage. 4. *The door is opened by the child:* Das Kind öffnet die Tür. 5. *This school is shut at nine o'clock in the evening:* Man schließt diese Schule um neun Uhr abends. 6. *German is spoken by us:* Wir sprechen Deutsch. 7. *I was taken into the consulting-room:* Man führte mich ins Sprechzimmer. 8. *All the books were read by the mother:* Die Mutter las alle Bücher. 9. *No machines are repaired here:* Hier repariert man keine Maschinen. 10. *We were wakened by the maid:* Das Hausmädchen weckte uns.

Page 203
D. 1. Das Frühstück wird um acht Uhr gegessen. 2. Hier wird Deutsch gesprochen. 3. Diese Zeitung wurde unter dem Stuhl gefunden. 4. Das Urteil wurde vom Richter ausgesprochen. 5. Der Richter wurde von allen Leuten im Gerichtshof gehört. 6. Das Theater wurde jeden Abend um halb acht geöffnet. 7. Der Schnaps wurde vom Zahnarzt getrunken.

E. 1. Man ißt das Frühstück um acht Uhr. 2. Hier spricht man Deutsch. 3. Man fand diese Zeitung unter dem Stuhl. 4. Der Richter sprach das Urteil aus. 5. Alle Leute im Gerichtshof hörten den Richter. 6. Man öffnete das Theater jeden Abend um halb acht. 7. Der Zahnarzt trank den Schnaps.

Chapter 37: Page 209
A. 1. Voriges Jahr hatte Paula ihre Ferien im Tirol verbracht. 2. Dort hatte sie einen jungen Mann, Namens Gerhard, kennengelernt. 3. Gerhard wohnt in

Frankfurt. 4. Er kam (in seinem Wagen) von Frankfurt her. 5. Er kam nach Miesbach, um Paula zu sehen (um ein paar Stunden mit Paula zu verbringen). 6. Er bat Karl, ihm einen schönen Spaziergang zu empfehlen. 7. Der Ausflug dauert drei Stunden. 8. Der Zug fährt um 8.30 ab. 9. Er sollte in Altwald aussteigen. 10. Ein Eckplatz ist ein Fensterplatz; man sitzt direkt am Fenster. 11. Nein, die Landschaft in der Nähe einer Autobahn (der Industrie) ist nicht malerisch. 12. Er nahm sein Taschenbuch aus der Tasche, um alles ausführlich zu notieren, was Karl sagte. 13. Nicht weit von Altwald war ein Eichenwald. 14. Nein, nicht alle Pilze sind eßbar; einige sind giftig. 15. Das Gatter dient dazu, die Hirsche zu schützen; sie sollen nicht auf die Strasse laufen. 16. In einem Wirtshaus trinkt man ein Glas Bier oder Wein. 17. Hinter dem Gatter fand man Schafe, Gänse und Hirsche. 18. Der Vogel, der von Karl gesehen wurde, heißt ein Goldfink. 19. Bevor man eine Bahnstrecke überschreitet, passt man auf, daß kein Zug kommt. 20. Paula kennt diesen Waldweg ebensogut wie Karl; darum wird der Ausflug keine Überraschung für sie.

B. Er notiert zu viel und denkt nicht genug.

Page 210

C. 1. . . . seiner Mutter einen langen Brief 2. Dieser Anzug paßt dem Herrn nicht. 3. Der gute Geistliche glaubt mir nicht. 4. Der entlassene Just will dem . . . 5. Es tut mir leid. 6. . . . diesem Weg bis zum Forsthaus. 7. . . . dem Lehrer Ihre letzte Aufgabe. 8. . . . Ihnen diesen roten Wein. 9. dem. . . . 10. . . . seinem Bruder bei der Arbeit in der Fabrik.

D. 1. Wurde: *This distance was covereved in ten minutes.* 2. wurde: *The yellow bird was fed with bread.* 3. wurde: *He was unharmed.* 4. wurde . . . sollten: *We were told what we should do.* 5. wurde: *You were recommended to read this novel.* 6. wurden: *Many birds were seen in the Inn garden.* 7. wurde: *A lot of milk was drunk on the farm.* 8. wurde: *The forester's house was reached in an hour and a half.* 9. wurde: *They went in for a lot of sport in England.* 10. wurden: *Two seats were reserved for us.*

E. 1. In zehn Minuten wird diese Strecke zurückgelegt. 2. Mit Brot wird der gelbe Vogel gefüttert. 3. Es wird ihm nicht geschadet. 4. Es wird uns gesagt, was wir machen sollen. 5. Ihnen wird empfohlen, diesen Roman zu lesen. 6. Viele Tiere werden im Garten des Wirtshauses gesehen. 7. Im Bauernhof wird viel Milch getrunken. 8. In anderthalb Stunden wird das Forsthaus erreicht. 9. Es wird viel Sport in England getrieben. 10. Für uns werden zwei Plätze reserviert.

Chapter 38: Page 214

A. 1. Der beliebteste Sport in Deutschland ist das Schwimmen (und die Bootfahrt). 2. Um Tennis zu spielen, muß man einen Schläger und Bälle haben. 3. Ein Kanu ist ein kleines, leichtes Boot (in Kanada bei den Indianern beliebt); eine Jacht ist ein Segelboot; in einer Werft werden Schiffe gebaut und repariert. 4. Bevor man ins Wasser geht, zieht man einen Badeanzug (eine Badehose, einen Bikini) an. 5. Anton organisierte eine Sportgruppe; die Eltern spendeten das Geld, die Kinder bauten die Kanus mit den Werkzeugen in der Schule. 6. In der Freizeit sägten und hämmerten die Jungen das Holz, das die Eltern gekauft hatten. 7. Mindestens sechs Kanus und eine Jacht sind von den

Jungen gebaut worden. 8. Es ist gesunder am Sport teilzunehmen, als Zuschauer zu sein. 9. Seefest heißt wasserdicht; man kann das Boot leicht führen (steuern). 10. Die Kanus sind aus gutem, hartem Holz gemacht worden.

B. 1. Der Plan wurde mit Begeisterung von allen Schülern angenommen: *The project was taken up enthusiastically by all the pupils* 2. Das erste Kanu wurde in drei Monaten gebaut: *The first canoe was built in three months.* 3. Diese Aufgabe wurde von der ganzen Klasse gelernt: *This exercise was learnt by all the class.* 4. Diese alten Häuser wurden voriges Jahr verbrannt: *These old houses were burnt down last year.* 5. Der Arbeiter wurde sofort vom Herrn Direktor entlassen: *The workman was dismissed immediately by the manager.* 6. Derselbe Hut ist zwei Jahre lang von dieser Dame getragen worden: *The same hat was worn for two years by this lady.* 7. Das Klavierstück ist dreimal gespielt worden: *The piano piece was played three times.* 8. Die Gefangenen sind in die Wache geführt worden: *The prisoners were led into the Police Station.* 9. Sind Sie bemerkt worden? *Were you seen?* 10. Ein neuer Versuch ist von dem Professor gemacht worden: *A new experiment (attempt) was made by the professor (teacher).*

Page 215
C. der Fluß, Flüße; das Holz, Hölzer; der Bewohner, Bewohner; das Gasthaus, Gasthäuser; der Zahnarzt, Zahnärzte; die Decke, Decken; der Wagen, Wagen; der Doktor, Doktoren; das Zimmer, Zimmer; der Richter, Richter; der Automat, Automaten; die Geschichte, Geschichten, die Muskel, Muskeln; das Auge, Augen; das Messer, Messer; der Fremde, Fremde (die Fremden); der Besuch, Besuche; die Bank, Bänke (Banken); der Bauer, Bauern; der Arbeiter, Arbeiter; die Wiese, Wiesen; der Plan, Pläne.

D. der Lehrer, der Einwohner, das Weh, aufmachen, der Werker, die Leute, zurückkommen, Angestellter (der Angestellte), das Kino, die Aufführung, bekommen, ruhig.

E. voll, Kind (Teenager), Kinder, werfen, sofort, widerstehen, finden, Arbeit, der Osten, der Junge, frei, kühl (kalt), billig, sich erinnern.

F. er(sie, es) fragte, hat gefragt; zog an, hat angezogen; nahm an, hat angenommen; zerbrach, hat zerbrochen; warf, hat geworfen; schlug sich (durch) hat sich durchgeschlagen; überlegte, hat überlegt; wußte, hat gewußt; organisierte, hat organisiert; trieb, hat getrieben; sägte, hat gesägt; verstand, hat verstanden.

G. der Bekannte (der Kenner), der Fehler, die Sprache (der Sprecher), der Student (die Studentin), der Sitz, der Richter, (das Recht), der Gefangene (das Gefängnis), die Wohnung, der Besucher (der Besuch), die Reise (der Reisende), Deutsch (der Deutsche), das Leben (der Lebende), die Lage, der(die, das) Gute, (die Güte), der Gesandte (die Sendung), der Bauer (das Gebäude).

I. 1. Wenn Eis den Boden bedeckt, treibt man viel Wintersport. Aber im Sommer haben die Jungen das Schwimmen am liebsten. Es kostet nicht viel Geld und ist sehr gesund. Letztes Jahr wurde ein Kanu von den Jungen unserer Schule gebaut und jetzt bauen sie eine Jacht. Cricket ist niemals von Deutschen gespielt worden. Es ist schwierig einen guten Spielplatz zu finden. Aber seit vielen Jahren spielt man Fußball in den größeren Städten.

Chapter 39. Page 218

A. 1. Er stand an der Ecke der Schillerstraße. 2. Er wartete auf den Omnibus. 3. Der Mann rannte, weil sein Haus brannte. 4. Der Verkehrspolizist hielt den Mann auf. 5. Ein Nachbar hatte seinen Jungen geschickt, um es ihm zu sagen. 6. Der Polizist fragte ihn; "Wo wohnen Sie denn eigentlich?" 7. Er ging auf den Herrn zu, weil ihm einfiel, daß der Herr ihm bekannt war. 8. Der Herr heißt Herr Ganns. 9. Als sie am Hause ankamen, stand der Nachbar vor der Tür. 10. Er hat ein Fenster zerbrochen, und ist ins Haus geklettert. 11. Der Polizist war erregt, weil niemand schuldig war. 12. Der junge Ganns machte Experimente mit Magnesiumdraht.

Page 219

B and C. 1. Er sandte (sendete) seinen Sohn in die Stadt; Er hat seinen Sohn in die Stadt gesandt (gesendet).

2. Sie rannte so schnell wie möglich; Sie ist so schnell wie möglich gerannt.

3. Das Haus brannte; das Haus hat gebrannt.

4. Ich wußte nichts davon; ich habe nichts davon gewußt.

5. Woher kannten Sie diesen Herrn? Woher haben Sie diesen Herrn gekannt?

6. Ich dachte immer an meine Mutter; Ich habe immer an meine Mutter gedacht.

7. Wir brachten das Buch ins Klassenzimmer; Wir haben das Buch ins Klassenzimmer gebracht.

8. Das Pferd wandte (wendete) sich schnell um; Das Pferd hat sich schnell umgewandt (umgewendet).

9. Erkannten Sie diesen Hut? Haben Sie diesen Hut erkannt?

10. Er wußte, daß es spät war; Er hat gewußt, daß es spät war.

E. Warten Sie mal (Moment, bitte), ich werde Ihnen von einem Brand erzählen, den ich gestern gesehen habe. Viele Leute rannten und bogen in eine Seitengasse(straße) ein. Ich wandte (wendete) mich an einen Herrn, den ich kannte, aber er wußte nicht, was geschah. Daher rannte ich (lief ich) den anderen Leuten (nach). Sie standen vor einem Laden. Die Menge war sehr erregt und jedermann sprach und schrie. In diesem Augenblick kam ein Wachtmeister aus dem Laden herbeigeeilt. Er hatte die Feuerwehr kommen lassen.

Chapter 40: Page 225

A. 1. Wenn er im Garten arbeitet, trägt Anton ein Paar Gummistiefel (seine alten Kleider). 2. Er will nicht gestört werden (er will weiter arbeiten und außerdem ist der Bügrermeister nicht sehr beliebt). 3. Er arbeitet im Garten, wenn der Bürgermeister zu ihm kommt, aber er benutzt diese Gelegenheit ein wenig auszuruhen. 4. Die Rüben wachsen im Gemüsegarten. 5. Man gräbt Kartoffeln mit einer Gabel aus. 6. Man gräbt Kartoffeln und Rüben (mit einer Gabel) aus. 7. Die Frau des Bürgermeisters kommt nicht mit, weil sie Kopfweh hat. 8. Er konnte ihn nicht besuchen, weil er einen Ausflug geplant hatte. 9. Er sollte die Jones nicht besuchen, weil Anton sagte, ihre Wohnung sei zu klein (auch hätten sie keine Hausangestellte). 10. Nein, er ging unzufrieden weg; sein Besuch war umsonst gewesen.

Page 226

B.

Present		Imperfect		
er findet	sie finden	er fand	sie fanden	(*Indicative*)
finde	finden	fände	fänden	(*Subjunctive*)
bringt	bringen	brachte	brachten	
bringe	bringen	brächte	brächten	
wohnt	wohnen	wohnte	wohnten	
wohne	wohnen	wohnte	wohnten	
steckt	stecken	steckte	steckten	
stecke	stecken	steckte	steckten	
steht	stehen	stand	standen	
stehe	stehen	stände	ständen	
gibt	geben	gab	gaben	
gebe	geben	gäbe	gäben	
kommt	kommen	kam	kamen	
komme	kommen	käme	kämen	
fährt	fahren	fuhr	fuhren.	
fahre	fahren	führe	führen	
hat	haben	hatte	hatten	
habe	haben	hätte	hätten	
ist	sind	war	waren	
sei	seien	wäre	wären	
wird	werden	wurde	wurden	
werde	werden	würde	würden	
trägt	tragen	trug	trugen	
trage	tragen	trüge	trügen	
lebt	leben	lebte	lebten	
lebe	leben	lebte	lebten	
legt	legen	legte	legten	
lege	legen	legte	legten	
liegt	liegen	lag	lagen	
liege	liegen	läge	lägen	

C.   Anton sagt; "Sagen Sie ihm: "Er kann nicht gleich kommen, er muß zuerst die Kartoffeln ausgraben" "Er setzt hinzu: "Wenn der Bürgermeister nichts dagegen hat, kann er in den Garten herauskommen." Anna antwortet: "Sie sollen entschuldigen, daß Herr Schulz im Garten arbeitet und keinen Sonntagsanzug trägt: wenn Sie wollen, so dürfen Sie mit ihm im Garten sprechen . . . u.s.w.

D.   Der Polizist sagte, *The policeman said, (that)*

    1. die ganze Geschichte käme von einer Feier her.
    the whole business was the result of a celebration.

2. sie hätten eine Flasche Schnaps getrunken.
   they had drunk a bottle of wine.
3. der Alkohol wäre den Jungen zu Kopf gestiegen.
   the alcohol had gone to the boys' heads.
4. Wilhelm hätte seine Muskeln an einem Automaten ausprobiert.
   William had tested his strength on a slot-machine.
5. er hätte sogar die Maschine zerbrochen
   he had even broken the machine.
6. daß er den Automaten zu Boden geworfen habe (hätte).
   he had knocked the machine on to the floor.
7. daß er den Lärm gehört habe (hätte).
   he had heard the noise
8. daß er versucht habe (hätte), den Jungen gefangenzunehmen.
   he had tried to take the boys into custody.
9. daß sie sie beide zur Wache geführt hätten.
   they had taken the two of them to the Police Station.
10. daß er zwei Monate Gefängnis als Strafe für sie verlange.
    he was asking for a punishment of two months' imprisonment for them.

E. 1. Er hat nichts dagagen. 2. Ich habe nichts dagegen. 3. Ein guter Vortrag wurde vom Engländer gehalten. 4. Meine Frau läßt Sie grüßen. 5. Er rannte auf diese Weise über den Rasenplatz. 6. Sie sieht aus, als ob sie krank wäre (sei). 7. Er sagte, er sei krank (daß er krank sei (wäre)). 8. Er dachte (glaubte), ich habe (hätte) unrecht (daß ich unrecht habe (hätte). 9. Sie glaubte, ich habe (hätte) recht. 10. Sie meldete, der Hund sei verloren (daß der Hund verloren sei (wäre).

Chapter 41: Page 231

A. 1. Anton, Karl, die Mutter und der Engländer nahmen am Ausflug teil. 2. Karl trug ein Paar Lederhosen. 3. Die anderen waren normal gekleidet. 4. Sie fuhren langsam, um die malerische Landschaft zu genießen, und auch um den alten Motor zu schonen. 5. Sie besuchten zuerst eine Schloßruine auf dem Schloßberg. 6. Die Burg war während des Bauernkrieges von den Bauern zerstört worden. 7. Die Bauern führten ein armseliges Leben, ihre Frauen und Kinder hungerten unter der Herrschaft der Ritter, die sie wie Sklaven behandelten. 8. Der Brocken liegt in Mitteldeutschland (im Harz); am ersten Mai, in der Walpurgisnacht, sollen die Hexen (dort) mit dem Teufel tanzen. 9. Marie wurde müde, weil sie den Korb trug (weil sie lange gewandert war). 10. Im Korbe waren Schinkenbrot und Obst für die ganze Gesellschaft.

Page 232

B. Eine Lederhose ist eine kurze Hose (mit Hosenträgern) aus Leder, die die Tiroler tragen. —Man sieht Festspiele in berühmten Kunststädten, wie Bayreuth und Salzburg, wo Opern, Theaterstücke und Konzerte zu einer Feier gegeben werden. —Ein Wald besteht aus einer großen Anzahl Bäume, die nahe an einander wachsen. —Der Bürgermeister ist der erste Bürger in einer Stadt, die er verwaltet. In Deutschland ist er ein berufsmäßiger Beamter. In einem Dorfe ist kein Bürgermeister, sondern ein Gemeindevorsteher. —Kopfweh ist keine richtige Krankheit, sondern oft ein Symptom (Zeichen) davon. Man hat ein Gefühl der Unruhe und Schmerzen im Kopf, besonders wenn man zu viel gelesen, getrunken, oder gearbeitet hat. —Ein Sonntagsanzug ist der beste Anzug, den man hat, den man nur Sonntag und Feiertags trägt.—Eine Ruine ist ein Haus oder irgend ein Gebäude, (z.B.Schloss, Burg, Kirche u.s.w), das nicht mehr bewohnbar ist, weil es zertrümmert liegt.

	Subj.	Pres.	Impf.	Perfect
C.	er, sie es	mache	machte	habe gemacht
		halte	hielte	habe gehalten
		lebe	lebte	habe gelebt
		sei	wäre	sei gewesen
		laufe	liefe	sei gelaufen
		bringe	brächte	habe gebracht
		spreche	spräche	habe gesprochen
		verliere	verlöre	habe verloren
		trage	trüge	habe getragen
		gehe	ginge	sei gegangen
		komme	käme	sei gekommen.

D. 1. Er sagte, er habe (hätte) den Kaffee in eine Thermosflasche gegossen. 2. Er sagte, sie hätten in einem Restaurant getanzt. 3. Er sagte, sie wäre in der Klasse eingeschlafen. 4. Er sagte, das Kind sei sehr groß geworden. 5. Er fragte, wann Sie Ihre Aufgabe gemacht hätten. 6. Er sagte, sie hätten mit ihren Freunden am Strande gespielt. 7. Er sagte, der Wagen sei sehr langsam gefahren. 8. Er fragte, ob der Bauer seine Ernte eingetragen habe (hätte). 9. Er fragte, ob Ihnen das Konzert gefallen habe (hätte). 10. Er fragte, wie viele Zigaretten wir geraucht hätten.

E. A. Ich bin sehr stolz auf mein Haus. Vor ein paar Jahren war (lag) es völlig zerstört. Aber wir haben es selber repariert und wieder aufgebaut. B. Ich möchte es kaufen. Möchten Sie es verkaufen? A. Gott behüte Es wäre nett, das Geld zu haben. Aber wo könnten wir hin? Sie wissen, daß wir sehr gerne hier wohnen. B. Das habe ich nicht gewußt (Das weiß ich nicht). Schon fünf Jahre lang sucht mein Mann ein Haus. Ich glaube, er wird niemals eins finden. A. Wäre es möglich, eins zu bauen, wenn Sie ein Grundstück hätten? B. Das glaube ich nicht. Gott sei Dank, meine Eltern haben ein großes Haus und wir können bei ihnen wohnen.

Chapter 42: Page 234

A. 1. Herr Jones wollte mit dem Flugzeug zurückfahren. 2. Anton begleitete ihn, weil er ihm unterwegs die Sehenswürdigkeiten Frankfurts zeigen wollte. 3. Der Flughafen liegt gleich an der Autobahn und ist leicht erreichbar von der Stadt. 4. Zwei der Sehenswürdigkeiten Frankfurts sind der Römer und Goethes Geburtshaus. 5. Bei der Ankunft im Flughafen suchte (a) Anton einen Parkplatz für seinen Wagen, während (b) Herr Jones sich am Empfangsschalter in der Vorhalle des Flughafens meldete. 6. Als er seinen Koffer übergab, bekam er eine Landungskarte. 7. Antons letzter Gruß war, "Hals und Beinbruch!" 8. Die Meldung der Ansagerin lautete wie folgt: "Der Flug 345 ist schon flugbereit; die Fluggäste sollen sich gleich mit Handgepäck melden." 9. Es gibt Pass–und Gepäckkontrolle am Flughafen. 10. Zuerst versichert sich die Stewardess, daß alle Fluggäste die Zigaretten ausgelöscht und den Sicherheitsgurt angeschnallt haben:

dann rollt das Flugzeug über die Rollbahn; der Pilot gibt Gas, beschleunigt die Motoren und das Flugzeug erhebt sich vom Boden.

Chapter 43: Page 238

A 1. Die Mutter war allein im Hause. 2. Anton war noch nicht von Frankfurt zurückgekehrt. 3. Karl trieb seine englischen Studien an der Abendhochschule in Lippstadt. 4. Paula hatte telefoniert, weil sie noch nicht im Büro fertig geworden war. 5. Das Buch, das Marie las, heißt 'Immensee'. 6. Sie las es, weil es ihr Lieblingsroman war. 7. Reinhard studierte auf der Universität (und auch im Ausland). 8. Erich war ein reicher Bauer (Gutsbesitzer). 9. Sie heiratete Erich ihrer Mutter zu Gefallen, weil Erich sie liebte und er reich war. 10. Reinhard wußte, dass sie Erich nicht liebte, weil sie ihn mit "schwesterlichen Augen" ansah. 11. Reinhard pflegte einen Spaziergang (am Ufer) des Sees zu machen. 12. Er suchte Schutz unter einem Lindenbaum, als er vom Regen überrascht wurde. 13. Auf dem Weg nach Hause, glaubte er, eine weiße Frauengestalt zu sehen.

B.

		Pres.	*Impf.*	*Perf.*	
		1. er bleibt	blieb	ist	
Ind.	(a)	ich bleibe	blieb	bin	
	(b)	wir bleiben	blieben	sind	im Ausland geblieben
		er bleibe	bliebe	sei	
Subj.	(a)	ich bleibe	bliebe	sei	
	(b)	wir bleiben	blieben	seien	
		2. sie springt	sprang	ist	
Ind.	(a)	ich springe	sprang	bin	
	(b)	wir springen	sprangen	sind	aus dem Bett gesprungen
		er springe	spränge	sei	
Subj.	(a)	ich springe	spränge	sei	
	(b)	wir springen	sprängen	seien	
		3. er tritt	trat	ist	
Ind.	(a)	ich trete	trat	bin	
	(b)	wir treten	traten	sind	in den Wald getreten
		er trete	träte	sei	
Subj,	(a)	ich trete	träte	sei	
	(b)	wir treten	träten	seien	
		4. er vermeidet	vermied	hat	
Ind.	(a)	ich vermeide	vermied	habe	
	(b)	wir vermeiden	vermieden	haben	den Polizisten vermieden
		er vermeide	vermiede	habe	
Subj.	(a)	ich vermeide	vermiede	habe	
	(b)	wir vermeiden	vermieden	haben	

		Pres.	*Impf.*	*Perf.*	
	5.	er studiert	studierte	hat	
Ind.	(a)	ich studiere	studierte	habe	
	(b)	wir studieren	studierten	haben	Chemie studiert
		er studiere	studierte	habe	
Subj.	(a)	ich studiere	studierte	habe	
	(b)	wir studieren	studierten	haben	
		er sucht	suchte	hat	
Ind.	(a)	ich suche	suchte	habe	
	(b)	wir suchen	suchten	haben	eine Pflanze im
		er suche	suchte	habe	Walde gesucht
Subj.	(a)	ich suche	suchte	habe	
	(b)	wir suchen	suchten	haben	

Page 239

C. 1. dem   2. die   3. dem   4. der   5. die   6. dem (beim)   7. den.

D. 1. Er sagte, der Wind komme von dem (vom) Osten.   2. Er sagte, der Junge werfe den Ball gegen die Wand.   3. Er sagte, daß am nächsten Tag ein Ausflug gemacht würde.   4. Er sagte, er studiere an der Fachschule.   5. Er glaubte, daß sie durch die Gartentür trete.   6. Er glaubte, daß er beim Näherkommen seine Freundin erkannt habe.   7. Er sagte, daß die Bank unter hohen Bäumen stehe.

E. 1. Man legte die Bücher auf den Tisch.   2. Die Schüler bauten die Kanus.   3. Erich lud den Freund seiner Jugend ein.   4. Man unterschied die Gestalt hinter den Bäumen.   5. Wer besuchte den Flughafen?   6. Die Franzosen zerstörten das Schloß.   7. Wir alle genossen die Lektüre.

F. 1. Die Bücher sind auf den Tisch gelegt worden.   2. Die Kanus sind von den Schülern gebaut worden.   3. Der Freund seiner Jugend ist von Erich eingeladen worden.   4. Die Gestalt ist hinter den Bäumen unterschieden worden.   5. Von wem ist der Flughafen besucht worden?   6. Das Schloß ist von den Franzosen zerstört worden.   7. Die Lektüre ist von uns allen genossen worden.

G. 1. denen   2. deren   3. dessen   4. die   5. der   6. die   7. den   8. worauf.

Page 240

H. 1. Die Vögel werden auf den Bäumen singen.   2. Die Ritter sind von den Bauern getötet worden.   3. Am Ende des Gatters wird ein Pfad gesehen werden, der zu einem Wirtshaus führt.   4. Die Leute die vom Osten kamen, heißen Heimatlose.   5. Im Wirtshaus haben wir gestern Bier getrunken.   6. Wenn sie am Postamt vorbeigehen, rufen Sie mich an.

I. 1. Die Anklage, Anklagen; der Arm, Arme; die Feier, Feiern; das Gefängnis, Gefängnisse; das Messer, Messer; der Schmerz, Schmerzen; der Mund, Münder; die Abfahrt, Abfahrten; die Allee, Alleen; der Kenner, Kenner; der Pilz, Pilze; der

Hirsch, Hirsche; das Kreuz, Kreuze; das Schaf, Schafe; der (die) Erwachsene, Erwachsene: die Entlassung, Entlassungen; die Spur, Spuren; die Ecke, Ecken; der Draht, Drähte; die Flamme, Flammen; die Rübe, Rüben; die Rose, Rosen; die Wohnung, Wohnungen; der Held, Helden, der Beamte, Beamte; die Birke, Birken, die Gestalt, Gestalten; der Berg, Berge; die Burg, Burgen; die Gabel, Gabeln; Ansagerin, Ansagerinnen.

J. 1. die Eiche, die Tanne, die Birke (Obstbaum), (*b*) der Goldfink, die Gans, (die Henne, das Huhn), (*c*) schwarz, weiss, gelb, grau (braun, blau), (*d*) England, Schweden, Holland, (*e*) das Schaf, der Esel, der Hirsch (der Hund), (*f*) Goethe, Schiller, Lessing, Storm, (*g*) Beethoven, Wagner, Weber, (*h*) das Lenkrad, das Licht, der Reifen, die Haube, der Motor (das Rad, die Tür).

K. 1. Er macht es sich bequem, nicht wahr? 2. Diese angenehme, alte Straße führt an meinem Fenster vorbei. 3. Ich bin nicht böse (zornig) auf dich (Sie). Es ist alles in Ordnung. 4. Im Augenblick (jetzt) ist er in seine Arbeit verliebt. 5. Sie (Es) war ein kluges Mächen; sie (es) hat sich mit einem reichen Bauer verheiratet. 6. Er machte einen Spaziergang am Ufer des Sees. 7. Ich kann die Vögel auf den Bäumen sehen. 8. Er setzte seinen Weg nach Hause (Rückweg) fort, ohne ein Wort zu sagen. 9. Setzen Sie sich, bitte! Ich will mit Ihnen sprechen. 10. Dieses große Zimmer wurde abends nicht benutzt. 11. Die Stewardess hat gesagt, wir sollten den Sicherheitsgurt anschnallen. 12. Das Flugzeug kommt um halb elf an (landet); bitte, kommen Sie rechtzeitig.

Chapter 44: Page 245

A. 1. Der Briefträger klopft an die Tür. 2. Er bringt fünf Briefe und ein Paket (die Post) mit. 3. Für den Vater ist ein eingeschriebener Brief (und auch die Gasrechnung); für Karl ein Brief aus England, und für Paula ein Brief aus Frankreich. 4. Liesel verlangt die Marken, weil sie sie sammelt. 5. Ihre Freundin hat einen Franzosen geheiratet, und er arbeitet in Paris. 6. Sie ist froh, eine Wohnung zu haben, weil die Wohnungsfrage sehr schwierig ist. 7. Sie besucht die Museen, weil ihr die Zeit etwas lang wird. 8. Die Hausgehilfin verbessert Gerdas Aussprache, wenn sie Fehler macht. 9. In den französischen Stunden hatte Gerda Spaß gemacht. 10. Gerda denkt oft an alle ihre Freunde in Lippstadt und in Miesbach.

B. 1. Es freut mich. 2. Es freut uns. 3. Es grüßte sie Reinhard. 4. Es war ihm wohl (es ist ihm wohl gewesen). 5. Wie geht's Ihnen? 6. Wie ist es ihnen gegangen? 7. Es klopfte an der Tür. 8. Es freut sie, daß es regnet. 9. Es wundert sie. 10. Es hat ihn gewundert.

C. 1. ein eingeschriebener Brief. 2. die Gasrechnung. 3. ein gedrucktes Rundschreiben. 4. eine Briefmarkensamlung. 5. Es regnet. 6. es fror. 7. Sie wundern sich. 8. Freut es Sie? 9. Es gelingt ihnen nicht. 10. Es ist ihnen endlich gelungen.

Chapter 45: Page 251

A. 1. In dieser Ausstellung waren hauptsächlich Automobile zu sehen, aber es gab auch deren Zubehörteile, sowie Radio, Kasetten, u.s.w. 2. Bill ging nicht allein, sondern mit einigen seiner Freunde. 3. Sie mussten je zwei Pfund Eintrittsgeld bezahlen. 4. Besonders sehenswert war der 'Sonnenscheinwagen'. 5. Tom wollte die Auslandswagen ansehen. 6. Sie würden sich um ein Uhr im Restaurant treffen. 7. Bill konnte kein Auto kaufen, weil er nicht genug Geld hatte. 8. Bill schloß den Prospekt von einem Akkumulator im Brief ein. 9. Er dachte, daß Karl sich dafür interessieren könnte. 10. Vier Teile eines Autos sind; der Motor, die Handbremse, der Scheibenwischer, die Haube. 11. Fünf Gegenstände mit Rädern sind; ein Fahrrad, ein Motorrad, ein Karren, ein Kinderwagen, ein Auto. 12. Drei öffentliche Gebäude sind; das Rathaus, das Postamt, das Parlamentsgebäude (der Gerichtshof).

B.
3rd. sing.

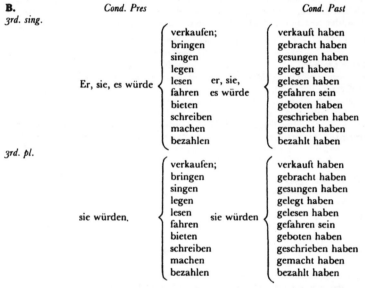

	Cond. Pres		*Cond. Past*
Er, sie, es würde	verkaufen;	er, sie, es würde	verkauft haben
	bringen		gebracht haben
	singen		gesungen haben
	legen		gelegt haben
	lesen		gelesen haben
	fahren		gefahren sein
	bieten		geboten haben
	schreiben		geschrieben haben
	machen		gemacht haben
	bezahlen		bezahlt haben

3rd. pl.

sie würden.	verkaufen;	sie würden	verkauft haben
	bringen		gebracht haben
	singen		gesungen haben
	legen		gelegt haben
	lesen		gelesen haben
	fahren		gefahren sein
	bieten		geboten haben
	schreiben		geschrieben haben
	machen		gemacht haben
	bezahlen		bezahlt haben

C. 1. Wenn ich Zeit hätte, (so) führe ich nach Deutschland; *If I had time, I should go to Germany.* 2. Wenn ich Zeit hätte, (so) ginge ich ins Kino; *If I had time, I should go to the cinema.* 3. Wenn ich Lust hatte, nähme ich eine Zigarette; *If I felt like it, I should take a cigarette.* 4. Wenn ich Zeit hätte, läse ich viele Bücher; *If I had time, I should read a lot of books.* 5. Wenn ich Zeit hätte, triebe ich Sport; *If I had the time, I should go in for a lot of games.* 6. Wenn er uns gesehen hätte, hätte er uns gegrüßt; *If he had seen us, he would have greeted us.* 7. Wenn er uns gesehen hätte, (so) wäre er nicht fortgelaufen; *If he had seen us, he would not have run off.* 8. Wenn er uns gesehen hätte, (so) hätte er den Hut aufgesetzt: *If he had seen us, he would have put on his hat.* 9. Wenn er uns gesehen hätte, hätte er mit uns gesprochen; *If he had seen us, he would have spoken to us.* 10. Wenn er uns gesehen hätte, hätte er uns grüßen müssen: *If he had seen us, he would have had to greet us.* 11. Wenn sie reich wären, trügen sie bessere Kleider; *If they were well-off, they would wear better clothes.* 12. Wenn wir krank wären, riefen wir den Arzt an; *If we were ill, we should telephone the doctor.*

Page 252

D. 1. . . . würde ich viele Rosen haben. 2. . . . würden wir Deutsch sprechen. 3. . . . habe ich viel Deutsch gelernt. 4. . . . würde er nicht allein gehen können. 5. . . . kommen Sie in zehn Minuten an. 6. . . . würden Sie bald ans Ziel kommen. 7. . . . wurde sie immer berauscht. 8. . . . würde sie sich besser fühlen. 9. . . . würde er eine Jacht gekauft haben. 10. . . . so wäre es nicht nötig gewesen, sein Autorad zu reparieren.

E. 1. Es kommt darauf an, was Sie sehen möchten. 2. Ich möchte eine Uhr kaufen, wenn sie nicht zu teuer ist. 3. An Ihrer Stelle, würde ich die Batterie prüfen. 4. Wollen Sie so gut sein, mir Näheres über diesen Prospekt zu berichten? 5. Falls Sie nicht gehen können, werde ich Ihnen Ihr Geld zurückgeben. 6. Er würde es gemacht haben, wenn Sie ruhig gesprochen hätten. 7. Wenn ich Deutsch spreche, denke ich nicht an englische Wörter. 8. Wenn ich Deutsch spräche, würde ich meine Ferien im Ausland verbringen. 9. Wenn er Deutsch gesprochen hätte, (so) würden wir ihn verstanden haben.

Chapter 46: Page 256

A. 1. Das erste Mal, als sie auf der Bühne erschien, hatte Paula Lampenfieber. 2. Eine Theatergruppe ist eine Anzahl Leute, die sich gemeinschaftlich für das Theater interessieren, und auch öfters selber Dramen aufführen. 3. Diese Theatergruppe hat sich entschlossen, Schillers Räuber aufzuführen. 4. Die "Räuber" wurden im Jahre 1781 von Friedrich Schiller geschrieben. 5. Die stürmische, leidenschaftliche Sprache und die rasche, klare Handlung machten dieses Werk sogleich zum Lieblingsdrama der deutschen Jugend. 6. Toni, der Intendant, konnte erst um sieben Uhr kommen, so mußten die anderen auf ihn warten. 7. Der Intendant ruft die ganze Gruppe zu sich, und hält ihr eine Rede darüber, wie sie spielen soll. 8. Er ermuntert sie mit ein paar Witzen, um sie in die richtige Stimmung zu bringen. 9. Er tadelte sie, weil sie lächelte, aber nur im Scherz, denn, obleich er, "Hier geht es ernst zu" sagte, machte er selber Scherze. 10. (a) Eine Posse ist ein amüsantes Bühnenspiel, wo alles übertrieben (extravagant) wird. Die Handlung ist phantastisch, die Charaktere Hanswürste und die Sprache voller Witze und Scherze. (b) Nahe Verwandte und enge Freunde duzen einander als Zeichen ihrer Brüderschaft, d.h. sie benutzen die Du-form oder die ihr-form. (c) Ein Laie ist einer, der aus Liebe und ohne Bezahlung eine sonst berufsmäßige Beschäftigung unternimmt, z. B. als Schauspieler.

Page 257

B. 1. Ihr sollt nicht stehlen. 2. Ihr seht blaß aus. 3. Es ist euch wohl. 4. Ihr habt mich gefragt. 5. Wüßtet ihr, wie eure Aufführung eure Mutter ängstigt! 6. Wie seid ihr darauf gekommen? 7. Seid so gut, eure Violinen mitzubringen. 8. Laßt mich in Ruhe! 9. Geht weg! 10. Ihr würdet aufpassen, wenn ihr klug wäret.

C. 1. Ich habe meine Pflicht tun müssen: *I had to do my duty.* 2. Sie haben diese Rolle spielen dürfen: *You have been allowed to play this part.* 3. Er hat nicht schnell laufen können; *He wasn't able to run fast.* 4. Wir haben dieses Stück üben können: *We have been able to practice this piece.* 5. Man hat mich dieses Buch lesen lassen: *They've let* *me read this book.* 6. Ich habe den Räuber kommen sehen: *I saw the thief coming.* 7. Er hat seiner Mutter schreiben sollen: *He ought to have written to his mother.* 8. Ihr habt ins Theater gehen wollen: *You wanted to go to the theatre.* 9. Du hast uns nicht besuchen mögen: *You didn't want to visit us.* 10. Sie hat ins Geschäft eilen müssen: *She has had to hurry to work.*

D. Leer, unglücklich, ungesund (krank), leicht, frisch (gesund), dünn, nächste Woche, möglich, unzufrieden, böse, langsam, schweigen, der Teenager (das Kind), befreien, schnell

E. die Bühne, Bühnen; die Probe, Proben; der Aufzug, Aufzüge; der Brief, Briefe; die Briefmarke, Briefmarken; das Museum, Museen; der Korb, Körbe, das Schloß, Schlößer; das Bein, Beine; die Gesellschaft, Gesellschaften; die Pflanze, Pflanzen; die Wohnung, Wohnungen; die Landschaft, Landschaften; die Fabrik, Fabriken; der Liebhaber, Liebhaber; die Stimmung, Stimmungen.

F. Das Drama, falls, ansehen, die Arbeit (das Werk), geschehen, sich ereignen, korrigieren, die Frucht, das Schloß, die Stelle, das Zimmer, die Geschichte, schicken, heissen, der Laie.

Page 258

G. 1. *I wouldn't think of it*: Ich habe nicht daran gedacht. 2. *He encloses a prospectus*: Er hat einen Prospekt eingeschloßen. 3. *He forgets to greet me*: Er hat vergessen, mich zu grüßen. 4. *It occurs to me, he expresses himself very badly*: Es ist mir eingefallen, er hat sich sehr schlecht geäußert. 5. *We do not interrupt you*: Wir haben Sie nicht unterbrochen. 6. *I like to see it*: Ich habe es sehen mögen. 7. *She has a look round the museum*: Sie hat das Museum besichtigt. 8. *We make up our minds to go*: Wir haben uns entschlossen, zu gehen. 9. *You are doing it in his place*: Ihr habt es an seiner Stelle gemacht. 10. *You are having (will get) your hair cut*: Sie haben sich das Haar schneiden lassen.

I. Wir haben nicht ins Theater gehen wollen, aber Wilhelm Tell wurde aufgeführt. Und außerdem, spielte unser alter Freund, Brause, die Hauptrolle. Brause war ein unglücklicher Mann. Er hatte Schriftsteller werden wollen, aber sein Vater hatte ihn Schauspieler werden lassen. Da wir ihn niemals hatten spielen sehen, entschlossen wir uns, das Theater zu besuchen. Wir sind erst um acht Uhr im Theater angekommen, aber es ist uns gelungen, gute Plätze im Balkon zu bekommen. Die Spannung im ersten Aufzug ist furchtbar und gleich in der ersten Szene findet man sich mitten in der Handlung. Es war eine sehr schöne Aufführung und sie hat uns sehr gefallen.

SUMMARY OF GRAMMAR

1. There are three genders of nouns in German: masculine, feminine and neuter. These genders are shown by the case endings on the preceding article or adjective.

USE OF CASES

2. There are four cases in German.

The nominative is used as the subject case, i.e. the person or thing controlling the verb or doing the action, or as the complement of the verb 'to be,' e.g. DER Professor kommt; DIE Flasche ist rund; DAS Kupfer ist EIN Metall.

The accusative is the case of the direct object, i.e. the person or thing affected by the action or controlled by the verb. It is also used after certain prepositions, e.g. der Professor bringt DEN Stoff; der Professor kommt in DAS Zimmer.

The genitive is used as the possessive case; also after certain prepositions, e.g. der Stoff DES Professors; die Form DER Flasche; die Farbe DES Kupfers; wegen DES Wetters.

The dative is used as the case of the indirect object and after certain prepositions, e.g. der Professor bringt DEM Studenten den Stoff; das Wasser ist in DER Flasche.

THE DEFINITE ARTICLE (the)

3. The definite article in its four cases, three genders, singular and plural has the following forms:

	Masc.	*Fem.*	*Neut.*	*Pl. all genders*
NOM.	der	die	das	die
ACC.	den	die	das	die
GEN.	des	der	des	der
DAT.	dem	der	dem	den

4. There are contractions of the above with certain prepositions.

e.g. in dem = im.   bei dem = beim.   zu dem = zum.

zu der = zur.   in das = ins.   auf das = aufs.

durch das = durchs.

5. There are seven words (the first four are the commonest) which have the same endings as the definite article as follows:

Masc.	*Fem.*	*Neut.*	*Pl. all genders*	*Meaning*
dieser	diese	dieses	diese	this
jener	jene	jenes	jene	that
welcher	welche	welches	welche	which
jeder	jede	jedes		each
aller	alle	alles	alle	all
solcher	solche	solches	solche	such (a)
mancher	manche	manches	manche	many (a)

THE INDEFINITE ARTICLE (a, an)

6. The indefinite article in its four cases and three genders is:

Masc.	*Fem.*	*Neut.*	*No plural*
ein	eine	ein	
einen	eine	ein	
eines	einer	eines	
einem	einer	einem	

7. There are eight words having the same endings as ein (their plural has the same endings as **die**).

Masc.	*Fem.*	*Neut.*	*Pl. all genders*	*Meaning*
kein	keine	kein	keine	no, none
mein	meine	mein	meine	my, mine
dein	deine	dein	deine	thy
sein	seine	sein	seine	his
unser	unsere	unser	unsere	our
euer	euere	euer	euere	your
ihr	ihre	ihr	ihre	her, their
Ihr	Ihre	Ihr	Ihre	your

8. When **ein** or any of the above eight words is used as a pronoun, it

declines like **der,** e.g. Einer von den Studenten bringt mir eines der Gläser. (One of the students brings me one of the glasses.)

NOUNS

Gender

9. Every noun has a gender, masculine, feminine, or neuter. This should be learnt with the word (as should also its plural). Genders are quite arbitrary and only the following simple rules are worth noting:

Most male beings and professions are masculine, e.g. der Mann, der Soldat (soldier), der Bär (bear), der Professor.

Most female beings and professions, and most abstract nouns ending in **-e, -heit, -keit, -schaft, -ung**, are feminine, e.g. die Frau, die Katze (cat), die Professorin (lady teacher), die Liebe (love), die Kindheit (childhood), die Freundschaft (friendship), die Vereinigung (union).

Neuter includes most metals, all diminutives ending in **-chen** and **-lein**, all infinitives used as nouns: das Kupfer (copper), das Fräulein (young lady), das Kätzchen (kitten), das Bringen (bringing).

Compound nouns take the gender of the last component, e.g. das Wasser, der Stoff: der Wasserstoff (hydrogen).

das Wasser, die Flasche: die Wasserflasche (water-bottle).

Plurals

10. Plurals of nouns fall into five classes. Very few rules are worth learning because of the number of exceptions. The plural of each noun should be remembered. The following rough guides may be helpful:

1. Add **-n** (**-en** for euphony), e.g. die Flasche, plural die Flaschen. Most feminine nouns, e.g. die Säure, plural die Säuren; die Tür, plural die Türen.

    Some masculine nouns denoting male beings and professions, e.g. der Professor, plural die Professoren; der Student, plural die Studenten. Very few neuter nouns.

2. Add **-e** (many of these modify the root vowel), e.g. der Hund, plural die Hunde; der Tisch, plural die Tische; der Fall, plural

die Fälle. Most masculine nouns, e.g. der Arm, plural die
Arme; der Ball, plural die Bälle.

A few feminine nouns, e.g. die Hand, plural die Hände. Some
neuter nouns, e.g. das Tier, plural die Tiere.

3. Add **-er** (all modify the root vowel where possible), e.g. das
Glas, plural die Gläser; der Mann, plural die Männer.

Most neuter nouns, e.g. das Buch, plural die Bücher.

Very few masculine nouns, e.g. Mann, Männer; Gott, Götter;
Geist, Geister; Wald, Wälder.

No feminine nouns.

4. Add nothing (a few modify), e.g. der Garten, plural die
Gärten; das Zimmer, die Zimmer.

Masculine and neuter nouns ending in **-el, -en, -er**, and
diminutives in **-chen** and **-lein**, e.g. das Feuer, plural die
Feuer; das Fräulein, plural die Fräulein; der Onkel, plural die
Onkel.

Only two feminine nouns, die Mutter, die Tochter; both
modify in plural.

5. Many words borrowed from other languages keep their native
plurals, e.g. das Sofa, plural die Sofas; das Museum, plural die
Museen.

6. Masculine and neuter nouns of quantity remain singular after
a number: drei Fuss hoch, vier Glas Bier. Feminine nouns of
quantity follow normal usage: drei Ellen (yards) Tuch.

11. *Typical Declension of Nouns*

	Sing.	Pl.	Sing.	Pl.
NOM.	der Arm	die Arme	der Garten	die Gärten
ACC.	den Arm	die Arme	den Garten	die Gärten
GEN.	des Arms	der Arme	des Gartens	der Gärten
DAT.	dem Arm(e)	den Armen	dem Garten	den Gärten

	Sing.	Pl.	Sing.	Pl.
NOM.	der Doktor	die Doktoren	der Herr	die Herren
ACC.	den Doktor	die Doktoren	den Herrn	die Herren
GEN.	des Doktors	der Doktoren	des Herrn	der Herren
DAT.	dem Doktor	den Doktoren	dem Herrn	den Herren

	Sing.	*Pl.*	*Sing.*	*Pl.*
NOM.	die Frau	die Frauen	die Flasche	die Flaschen
ACC.	die Frau	die Frauen	die Flasche	die Flaschen
GEN.	der Frau	der Frauen	der Flasche	der Flaschen
DAT.	der Frau	den Frauen	der Flasche	den Flaschen

	Sing.	*Pl.*	*Sing.*	Pl.
NOM.	das Glas	die Gläser	das Fenster	die Fenster
ACC.	das Glas	die Gläser	das Fenster	die Fenster
GEN.	des Glases	der Gläser	des Fensters	der Fenster
DAT.	dem Glas(e)	den Gläsern	dem Fenster	den Fenstern

Notes

1. Masculine and neuter nouns add **-s** (**-es**) in the genitive singular except a few masculine nouns like **Junge, Löwe** which add **-n** in all cases, and a few masculine and neuter nouns like **Herz, Name** which add **-n** in all cases and **-ns** in the genitive.
2. Feminine nouns do not change in the singular.
3. Masculine and neuter monosyllables can add **-e** in dative singular (they usually do so after a preposition, e.g. auf dem Tische).
4. In the plural, the endings for the accusative and genitive of all nouns are the same as those for the nominative, but all dative plurals add **-n** unless they already end in **-n**.
5. Apposition is found as in English, where successive nouns referring to the same thing are in the same case, e.g. Sein Vater, Anton; mein Freund, der Gärtner; *genitive*, meines Freunds, des Gärtners.
   But unlike English:

Das Dorf Miesbach	= The village of Miesbach.
Die Stadt Berlin	= The city of Berlin.
Eine Tasse Tee	= A cup of tea.
Ein Glas Bier	= A glass of beer.
Eine Schachtel Zigaretten	= A packet of cigarettes.
Der Monat November	= The month of November
Ende Dezember	= At the end of December.

   But with an adjective, the genitive case is used.

Ein Glas dunklen Bieres	= A glass of dark ale.
Eine Tasse warmen Kaffees	= A cup of hot coffee.

6. Proper nouns, both masculine and feminine, usually add **-s** in the genitive case. Masculine nouns ending in **-s, -x, -z** add **-ens,** and feminine nouns ending in **-e** add **-ns**; e.g. Fritzens, Mariens, Maxens from Fritz, Marie, Max.

ADJECTIVES

12. *Comparison*

1. Add **-er** for the comparative, **-st** (**-est**) for the superlative and modify the root vowel of one-syllable adjectives, e.g. arm, ärmer, ärmst; kurz, kürzer, kürzest.
2. Irregular comparison are:

gross	grösser	grösst
hoch	höher	höchst
gut	besser	best
nah	näher	nächst

3. Grösser als = bigger than; kleiner als = smaller than, e.g. das Eisen ist härter als das Kupfer.
4. Nicht so gross wie = not so big as; so hoch wie = as high as, e.g. der Stuhl ist nicht so gross wie der Tisch.
5. Any adjective may be used as an adverb without change, e.g. er singt gut = he sings well; er macht es schlecht = he does it badly.
6. Adverbs compare like adjectives. The superlative is **am grössten, am schnellsten,** etc. or **aufs schnellste,** etc. (absolute), e.g. diese Säure wirkt am schnellsten = this acid has the quickest effect (compared with others).
   diese Säure wirkt aufs schnellste = this acid works most rapidly (i.e. very quickly).
7. Irregular degrees of comparison of adverbs are:

viel	mehr	am meisten
wenig	minder	am mindesten (also weniger, am wenigsten)
gern	lieber	am liebsten

13. *Declension of Adjectives*

Predicative adjectives do not inflect. There are no endings on the adjective coming after the verbs 'to be,' 'to become,' etc., e.g. dieses Gas ist dicht; die Flasche ist grün; der Mann wird alt.

Adjectives used attributively (i.e. before a noun) have three different declensions: (1) after **der, die, das**. (2) after **ein, eine, ein**. (3) independent.

1. The adjective declines as follows after **der, die, das**, or any of the seven words like it, **dieser, jener, welcher, solcher, mancher, jeder, aller**.

	Masc.	*Fem.*	*Neut.*
NOM.	der arme Mann	die alte Frau	das neue Buch
ACC.	den armen Mann	die alte Frau	das neue Buch
GEN.	des armen Mannes	der alten Frau	des neuen Buches
DAT.	dem armen Mann(e)	der alten Frau	dem neuen Buch(e)

Plural of all Genders

NOM.	die armen (alten, neuen) Männer (Frauen, Bücher)
ACC.	die armen (alten, neuen) Männer (Frauen, Bücher)
GEN.	der armen (alten, neuen) Männer (Frauen, Bücher)
DAT.	den armen (alten, neuen) Männern (Frauen, Büchern)

2. The adjective declines as follows after **ein** or any of the eight words **kein, mein, dein, sein, unser, euer, ihr, Ihr**:

	Masc.	*Fem.*
NOM.	ein armer Mann	eine alte Frau
ACC.	einen armen Mann	eine alte Frau
GEN.	eines armen Mannes	einer alten Frau
DAT.	einem armen Mann(e)	einer alten Frau

	Neut.
NOM.	ein neues Buch
ACC.	ein neues Buch
GEN.	eines neuen Buches
DAT.	einem neuen Buch(e)

Plural of all Genders

(As **ein** has no plural, **keine** and **seine** are quoted as models)

NOM.	keine armen Männer	seine neuen Bücher
ACC.	keine armen Männer	seine neuen Bücher
GEN.	keiner armen Männer	seiner neuen Bücher
DAT.	keinen armen Männern	seinen neuen Büchern

3. The adjective not preceded by the definite or indefinite article or **dieser, welcher,** etc., or **kein, mein,** etc., declines 'strong,' i.e. with the endings of the definite article except in genitive case masc. and neut., as follows:

	Masc.	*Fem.*	*Neut.*
NOM.	armer Mann	alte Frau	neues Buch
ACC.	armen Mann	alte Frau	neues Buch
GEN.	armen Mannes	alter Frau	neuen Buches
DAT.	armem Mann(e)	alter Frau	neuem Buch

Plural of all Genders
arme, alte, Frauen, etc.
arme, alte Frauen, etc.
armer, alter Frauen, etc.
armen, alten Frauen, etc.

14. 1. Any adjective may be used as a noun. It is given a capital letter but still declines like an adjective, e.g. der Alte = the old man; ein Alter = an old man; eine Alte = an old woman; einer Alten = of an old woman. If the gender of the noun is not apparently male or female, it is made neuter, e.g. das Alte ist besser als das Neue = the old (old things) is better than the new; das Wahre = the true; das Grüne = green.

Some adjectives used as nouns have become true nouns. They still decline like adjectives, e.g. der Gesandte = the ambassador, der Deutsche = the German, die Deutsche = German woman, das Deutsche = German.

2. **Etwas, nichts, alles, viel, wenig** used with an adjective make the adjective neuter with an initial capital letter: e.g. etwas Gutes, *something good*; nichts Neues, *nothing new*; wenig Nützliches, *little that is useful*. But observe the small initial letter in **alles andere,** everything else, and **etwas anderes,** something different.

15. 1. Indeclinable adjectives are formed from the names of towns. They always end in **-er**, e.g. Die Berliner Zeitung, plural die Berliner, Zeitungen; Pariser Hüte; Londoner Briefe, etc.

2. Indefinite numeral adjectives, **einige** (some), **mehrere** (several), **viele** (many), **wenige** (few) are mostly followed by strong adjectives in the plural, e.g.:

viele schöne Bilder, *gen.* vieler schöner Bilder
wenige arme Leute, *gen.* weniger armer Leute.
But **alle** should be followed by a weak adjective, e.g.:
alle guten Männer, *gen.* aller guten Männer.
If **alle** is followed by a possessive or demonstrative adjective,
the latter is declined strong, e.g.:
alle meine Freunde, alle diese Leute; but,
alle meine guten Freunde, alle diese armen Leute.

3. **Solch** (such, such a) and **manch** (many a) preceded by **ein**
decline weak; followed by **ein**, they are indeclinable; without
ein, they have the endings of **der, die, das**, e.g. Mancher
Mann liebt manches Mädel = Many a man loves many a
girl = Manch ein Mann liebt manch ein Mädel.
Ein solches Ding = solch ein Ding = solches Ding = such a
thing.

NUMBERS

16. Cardinal numbers do not normally decline (except **ein**).

1 ein(s)	11 elf	21 einundzwanzig
2 zwei	12 zwölf	30 dreissig
3 drei	13 dreizehn	34 vierunddreissig
4 vier	14 vierzehn	40 vierzig
5 fünf	15 fünfzehn	50 fünfzig
6 sechs	16 sechzehn	60 sechzig
7 sieben	17 siebzehn	70 siebzig
8 acht	18 achtzehn	80 achtzig
9 neun	19 neunzehn	90 neunzig
10 zehn	20 zwanzig	100 hundert

1000 tausend; 1,000,000 eine Million; tausend Millionen = eine
Milliarde.
50,921 = fünfzigtausendneunhunderteinundzwanzig.
Note that *one* is **eins** when by itself or following another number, e.g.
eins ist eine Zahl; hunderteins (101). *One* is **ein** when preceding
another number, e.g. einundvierzig (41).

17. *Ordinals*

Ordinal numbers decline like ordinary adjectives. They are formed
from the cardinals by adding **-te** from 1 to 19 and **-ste** from 20 to

100, e.g. zweite, vierte, neunte, einundzwanzigste, dreissigste, etc. Irregularly formed are **erste, dritte, siebte** (or **siebente**), **achte**.

ein viertes Buch; zum zweiten Mal; Heinrich der Achte; der erste Mai; meine dritte Frau.

18. *Fractions*

Fractions are neuter nouns formed by adding **-l** to the ordinal number, e.g. ein Viertel, ein Zwanzigstel.

Irregular is: **eine Hälfte** (a half) as a noun and **halb** as an adjective, e.g. ein halbes Pfund = half a pound, zwei Fünftel = two-fifths, eine Hälfte vom Ganzen = a half of the whole.

19. *Adverbials*

These are formed by adding **-ns** to the ordinal number, e.g. erstens, zweitens, drittens, viertens, etc. = firstly, secondly, etc.

20. *Multiples*

Add **-mal** to the cardinal number, e.g. einmal, zweimal, dreimal, zwanzigmal, hundertmal = once, twice, etc.

Indeclinable adjectives are formed by adding **-erlei** to the cardinal, e.g. einerlei, zweierlei, dreierlei = one (two, three) kind(s) of. dreierlei Bücher = three kinds of books. das ist mir einerlei = that's all one to me.

21. *Time, dates, etc.*

one o'clock	ein Uhr
two o'clock	zwei Uhr
half past two	halb drei
half past twelve	halb eins
quarter past three	Viertel nach drei *or* Viertel vier
quarter to five	Viertel vor fünf *or* Dreiviertel fünf
25 past three	fünfundzwanzig Minuten nach drei
10 to seven	zehn Minuten vor sieben
the first of January	= der erste Januar.
the second of February	= der zweite Februar.
the third of March	= der dritte März, etc.

The accusative case is used for definite time, so if a date is used absolutely, as at the head of a letter, say 'den ersten Feb.'

The following idioms must be observed with regard to age:

Karl ist neunzehn *Jahre alt* = Karl is nineteen.
Er wurde 1815 (*or* im Jahre 1815) geboren = He was born in 1815.

22. I   PERSONAL PRONOUNS

NOM.	ich	du	er	sie	es	wir	ihr	Sie	sie
ACC.	mich	dich	ihn	sie	es	uns	euch	Sie	sie
GEN.	meiner	deiner	seiner	ihrer	seiner	unser	euer	Ihrer	ihrer
DAT.	mir	dir	ihm	ihr	ihm	uns	euch	Ihnen	ihnen

Notes: The form **du** is used only in addressing a child or familiar friend. *Ihr* is the plural of this. For most practical purposes both forms may be dispensed with and the 'polite form' **Sie** used to translate *you* (singular and plural).

The German idiom for translating 'it is **I**' = ich bin es.

The emphatic form is made by adding selber or selbst, e.g.

I myself never drink = Ich selber (selbst) trinke nie.

He himself is doing it = Er tut es selber (selbst).

2. **Selbst** and **selber** are indeclinable, but **man** (the indefinite pronoun = one, somebody, you, they) declines: accusative, **einen**; dative, **einem**.

The indefinite pronouns **jemand** (somebody) and **niemand** (nobody) add **-s** in the genitive and may add **-en** in the accusative and **-em** in the dative, e.g.

Er muss jemands Bruder sein = He must be somebody's brother.

Ich spreche mit niemand(**-em**) = I'm not talking to anybody.

REFLEXIVE PRONOUNS

23. mich = myself;   sich = yourself,   himself,   herself,   itself, themselves; uns = ourselves; dich = thyself; euch = yourselves: e.g.

Ich setze mich auf den Stuhl. Er hat sich auf das Sofa gesetzt. Wir trocknen uns mit einem Badetuch ab.

Note that the position of the reflexive pronoun is immediately after the finite verb.

In the case of a dative reflexive pronoun being required, the dative of **mich** is **mir**, of **dich**, **dir**: the rest of the reflexive pronouns are the same in the dative as in the accusative, e.g. ich bürste mir das Haar;

er hat sich in den Finger geschnitten; wir geben uns viel Mühe. An invariable reflexive form, which is really a reciprocal pronoun, is **einander**, e.g. Wir sehen uns = We see ourselves *or* We see each other.

Wir sehen einander   We see each other
Sie sitzen neben einander   They sit by each other

A rarer emphatic reciprocal pronoun meaning 'mutually' is **gegenseitig**, e.g. Sie wirken auf einander gegenseitig = They have an effect on each other.

RELATIVE PRONOUNS

24. Who, which, that are translated by **der** or **welcher**, declined thus:

	Masc.	*Fem.*	*Neut.*	*Pl.*
NOM.	der	die	das	die
ACC.	den	die	das	die
GEN.	**dessen**	**deren**	**dessen**	**deren**
DAT.	dem	der	dem	denen
NOM.	welcher	welche	welches	welche
ACC.	welchen	welche	welches	welche
GEN.	**dessen**	**deren**	**dessen**	**deren**
DAT.	welchem	welcher	welchem	welchen

25. The following rules must be observed in relative clauses:

1 . The relative pronoun agrees with its antecedent in gender and in number, but not in case; e.g.

Ein Mann, den ich kenne, spricht gut Deutsch (A man whom I know, speaks German well). 'Ein Mann' is nominative case, subject of the verb 'spricht'; 'den' agrees with 'Mann' in being masculine singular but, being the object of the verb 'kenne,' is accusative case.

Die Frauen, DEREN Kinder krank sind, bleiben zu Hause (The women whose children are ill, stay at home). 'Deren' is genitive, but agrees with the nominative 'Frauen' in being feminine plural.

Der Mann, mit dem ich nach Hause gefahren bin, ist reich

(The man with whom I drove home, is rich). 'Dem' is dative after 'mit,' but agrees with the nominative 'Mann' by being masculine singular; cf. the plural of the same sentence:

Die Männer, mit denen ich nach Hause gefahren bin, sind reich.

2. The verb stands at the end of the relative clause.

3. The relative pronoun is always preceded by a comma.

4. 'He who' is translated by 'derjenige, welcher (der).' The 'der-' of 'derjenige' declines like the definite article, the '-jenige' like a weak adjective; 'welcher (der)' is the relative pronoun, e.g. Diejenigen, die ihre Arbeit machen, werden gelobt = Those who do their work are praised. Ich liebe denjenigen, der (welcher) arbeitet = I like the man who does his work. A short form of **derjenige, der** is **wer,** e.g. Wer A sagt, muss auch B sagen = He who begins something must finish it.

Derselbe, dieselbe, dasselbe (the same, it, he) decline like derjenige. Both assume the gender of the noun to which they refer.

5. After an indefinite antecedent, after **alles, nichts** or a whole phrase, the relative pronoun is **was**, e.g.

Alles, was er sagte, war falsch = All that he said was false.

Er schlug mich, was mich beleidigte = He hit me; a thing which offended me.

Ich habe nichts, was ich mein eigen nennen könnte = I have nothing I might call my own.

6. The relative pronoun may never be omitted in German, e.g. A man I know = Ein Mann, den ich kenne.

7. For combined preposition and relative pronoun see para. 26.

INTERROGATIVE PRONOUNS

26. **wer** = who? and **was** = what? decline as follows:

NOM.	wer	was
ACC.	wen	was
GEN.	wessen	wessen
DAT.	wem	—

There is no plural of the above and the words govern a singular verb except for the idiom **wer sind? was sind?** = who are? what are? It is not German to say 'in was,' 'mit was,' meaning 'in what,' 'with what.' Composite forms of the interrogative and relative are made with prepositions and the prefix **wo- (wor-)**, e.g. worin = *in what*, womit = *with what*. Worauf sitzt er? = *What is he sitting on?* Der Stuhl, worauf er sitzt = *The chair he is sitting on*.

PREPOSITIONS

27. The following prepositions always govern the Accusative case:

für	*for*	für meinen Freund, *for my friend*
durch	*through*	durch das Zimmer, *through the room*
ohne	*without*	ohne meine Hilfe, *without my help*
gegen } wider }	*against*	gegen den Wind, *against the wind* wider meinen Willen, *against my will*
um	*around*	um den Tisch, *round the table*
entlang	*along* (*follows the noun*)	den Fluss entlang, *along the river*

28. The following prepositions always govern the Dative case:

mit	*with*	mit der Flasche, *with the bottle*
nach	*after, towards*	nach der Stadt, *to the town* nach dem Krieg, *after the war*
bei	*near, at the house of, with*	bei mir, *at my house* bei diesen Gasen, *with these gases*
seit	*since*	seit dem Krieg, *since the war*
von	*from, by, of*	von meinem Onkel, *from (of, by)´ my uncle*
zu	*at, to*	zu mir, zur Universität, *to me, to the university*
aus	*out, out of*	aus dem Zimmer, *out of the room*
gegenüber (follows the noun)	*opposite*	dem Haus gegenüber, *opposite the house*
entgegen (follows the noun)	*towards*	dem Feind entgegen, *towards the enemy*

29. The following prepositions always govern the Genitive case:

während	*during*	während des Tages, *during the day*
statt anstatt	*instead of*	statt meiner Tante, *instead of my aunt*
wegen	*on account of*	wegen des Regens, *because of the rain*
trotz	*in spite of*	trotz des Feindes, *in spite of the enemy*
diesseits	*this side of*	diesseits der Brücke, *this side of the bridge*
jenseits	*that side of*	jenseits der Stadt, *beyond the town*

30. The following prepositions govern the Accusative when indicating motion and the Dative when indicating rest:

in	*in, to*	er geht in das Zimmer, *he goes into the room*
an	*on, at*	
auf	*on, upon*	er schläft in dem Zimmer, *he sleeps in the room*
hinter	*behind*	
vor	*before*	er setzt das Glas auf den Tisch, *he puts the glass on the table*
unter	*under*	
über	*over*	das Glas liegt auf dem Tisch, *the glass lies on the table*
zwischen	*between*	
neben	*near, by*	

31. Adverbial compounds are made with **da-** (**dar-**) and prepositions referring only to things and not to persons. **Darin** = therein, in it, in them; **damit** = with it, with them.

CONJUNCTIONS

32. **Und** (and), **aber** (but), **denn** (for), **sondern** (but), **doch** (yet), **oder** (or), **allein** (but) are co-ordinating conjunctions and have no effect on the order of words; e.g. Und stolz schrieb sie ihren Namen = *And proudly she wrote her name.* Ich muss mich beeilen, denn es ist spät = I must hurry, for it is late. Ich bin Chemiker aber mein Bruder ist Bankkassierer = I am a chemist but my brother is a bank clerk.

33. All other conjunctions are subordinating and force the verb to the end of the sentence, with commas round the clause.

als	*as, when, than*	damit	*so that*
bevor	*before*	ehe	*before*
nachdem	*after*	obgleich	*although*
indem	*while*	obwohl	*although*
bis	*until*	sobald	*as soon as*
da	*as, since*	während	*while, during*
seitdem	*since (of time)*	weil	*because*
dass	*that*	wenn	*when*
ob	*if, whether*	wie	*how, as*

e.g. Ich weiss, dass das Fenster offen ist = I know the window is open.

Nachdem er zu Bett gegangen war, kam der Dieb herein = After he had got into bed, the thief came in.

Ich spreche fliessend Deutsch, weil ich fleissig studiert habe = I speak German fluently because I have studied hard.

Als er hier war, war er immer krank = When he was here, he was always ill.

Ich weiss nicht, wie Sie dieses Wort aussprechen = I don't know how you pronounce this word.

34. It is important not to confuse the functions of adverbs, prepositions and conjunctions which in English sometimes have the same form, but which are different in German, e.g. before the war = vor dem Krieg; since the war = seit dem Krieg; before he left = ehe er wegging; since he left = seitdem er wegging; he said that before (previously) = das hat er vorher gesagt; nach der Stunde = after (preposition) the lesson; nachdem Sie es gelernt haben = after (conjunction) you have learnt it; nachher hörten wir ein schönes Konzert = after(wards) (adverb) we heard a fine concert.

35. Note how to translate 'when.'
   1. **Wann** in direct or indirect questions, e.g. Wann kommt er? = When is he coming? Ich weiss nicht, wann er kommt = I don't know when he is coming.

2. **Wenn** in the present and future tenses, e.g. Wenn mein Vater kommt, geben Sie ihm diesen Brief = When my father comes, give him this letter.

3. **Als** with the past tenses, e.g. Als wir aus dem Zimmer traten, kam er auf uns zu = When we stepped out of the room he came up to us.

36. **Um . . . zu** with the infinitive = in order to. **Um** comes at the beginning of the clause and **zu** with the infinitive at the end. This construction may only be used when the subject of the finite verb is understood as the subject of the infinitive, e.g. Er kauft das Buch, um es zu lesen = He buys the book to read it. Ich steige auf den Tisch, um das Fenster zu öffnen = I get on the table to open the window.

VERBS

37. *Strong and Weak Verbs*

Verbs are classified in German as weak or strong, and very few are irregular.

Consider the following:

ENGLISH		GERMAN	
Inf.	*Past Part.*	*Inf.*	*Past Part.*
talk	talked	sagen	gesagt
play	played	spielen	gespielt
empty	emptied	leeren	geleert
work	worked	arbeiten	gearbeitet
praise	praised	loben	gelobt

In English a verb which simply adds -*d* to make its past participle is weak. Its German counterpart adds **-t**. The German past participle also prefixes **ge-**. Most verbs which are weak in English are weak in German.

38. Consider the following verbs:

ENGLISH		GERMAN	
Inf.	*Past Part.*	*Inf.*	*Past Part.*
speak	spoken	sprechen	gesprochen
fly	flown	fliegen	geflogen

blow	blown	blasen	geblasen
spring	sprung	springen	gesprungen
meet	met	treffen	getroffen

In English a verb which adds *-n* in the past participle and/or changes its stem vowel is strong. In German strong verbs add **-en** and mostly alter the root vowel in forming their past participles. They also prefix **ge-**.

A list of strong and irregular verbs is found on page ooo. The imperfect and past participles of these verbs should be known. Compound verbs, of course, follow the pattern of their root: e.g. aufgehen conjugates like gehen. Thus compound verbs are omitted from the list of strong verbs. Otherwise all verbs not in the list of strong or irregular verbs can be taken as weak.

39. *Tenses, Indicative, Subjunctive, Imperative*

1. There are only six tenses in German, plus the Conditional. There is only one form for each tense, whereas English often has three forms for one tense; e.g.

   Present: ich mache = I make, am making, do make.

   Imperfect: ich machte = I made, was making, used to make, did make.

   Perfect: ich habe gemacht = I have made, have been making, did make, I made.

   Pluperfect: ich hatte gemacht = I had made, had been making.

   Future: ich werde machen = I shall make, shall be making, am going to make.

   Future Perfect: ich werde gemacht haben = I shall have made, shall have been making.

   Care, then, must be taken in translating from English into German, especially in questions, e.g. *Do you speak?* Sprechen Sie? *Are you speaking?* Sprechen Sie? *Have you been speaking?* Haben Sie gesprochen? *She is singing.* Sie singt.

2. The indicative is the mood of statement, of fact. The subjunctive is the mood of possibility and of indirect speech. The imperative is the mood of command.

3. The Imperative is made as follows:

   a. The 2nd person singular of weak and most strong verbs adds **-e** to the stem: kaufe! (buy), trage! (carry).

b. Those strong verbs which change **e** to **i** (or **ie**) simply drop the **-st** from the 2nd person singular: sieh! (look), sprich! (speak), gib! (give), nimm! (take).

c. The second plural familiar form is as for the indicative with the pronoun, omitted: kauft! macht! sprecht! seht!

d. The polite form, singular and plural, is as for the indicative inverted: kaufen Sie! geben Sie! sehen Sie!

e. The 1st person plural has three alternatives:
Let us stand = stehen wir! wir wollen stehen!
Lass (lasst or lassen Sie) uns stehen!

f. The imperative is always followed by an exclamation mark.

g. Note the irregular imperative of **sein:** sei, seid, seien Sie!

h. The infinitive may be used for the imperative:
Rechts fahren! = Keep to the right! Gut rühren! = Stir well!

40. *Persons*

In conjugating verbs it is usual to use them with the personal pronouns which go with the particular form of the verb—i.e. the six persons, three singular and three plural, viz.:

Sing.	*Pl.*	*Sing.*	*Pl.*
1. I go	we go	1. ich gehe	wir gehen
2. you go	you go	2. { Sie gehen	Sie gehen
he ⎤		{ du gehst	ihr geht
3. she ⎬ goes	they go	⎧ er ⎫	
it ⎦		3. ⎨ sie ⎬ geht	sie gehen
		⎩ es ⎭	

In speaking to an intimate friend, a relative, or to a child, the form 'du gehst' (thou goest) is used. The plural of this is 'ihr geht,' used to a number of friends, relatives or children. As most Englishmen have no relatives, friends or children who are German, they will concentrate on the polite form, which is the same as the 3rd person plural only with a capital 'S,' i.e. Sie gehen = you go. (As this form is the same as the 3rd person plural it has not been given in the following lists of tenses, because the familiar form, though more rarely used, is different.)

41. *Auxiliary Verbs*

There are three auxiliary verbs, so called because they help in forming compound tenses. They conjugate as follows:

INF.	haben = *to have*	sein = *to be*	werden = *to become*
PRES.	ich habe (*I have*)	ich bin (*I am*)	ich werde (*I become*)
	du hast	du bist	du wirst
	er, sie, es hat	er ist	er wird
	wir haben	wir sind	wir werden
	ihr habt	ihr seid	ihr werdet
	sie haben	sie sind	sie werden
IMPF	ich hatte (*I had*)	ich war (*I was*)	ich wurde (*I became*)
	du hattest	du warst	du wurdest
	er, sie, es hatte	er war	er wurde
	wir hatten	wir waren	wir wurden
	ihr hattet	ihr wart	ihr wurdet
	sie hatten	sie waren	sie wurden

42. *Model Verb, Weak Conjugation, Indicative*

INF.	machen = *to make*	PRES. PART.	machend = *making*
PRES.	ich mache	*I make, am making, do make*	wir machen
	du machst		ihr macht
	er macht		sie machen
IMPF.	ich machte	*I made, was making, used to make*	wir machten
	du machtest		ihr machtet
	er machte		sie machten
PERF.	ich habe gemacht	*I have made, have been making, made*	wir haben gemacht
	du hast gamacht		ihr habt gemacht
	er hat gemacht		sie haben gemacht
PLU- PERF.	ich hatte gemacht	*I had made, had been making*	wir hatten gemacht
	du hattest gemacht		ihr hattet gemacht
	er hatte gemacht		sie hatten gemacht

FUT. ich werde machen   *I shall make,*   wir werden machen
                          shall be making

      du wirst machen   ihr werdet machen
      er wird machen   sie werden machen

FUT. PERF. ich werde gemacht haben   wir werden gemacht haben
            du wirst gemacht haben   ihr werdet gemacht haben
            er wird gemacht haben   sie werden gemacht haben
            = *I shall have made, shall have been making.*

Imperative: machen Sie! (*familiar*, mache! macht!) = *make!*

Notes

1. All infinitives end in **-n** and nearly all in **-en.**
2. The Present Tense is made by adding the endings **-e, -st, -t, -en, -t, -en,** to the stem of the verb (= inf. less **-en**).
3. If it is impossible to pronounce the ending an **e** is inserted, e.g. arbeiten, *present* er arbeitet, *imperfect* arbeitete. walzen, *present* du walzest, er walzt.
4. The Imperfect is made by adding **-te**, etc., to the stem.
5. The Perfect is made by conjugating the present of **haben** with the past participle. For verbs with **sein** see para. 45.
6. The past participle is formed by prefixing **ge-** and adding **-t** to the stem.
7. The Pluperfect Tense is formed by conjugating the imperfect of **haben** or **sein** with the past participle of the verb.
8. The Future is made by conjugating the present of **werden** with the infinitive of the verb.
9. The Future Perfect is formed by conjugating the present of **werden** with the perfect infinitive.
10. There are no further forms of the indicative.
11. Thus all tenses may be formed by knowing the infinitive.
12. One exceptional class to the verbs noted above are verbs, usually from a foreign stem, ending in **-ieren.** These have no **ge-** in their past participle.

e.g. isolieren   *to isolate*   past part.   isoliert.
      demonstrieren   *to demonstrate*   ,,   ,,   demonstriert.
      gratulieren   *to congratulate* ,,   ,,   gratuliert.

43. *Strong Verbs*

Consider the following verbs:

ENGLISH		GERMAN	
Pres.	*Impf.*	*Pres.*	*Impf.*
give	gave	geben	gab
speak	spoke	sprechen	sprach
beat	beat	schlagen	schlug
drink	drank	trinken	trank
come	came	kommen	kam

Verbs which make their Imperfect Tense by changing the vowel of the stem and adding no inflection (like the weak **-t** or **-d**) are strong in German as in English. A great proportion of those verbs which are strong in English are also strong in German.

44. *Model Verb, Strong Conjugation, Indicative*

INF.	geben = *to give*	PRES. PART.	gebend = *giving*
PRES.	ich gebe	*I give, am giving, do give*	wir geben
	du gibst		ihr gebt
	er gibt		sie geben
IMPF.	ich gab	*I gave, was giving, used to give*	wir gaben
	du gabst		ihr gabt
	er gab		sie gaben
PERF.	ich habe gegeben	*I have given, have been giving, did give, gave*	wir haben gegeben
	du hast gegeben		ihr habt gegeben
	er hat gegeben		sie haben gegeben
PLU-PERF.	ich hatte gegeben	*I had given, had been giving*	wir hatten gegeben
	du hattest gegeben		ihr hattet gegeben
	er hatte gegeben		sie hatten gegeben
FUT.	ich werde geben	*I shall give, shall be giving, am going to give*	wir werden geben
	du wirst geben		ihr werdet geben
	er wird geben		sie werden geben

FUT. PERF. ich werde gegeben haben   wir werden gegeben haben
            du wirst gegeben haben   ihr werdet gegeben haben
            er wird gegeben haben   sie werden gegeben haben
            = *I shall have given, shall have been giving*

IMP.   geben Sie! (*familiar* gib! gebt!) = *give!*

Notes

1. All infinitives end in **-n** and almost all in **-en.**
2. Present Tense endings are as for weak verbs, **-e, -st, -t, -en, -t, -en,** but in the 2nd and 3rd person singular the root vowel **a, o, au** modifies (e.g. er trägt, er stösst, er läuft) and **e** changes to **i** or **ie** (according to whether it is short or long) (e.g. er wirft, er sieht).
3. Imperfect has change of stem vowel and no endings on 1st and 3rd persons singular.
4. Past participle is made by adding **-en** to stem and prefixing **ge-.** Also the root vowel changes.
5. All tenses can be formed by knowing the Infinitive, Imperfect and Past Participle (see list of strong verbs, page 346).

45. *Verbs conjugated with 'sein'*

Intransitive verbs of motion and verbs denoting a change of state form their past tenses with **sein** instead of **haben.** Thus:

PERF.   ich bin gegangen   *I have gone*
            du bist gefahren   *thou hast driven*
            er ist gekommen   *he has come*
            wir sind gestiegen   *we have climbed*
            ihr seid verschwunden   *ye have disappeared*
            sie sind gewachsen   *they have grown*

PLUPERF.   ich war gegangen   *I had gone*
            du warst gekommen   *thou hadst come*
            er war gewesen   *he had been*
            wir waren geblieben   *we had remained*
            ihr wart geblieben   *ye had remained*
            sie waren gewesen   *they had been*

FUT. PERF. ich werde gekommen sein   *I shall have come, etc.*

In addition to verbs of motion, four commonly used verbs form their past tenses with **sein: sein, werden, bleiben, gelingen.**

er ist gewesen = he has been; er ist geworden = he has become; er ist geblieben = he has remained; es ist gelungen = it has succeeded.

THE SUBJUNCTIVE MOOD

46. *Auxiliary Verbs*

PRES.			
	ich habe	ich sei	ich werde
	du habest	du seiest	du werdest
	er habe	er sei	er werde
	wir haben	wir seien	wir werden
	ihr habet	ihr seiet	ihr werdet
	sie haben	sie seien	sie werden

IMPF.			
	ich hätte	ich wäre	ich würde
	du hättest	du wärest	du würdest
	er hätte	er wäre	er würde
	wir hätten	wir wären	wir würden
	ihr hättet	ihr wäret	ihr würdet
	sie hätten	sie wären	sie würden

PERF. ich habe gehabt, ich sei gewesen, ich sei geworden.

PLUPERF. ich hätte gehabt, ich wäre gewesen, ich wäre geworden.

FUT. ich werde haben, ich werde sein, er werde werden.

FUT. PERF. ich werde gehabt haben, er werde gewesen sein, er werde geworden sein.

47. *Model Verbs, Weak and Strong Conjugations, Subjunctive*

	Weak		*Strong*	
PRES.	ich mache	ich arbeite	ich trage	ich sehe
	du machest	du arbeitest	du tragest	du sehest
	er mache	er arbeite	er trage	er sehe
	wir machen	wir arbeiten	wir tragen	wir sehen
	ihr machet	ihr arbeitet	ihr traget	ihr sehet
	sie machen	sie arbeiten	sie tragen	sie sehen

IMP.

ich machte	ich arbeitete		ich trüge	ich sähe
du machtest	du arbeitetest		du trügest	du sähest
er machte	er arbeitete		er trüge	er sähe
wir machten	wir arbeiteten		wir trügen	wir sähen
ihr machtet	ihr arbeitetet		ihr trüget	ihr sähet
sie machten	sie arbeiteten		sie trügen	sie sähen

Weak and Strong   *Verbs of Motion*

PERF. ich habe gemacht, getragen; ich sei gekommen, gefahren.

    du habest —   du seiest —

    er habe —   er sei —

    wir haben —   wir seien —

    ihr habet —   ihr seiet —

    sie haben —   sie seien —

PLUPERF. ich hätte gemacht, getragen; ich wäre gekommen.

    du hättest —   du wärest —

    er hätte —   er wäre —

    wir hätten —   wir wären —

    ihr hättet —   ihr wäret —

    sie hätten —   sie wären —

FUT.   ich werde machen, tragen, kommen, etc.

    du werdest —

    er werde —

    wir werden —

    ihr werdet —

    sie werden —

FUT. PERF. ich werde gemacht   ich werde gekommen sein

             haben

    du werdest getragen du werdest —

             haben

    er werde —   er werde —

    wir werden —   wir werden —

    ihr werdet —   ihr werdet —

    sie werden —   sie werden —

Notes

1. The subjunctive is always regular, cf. er werde, er sehe, er laufe, er trage with the indicative er wird, er sieht, er läuft, er trägt.
2. There is always an **e** in the ending.
3. The imperfect endings are the same as the present endings.
4. The imperfect subjunctive of weak verbs is the same as the imperfect indicative.
5. Strong verbs modify in the imperfect subjunctive.

48. *The use of the Subjunctive*

The subjunctive is used in reported speech and after **als ob** (as if).
In English reported speech we change the tense; in German the mood is changed, and often the tense, too; e.g.

He said he had no money = Er sagte, er hätte kein Geld *or* dass er kein Geld hätte *or* er habe kein Geld.

They thought he had come = Sie glaubten, er sei gekommen *or* dass er gekommen sei *or* dass er gekommen wäre.

He looks as if he were ill = Er sieht aus, als ob er krank wäre.

I asked him if he was going to Bonn = Ich fragte ihn, ob er nach Bonn fahre.

I asked him if he wanted to go to Bonn = Ich fragte ihn, ob er nach Bonn fahren wolle.

The subjunctive is further used as a 3rd person imperative (jussive subjunctive), e.g. Er komme! = Let him come!; Gott erhalte den König! = May God preserve the king!

It is also used in the Past Tense to express an unfulfillable wish or hope, e.g. Wollte ich wäre dort gewesen! = Would I had been there! Hätte ich das nur gewusst! = If only I had known that!

The imperfect subjunctive may be used for the Conditional and the pluperfect subjunctive for the Past Conditional (see para. 50).

49. *Model Verbs, Strong and Weak Conjugations, Conditional Tenses*

PRES.

ich würde machen			ich würde geben	
du würdest—			du würdest—	
er würde —	*I should make, etc.*		er würde —	*I should give, etc.*
wir würden —			wir würden —	
ihr würdet —			ihr würdet —	
sie würden —			sie würden —	

PAST

ich würde gemacht (gegeben) haben = I should have
made (given).
du würdest gearbeitet haben = you would have worked.
er würde getragen haben = he would have carried.
wir würden gegangen sein = we should have gone.
ihr würdet geblieben sein = you would have stayed.
sie würden gewesen sein = they would have been.

50. *The use of the Conditional*

The Conditional Tenses are used very much as in English.
I should like to travel = Ich würde gern reisen.
I should have done it if I had had time = Ich würde es getan haben,
wenn ich Zeit gehabt hätte.
He would smoke if he were old enough = Er würde rauchen, wenn
er alt genug wäre.
He would have smoked if he had had a cigarette = Er würde
geraucht haben, wenn er eine Zigarette gehabt hätte.
Instead of the Past Conditional, the Pluperfect Subjunctive may be
used, e.g. ich würde gesagt haben = ich hätte gesagt = I should
have said.
Ich hätte es getan = I should have done it.
Er hätte geraucht = He would have smoked.
Similarly the imperfect subjunctive may be used instead of the
Present Conditional, but preferably when the form of the subjunct-
ive cannot be mistaken for the indicative (i.e. not in weak verbs
where the subjunctive and indicative have identical forms); e.g.
I should like it = Ich würde es gerne haben = Ich hätte es
gerne.
He would like to travel = Er würde gerne reisen = Er reiste
gerne.
Do not confuse the Conditional 'should' with 'should' meaning
moral compulsion (Past of 'shall') = sollte; e.g.
You should know that = You ought to know that = Sie sollten das
wissen.
You should have known that = Sie hätten das wissen sollen.
Similarly 'I would' = ich wollte, 'we would' = wir wollten, when
'would' is the Past of 'will.' Ich wollte, ich könnte schwimmen = I
would (wish) I could swim.

PASSIVE VOICE

51. *Model Verbs*

INFINITIVE geliebt werden = to be loved.
PERF. INF. geliebt worden sein = to have been loved.

	Indic.		*Subj.*
PRES.	ich werde geliebt	(*I am loved,*	ich werde geliebt
	du wirst —	*am being*	du werdest —
	er wird —	*loved, etc.*)	er werde —
	wir werden —		wir werden —
	ihr werdet —		ihr werdet —
	sie werden —		sie werden —
IMPF.	ich wurde geliebt	(*I was loved,*	ich würde geliebt
	du wurdest —	*was being*	du würdest —
	er wurde —	*loved, used*	er würde —
	wir wurden —	*to be loved,*	wir würden —
	ihr wurdet —	*etc.*)	ihr würdet —
	sie wurden —		sie würden —
PERF.	ich bin geliebt worden	(*I have been loved, etc.*)	ich sei geliebt worden
	du bist —		du seiest —
	er ist —		er sei —
	wir sind —		wir seien —
	ihr seid —		ihr seiet —
	sie sind —		sie seien —
PLU-PERF.	ich war geliebt worden	(*I had been loved, etc.*)	ich wäre geliebt worden
	du warst —		du wärest —
	er war —		er wäre —
	wir waren —		wir wären —
	ihr wart —		ihr wäret —
	sie waren —		sie wären —
FUT.	ich werde geliebt werden	(*I shall be loved, etc.*)	ich werde geliebt werden
	du wirst —		du werdest —
	er wird —		er werde —

wir werden —	wir werden —
ihr werdet —	ihr werdet —
sie werden —	sie werden —

FUT.	ich werde geliebt	(*I shall have*	ich werde geliebt
PERF.	worden sein	*been loved, etc.*)	worden sein
	du wirst —		du werdest —
	er wird —		er werde —
	wir werden —		wir werden —
	ihr werdet —		ihr werdet —
	sie werden —		sie werden —

52. *Use of the Passive Voice*

1. The auxiliary verb used is **werden** for the English 'to be'.
   e.g. Wir werden gesehen = We are seen.
2. The past participle of **werden** is **worden** (no **ge-**).
   e.g. Er ist gefunden worden = He has been found.
3. **Worden** conjugates with **sein**: **ist worden** = has been.
   e.g. Die Bücher sind verkauft worden = The books have been sold.
4. In the compound tenses when there are two past participles, **worden** comes after the past participle of the main verb; in the Future Perfect Tense **sein** comes last of all.
   e.g. Er fürchtete, sein Freund werde getötet worden sein = He was afraid his friend might have been killed.
5. 'By' is translated by **von** (the agent).
   e.g. Die Bücher sind von dem Händler verkauft worden = The books were sold by the tradesman.
   Das Auto wurde von einem Bekannten gesehen = The car was seen by an acquaintance.
   When the agent is a thing, translate by **durch.**
   e.g. Goliath wurde durch einen Stein getötet = Goliath was killed by a stone.
   The instrument is expressed, as in the active, by **mit**, e.g. Alles wurde mit der Hand gewaschen = Everything was washed by hand.
6. Only transitive verbs can be used in the passive. In other words, the direct object of the active voice may become the subject of an equivalent sentence in the passive: the indirect

object of an active sentence may not become the subject in the passive voice. Verbs which have an indirect object must have the impersonal subject **es,** and the dative object of the active remains the dative in the passive.

e.g. He was told = It was told to him = Es wurde ihm gesagt.

He was given a book = Es wurde ihm ein Buch gegeben *or* Ihm wurde ein Buch gegeben.

Similarly, with a verb like **helfen** which governs a dative in German.

e.g. **Ihm** wird geholfen = *He* is being helped.

7. A distinction must be drawn between the passive, which always denotes the 'suffering of an action' and the verb 'to be' followed by an adjective denoting a state.

e.g. The door is open = Die Tür ist offen.

The door is opened (is being opened) = Die Tür wird geöffnet.

The letter is written and signed (i.e. ready to post, you can visualise its finished state) = Der Brief ist geschrieben und unterzeichnet.

The letter is being written and will be signed presently = Der Brief wird geschrieben und wird bald unterzeichnet werden.

8. The passive is frequently rendered in German by **man** with the active voice.

e.g. It is said = Man sagt.

German is spoken here = Hier spricht man Deutsch.

The door is opened = Man öffnet die Tür.

Another German construction which renders the English passive is a reflexive verb, or **sich lassen** with an infinitive.

e.g. Das versteht sich = That is understood.

Es lässt sich sagen = It is said, can be said.

Er liess sich sehen = He could be (was) seen.

Das Wort lässt sich in einem Wörterbuch finden = The word can be found in a dictionary.

VERBS OF MOOD (Modal Verbs)

53. INF.	wollen, *will*	sollen, *have to*	können, *can, be able to*
PRES.	ich will	ich soll	ich kann
	du willst	du sollst	du kannst

	er will	er soll	er kann
	wir wollen	wir sollen	wir können
	ihr wollt	ihr sollt	ihr könnt
	sie wollen	sie sollen	sie können
	(*I will, want to,* *wish to, etc.*)	(*I am to, shall,* *have to, etc.*)	(*I can, am able* *to, etc.*)
IMPF.	ich wollte	ich sollte	ich konnte
	du wolltest	du solltest	du konntest
	er wollte	er sollte	er konnte
	wir wollten	wir sollten	wir konnten
	ihr wolltet	ihr solltet	ihr konntet
	sie wollten	sie sollten	sie konnten
	(*I wanted to,* *wished to,* *would, etc.*)	(*I was to, had* *to, should,* *ought, etc.*)	(*I could, was* *able to, etc.*)
INF.	müssen *must, have to*	mögen *might, like*	dürfen *may, be allowed* *to*
PRES.	ich muss	ich mag	ich darf
	du musst	du magst	du darfst
	er muss	er mag	er darf
	wir müssen	wir mögen	wir dürfen
	ihr müsst	ihr mögt	ihr dürft
	sie müssen	sie mögen	sie dürfen
	(*I must, have* *to, etc.*)	(*I may, like,* *etc.*)	(*I may, am* *allowed to, etc.*)
IMPF.	ich musste	ich mochte	ich durfte
	du musstest	du mochtest	du durftest
	er musste	er mochte	er durfte
	wir mussten	wir mochten	wir durften
	ihr musstet	ihr mochtet	ihr durftet
	sie mussten	sie mochten	sie durften
	(*I had to, was* *obliged to, etc.*)	(*I liked, might,* *etc.*)	(*I could, might,* *was allowed to,* *etc.*)

Subjunctive

PRES.	ich wolle	ich solle	ich könne
	du wollest	du sollest	du könnest
	er wolle	er solle	er könne
	wir wollen	wir sollen	wir können
	ihr wollet	ihr sollet	ihr könnet
	sie wollen	sie sollen	sie können
	ich müsse	ich möge	ich dürfe
	du müssest	du mögest	du dürfest
	er müsse	er möge	er dürfe
	wir müssen	wir mögen	wir dürfen
	ihr müsset	ihr möget	ihr dürfet
	sie müssen	sie mögen	sie dürfen
IMPF.	ich wollte	ich sollte	ich könnte
	du wolltest	du solltest	du könntest
	er wollte	er sollte	er könnte
	wir wollten	wir sollten	wir könnten
	ihr wolltet	ihr solltet	ihr könntet
	sie wollten	sie sollten	sie könnten
IMPF.	ich müsste	ich möchte	ich dürfte
	du müsstest	du möchtest	du dürftest
	er müsste	er möchte	er dürfte
	wir müssten	wir möchten	wir dürften
	ihr müsstet	ihr möchtet	ihr dürftet
	sie müssten	sie möchten	sie dürften

The past participle of these verbs, when used with another verb (and it almost always is) is the same as the infinitive, e.g.

ich habe gehen können = I have been able to go, I could go.

du hast sprechen sollen = you were to have spoken, should have spoken.

er hat denken können = he has been able to think, could think.

wir haben lesen müssen = we had to read, were obliged to read.

Sie haben spielen mögen = you liked to play.

Sie haben spielen wollen = you wanted to play, wished to play.

sie haben fahren dürfen = they could drive, were allowed to drive.
Note there is no **zu** before the infinitive following a modal verb. e.g.
Er muss arbeiten = He must work, has got *to* work.
As the modal verbs are highly irregular in English, their translation
must be carefully watched, e.g.
I ought to have gone = Ich hätte gehen sollen.
You should have known = Sie hätten wissen sollen.
You should have worked = Sie hätten arbeiten müssen.
I should like to know how you were able to solve it = Ich möchte
wissen, wie Sie es haben lösen können.
Note the order of words in the last sentence, i.e. in a subordinate
sentence the word order is haben, infinitive, modal verb.
e.g. Ich verstehe nicht, wie er es hätte singen können = I cannot
understand how he could have sung it.

54. There are only six modal verbs, but there are a few verbs which
may be used modally, i.e. helping another verb. These are lassen
(let), sehen (see), hören (hear), helfen (help), lernen (learn). When
used modally, their past participle is the same as their infinitive: also
there is no **zu** before the infinitive they govern.
e.g. Er hat mich kommen sehen = He saw me coming.
Sie hat mich allein arbeiten lassen = She let me work by myself.
Wir haben sie singen hören = We heard her singing.

'MIXED' VERBS

55. The few verbs listed below are strong in so far as they change
their stem vowel in the past: they are weak by adding **-t** in their Past
Tenses. As they inflect like ordinary weak verbs, only their principal
parts are given here:

Inf.	Impf.	Perf.	Meaning
kennen	er kannte	er hat gekannt	to know
nennen	er nannte	er hat genannt	to name
brennen	er brannte	er hat gebrannt	to burn
senden	er sandte	er hat gesandt	to send
wenden	er wandte	er hat gewandt	to turn
denken	er dachte	er hat gedacht	to think
bringen	er brachte	er hat gebracht	to bring
wissen	er wusste	er hat gewusst	to know (about)

Note: 1 Alternative forms of wandte, gewandt; sandte, gesandt are wendete, gewendet; sendete, gesendet.

      2. The irregular Present Tense of **wissen**:

ich weiss	du weisst	er weiss
wir wissen	ihr wisst	sie wissen

REFLEXIVE VERBS

56.   1. ich setze mich   wir setzen uns

             du setzest dich { ihr setzt euch

                         { Sie setzen sich

             er

             sie } setzt sich   sie setzen sich

             es

The reflexive pronouns are as set out above.

    2. Any ordinary transitive verb may be used reflexively at will. e.g. Ich bade mich = I bathe myself; Er trocknet sich = He dries himself; Wir fragen uns = We ask ourselves; Sie sieht sich im Spiegel an = She looks at herself in the mirror.

    3. When a verb governs the dative case, the dative of the reflexive must be used. This is the same as above, except for the 1st and 2nd persons singular, i.e. **mir** and **dir**; e.g. Ich bürste mir das Haar = I brush my hair (= to myself the hair). Du machst dir zu viel Mühe = You give yourself too much trouble.

    4. Sometimes German uses a reflexive pronoun where English prefers a possessive adjective; e.g. Er schneidet sich in den Finger = He cuts his finger. Sie kämmt sich das Haar = She combs her hair.

    5. In many cases the use of a reflexive verb is similar to English (ich ziehe mich an = I dress myself) or obvious (wir setzen uns = we sit down = we seat ourselves). But some verbs are used reflexively where English does not require this construction; e.g. sich freuen = to be pleased, sich umsehen = to look round, sich unwenden = to turn round. This construction, on close inspection will be found logical.

    6. Occasionally the English passive voice is replaced by a reflexive verb in German (e.g. The front was pushed slowly forward = Die Front schob sich langsam vorwärts) or by sich

lassen with an infinitive (e.g. The crystals are separated = Die Kristalle lassen sich abtrennen). For further examples see para. 52, Note 8.

IMPERSONAL VERBS

57. Natural phenomena are expressed only in the 3rd person singular.

e.g. es donnert = it thunders, es regnete = it rained, es hagelt = it hails, es hat geschneit = it has snowed, etc.

There are a few verbs which are personal in English but which are used impersonally in German. They have the impersonal grammatical subject '**es**' and the person is made the object of the verb; e.g. es freut mich = I am glad (it pleases me); es gelang mir = I succeeded; es ist ihm gelungen = he succeeded.

These verbs are set out below in two categories, i.e. those which are followed by a person in the accusative and those governing the dative case.

es freut mich	*I am glad*	es geht mich an	*it concerns me*
es friert mich	*I am cold*	es gibt	*there is*
es ist mir warm	*I am warm*	es mangelt mir	*I lack money*
es ist mir wohl	*I feel well*	an Geld	
es scheint mir	*it seems to me*	es tut mir leid	*I am sorry*
es gelingt mir	*I succeed*		

The impersonal 'there is (are)' is translated by **es ist** (**sind**), or **es gibt** with accusative, e.g. Es ist niemand zu Hause = There is nobody at home (a specific fact). Es gibt Männer, die keine Heimat haben = There are men without a country (a general statement). Es sind zwei Gläser auf dem Tisch = There are two glasses on the table.

Es gibt nichts Neues in der Zeitung = There is nothing new in the paper.

INSEPARABLE VERBS

58. As in the English verbs *beg*in, contradict, *under*estimate, *fore*go, verbs beginning with the following prefixes are inseparable, i.e. the

prefix always adheres to the stem; there is no **ge-** in the past participle and the infinitival **zu** does not separate prefix and verb stem: **be-, ge-, er-, ver-, zer-, ent-, emp-, miss-, wider-.**

e.g. Er versteht mich = He understands me; er verstand mich; er hat mich verstanden; er wird mich verstehen. Das ist schwer zu verstehen = That is hard to understand. Beginnen = To begin, er begann, er hat begonnen. Sie hat das Glass zerbrochen = She has smashed the glass. Er hat eine neue Methode entdeckt = He has discovered a new way.

Some of these prefixes have close counterparts in English, in some of their combinations, e.g.

German	*English*	*Examples*

mis-	*mis-*
	dis- (false, wrong)
		missverstehen = misunderstand;
		  missbrauchen = misuse;
		  missfallen = displease;
		  misslingen = fail

zer-	(in pieces)	zerbrechen = shatter; zerstören = destroy

ent-	*dis-*
	(away)
		entdecken = discover; entehren =
		  dishonour; entkommen = escape;
		  entfärben = discolour

wider-	*contra-* (against)	widersprechen = contradict; widerstehen = resist

ver-	(removal, loss,
	change)
		verkaufen = sell;
		  verachten = despise;
		  vergrössern = enlarge;
		  verdunkeln = darken

Note that the prefixes of inseparable verbs are unaccented.

SEPARABLE VERBS

59. Like their English counterparts go *down*, sing *up*, come *out*, prefixes other than those listed as inseparable used in the formation of compound verbs are separable, i.e. they separate from the stem of the verb in the Present and Imperfect tenses in main sentences, going to the end of the sentence; in the past participle and infinitive the **ge-** and **zu-**, respectively, come between the prefix and the stem, e.g.

Er steh früh *auf* = He gets *up* early.
Sie kam erst gestern *an* = She only came yesterday.
Haben Sie die Jacke *angezogen?* = Have you put *on* the coat?
Er versprach mit mir herauszukommen = He promised to come out with me.
In a subordinate sentence, the present and imperfect forms of the verb remain unseparated, e.g.

wenn er ausgeht,	*when he goes out*
weil sie gestern ankam,	*because she arrived yesterday*

These verbs are in many cases to be translated quite literally, the prefix having its literal meaning and extending the meaning of the root verb, e.g.

ausgehen	*go out*	zusagen	*assent*
eingehen	*go in*	mitteilen	*inform*
anziehen	*attract*	zurückgeben	*give back*
aufsteigen	*climb up*	vorkommen	*appear*

Note that separable prefixes are accented. The prefixes **durch-, hinter-, über-, unter-, um-, voll-, wieder-** may be either *separable* or *inseparable*. When these prefixes are separable they are accented and the verb has a literal meaning, e.g. über-setzen, *ferry across*; wieder-holen, *fetch back*; úm-werfen, *upset*.
When these prefixes are inseparable they are unaccented and the verb is not translated literally, e.g. übersétzen, *translate*; wiederholen, *repeat*; umgében, *surround*.

INFINITIVES

60. 1. All infinitives end in **-n,** and all but a few in **-en,** e.g. sagen (to say), tragen (to carry), gehen (to go), tun (to do), sein (to be), lächeln (to smile).

   2. The infinitive is used to make the Future and Conditional tenses, in which case it comes at the end of the clause; e.g. Er wird den Sack tragen = He will carry the bag. Er würde gerne nach Hause gehen = He would like to go home.

   3. The stem of the verb is found by taking the **-en (-n)** from the

infinitive, and from this stem all tenses are made by inflections and variations of vowel, e.g.

INF.	IMPF.	PAST PART.
machen *stem*, mach-	mach-t-e	ge-mach-t
tragen, *stem* trag-	trug	ge-trag-en

4. The infinitive may be used, as in English, to complement another verb, and comes then at the end of the clause.
e.g. ich kann es machen = I can make it.
But after all other verbs than the modal verbs, the infinitive must be preceded by **zu**, e.g.
Er hoffte, Chemiker zu werden = He hoped to become a chemist.
Sie glaubte, recht zu haben = She thought she was right.
Er versuchte, Gold aus Eisen zu machen = He tried to make gold from iron.

5. In final sentences, a common construction is **um . . . zu** with infinitive, e.g.
Er studiert, um besser zu verstehen = He studies to understand better.
Sie fahren nach Deutschland, um die Sprache zu studieren = They go to Germany to study the language.

6. Note that a few verbs can be used in the accusative and infinitive construction, e.g.
Er hörte mich kommen = He heard me coming.
Sie liess mich es machen = She let me do it.
But with verbs of wishing, saying, a new phrase must be used, e.g.
Er will, dass ich gehe = He wants me to go.
Er sagte, ich sollte es machen = He told me to do it.

7. Any infinitive may be used as a noun. It is given a capital letter and neuter gender. This is the equivalent of the English verbal noun; e.g. das Haben = the having, das Leben = the living.

8. Frequently the active infinitive is used in German with a passive meaning, similar to the English, 'house to let.' Dieses Haus ist zu verkaufen = This house is to be sold. Dieses Verfahren ist zu vermeiden = This procedure is to be avoided. Apart from such uses, the normal passive infinitive is expressed

as follows: Alle Mittel können angewendet werden = All means may be employed.

PARTICIPLES

61. 1. The present participle is made by adding **-d** to the infinitive; e.g. *machend* (making), *tragend* (carrying), *lächelnd* (smiling), but, *tuend* (doing), *seiend* (being).

  2. It is not used in tense formation. He is making = Er macht.

  3. Its chief use is as an adjective, and when so used it declines like an adjective, e.g. alle denkenden Männer = all thinking men; das kochende Wasser = the boiling water.

  4. The past participle is made by prefixing **ge-** to the stem of the verb and adding **-t** to weak, and **-en** to strong verbs (after altering their stem vowel). It is used in the formation of all the Perfect tenses; e.g. er hat geliebt (he has loved), ich hatte getragen (I had carried), wir werden gemacht haben (we shall have made).

  5. Both participles are widely used as adjectives and decline as such; e.g. eine liebende Mutter (a loving mother), eine geliebte Mutter (a beloved mother), ein bellender Hund (a barking dog), das gekochte Wasser (the boiled water), der Fliegende Holländer (the Flying Dutchman).

  All these participial adjectives may be used as nouns. They have a capital letter and are given a suitable gender, and are declined as adjectives; e.g. der Reisende = the traveller, ein Reisender = a traveller. Ein Bekannter = an acquaintance, eine Bekannte = a female acquaintance. die Gefangenen = the prisoners.

  6. These participal adjectives are frequently used in 'boxed in' constructions (Einschachtelung), in which an adjectival phrase of any length ending in the inflected participle precedes the noun it qualifies, where in English we should use a relative clause after the noun, e.g. Das in einem grossen Kolben gekochte Wasser = The water which was boiled in a big retort. Das von Goethe im Jahre 1806 geschriebene Gedicht = The poem composed by Goethe in 1806.

  7. A clause may be used as an object of a verb, where in English we use a gerund; e.g.

I remember *having* seen him = Ich erinnere mich *daran*, ihn gesehen zu haben.

The dentist is looking forward to her visiting him again = Der Zahnarzt freut sich *darauf*, dass sie ihn wieder besucht. In the above, the prepositions an and auf cannot govern a clause, therefore dar- (it) is prefixed, standing for the succeeding clause. Similarly,

Ich verstehe *es*, dass Sie nicht gerne studieren = I understand *your not liking* to study. **Es** is the grammatical object standing for the succeeding clause.

ORDER OF WORDS

62. 1. The normal order of words is:

1 *Subject*	2 *Verb*	3 *Object*	4 *Adverb*	5 *Past Part.* (*Infin.*)
Der Heizer	**hat**	Kohlen	auf das Feuer	geworfen
Ich	**werde**	Sie	morgen im Theater	sehen
Meine Mutter	**gibt**	mir ein Buch zum		Geburtstag.

Any word but the verb may be placed first for emphasis, but the *verb is always the second element in the sentence* (the verb is either the simple tense of a verb or the auxiliary in a compound tense), e.g.

3 Sie	2 **werde**	1 ich	4 morgen im Theater	5 sehen

4 Morgen	2 **werde**	1 ich	3 Sie	4 im Theater	5 sehen
Im Theater	**werde**	ich	Sie	morgen	sehen
Als sie kam	**nahm**	meine Mutter	ein Buch		

2. In questions the verb is placed before the subject (inversion), either coming first or immediately after an interrogative word, e.g.

2	1	3	4	5
Hat	der Heizer	Kohlen	auf das Feuer	geworfen?
Was **hat**	der Heizer		auf das Feuer	geworfen?
Wann **werde**	ich	Sie	im Theater	sehen?
Wo **habe**	ich	Sie	gestern	gesehen?

3. In subordinate clauses (relative, adverbial, final, etc.) the finite verb comes last, e.g.

Der Mann, der neben uns **wohnt**, ist krank.

Als er uns letztes Jahr **besuchte**, war er krank.

Er wusste, dass sein Freund ihn von Anfang an betrogen **hatte**.

Sie fragte mich, wann ich sie wieder besuchen **wolle**.

4. When there are several adverbs, they occur in this order:
   1. Time; 2. Manner; 3. Place.

   Sie müssen mich morgen vor der Tür treffen = You must meet **me** to-morrow in front of the door.

   Er fuhr um zwei Uhr geschwind nach Hause = He drove home quickly at two o'clock.

5. An indirect object precedes a direct object (i.e. dative before accusative or person before thing), e.g. Mein Bruder gibt mir ein Geschenk. Sie gibt dem Hund ein Stück Brot. When two pronouns occur, the order is reversed; e.g. Geben Sie es mir; sagen Sie es ihm.

6. In a negative sentence, **nicht** goes as near the end as possible: i.e. last, unless there is a past participle or infinitive or separable prefix in a main clause, or a verb in a subordinate clause. For emphasis, nicht may precede the word it negates, e.g. Ich habe diesen Film noch nicht gesehen = I have not seen this film yet. Ich kann morgen nicht kommen = I *can't* come to-morrow. Ich kann nicht morgen kommen = I can't come *to-morrow,* emphasising to-morrow.

7. The reflexive pronouns (sich, uns, etc.) come as near the beginning as possible, i.e. immediately after the verb in a main clause and after the subject in a subordinate clause, e.g. Er setzte sich in die Ecke = He sat down in the corner. Als er sich in die Ecke setzte = When he sat down in the corner.

LIST OF STRONG AND IRREGULAR VERBS

The verbs listed here have occurred in the text.

Any verbs not included and which have appeared in the text are weak, unless they are compounds of strong or irregular verbs, which conjugate like their root verbs.

The 3rd person singular of the Present Tense is given only if there is a change from the Infinitive stem. The 3rd person singular imperfect, the past participle, and the 3rd person singular imperfect subjunctive are given for all verbs.

From the parts given here, all tenses of the indicative and subjunctive can be formed.

Infinitive	Meaning	Present	Impf.	Past Part.	Impf. Subj.
befehlen	command	befiehlt	befahl	befohlen	beföhle
beginnen	begin	beginnt	begann	begonnen	begönne
beissen	bite		biss	gebissen	bisse
bergen	hide	birgt	barg	geborgen	bürge
biegen	bend		bog	gebogen	böge
bieten	offer	bietet	bot	geboten	böte
binden	tie	bindet	band	gebunden	bände
bitten	ask	bittet	bat	gebeten	bäte
bleiben	stay		blieb	geblieben (ist)	bliebe
brechen	break	bricht	brach	gebrochen	bräche
brennen	burn		brannte	gebrannt	brennte
bringen	bring		brachte	gebracht	brächte
denken	think		dachte	gedacht	dächte
dringen	press		drang	gedrungen	dränge
dürfen	may	darf	durfte	dürfen (gedurft)	dürfte
empfehlen	recommend	empfiehlt	empfahl	empfohlen	empföhle
erschrecken	scared	eschricket	erschrak	erschrocken	erschräke
essen	eat	isst	ass	gegessen	ässe
fahren	drive	fährt	fuhr	gefahren (ist)	führe
fallen	fall	fällt	fiel	gefallen (ist)	fiele
fangen	catch	fängt	fing	gefangen	finge
finden	find	findet	fand	gefunden	fände
fliegen	fly		flog	geflogen (ist)	flöge
fliessen	flow		floss	geflossen (ist)	flösse

Infinitive	Meaning	Present	Impf.	Past Part.	Impf. Subj.
fressen	eat	frisst	frass	gefressen	frässe
frieren	freeze		fror	gefroren	fröre
gebären	give birth		gebar	geboren	gebäre
geben	give	gibt	gab	gegeben	gäbe
gehen	go	geht	ging	gegangen (ist)	ginge
gelingen	succeed		gelang	gelungen (ist)	gelänge
geniessen	enjoy		genoss	genossen	genösse
geschehen	happen	geschieht	geschah	geschehen (ist)	geschähe
gewinnen	win		gewann	gewonnen	gewänne
giessen	pour		goss	gegossen	gösse
graben	dig	gräbt	grub	gegraben	grübe
greifen	grasp		griff	gegriffen	griffe
haben	have	hat	hatte	gehabt	hätte
halten	hold, stop	hält	hielt	gehalten	hielte
hangen	hang	hängt	hing	gehangen	hinge
heben	lift	hebt	hob	gehoben	höbe
heissen	be called		hiess	geheissen	hiesse
helfen	help	hilft	half	geholfen	hülfe
kennen	know		kannte	gekannt	kennte
kommen	come		kam	gekommen (ist)	käme
können	can	kann	konnte	können (gekonnt)	könnte
laden	load	lädt	lud	geladen	lüde
lassen	let	lässt	liess	gelassen	liesse
laufen	run	läuft	lief	gelaufen (ist)	liefe
leiden	suffer	leidet	litt	gelitten	litte
leihen	lend		lieh	geliehen	liehe
lesen	read	liest	las	gelesen	läse
liegen	lie		lag	gelegen	läge
meiden	avoid	meidet	mied	gemieden	miede
mögen	like, may	mag	mochte	mögen (gemocht)	möchte
müssen	have to	muss	musste	müssen (gemusst)	müsste
nehmen	take	nimmt	nahm	genommen	nähme
nennen	name		nannte	genannt	nennte
raten	advise	rät	riet	geraten	riete
reiben	rub		rieb	gerieben	riebe
reissen	tear		riss	gerissen	risse
reiten	ride	reitet	ritt	geritten (ist)	ritte
rennen	run		rannte	gerannt (ist)	rennte
riechen	smell		roch	gerochen	röche
rufen	call		rief	gerufen	riefe
schaffen	create	schafft	schuf	geschaffen	schüfe
scheiden	part	scheidet	schied	geschieden (hat, ist)	schiede

Infinitive	Meaning	Present	Impf.	Past Part.	Impf. Subj.
scheinen	seem, shine		schien	geschienen	schiene.
schieben	push		schob	geschoben	schöbe
schiessen	shoot		schoss	geschossen	schösse
schlafen	sleep	schläft	schlief	geschlafen	schliefe
schlagen	beat	schlägt	schlug	geschlagen	schlüge
schliessen	shut		schloss	geschlossen	schlösse
schneiden	cut	schneidet	schnitt	geschnitten	schnitte
schreiben	write		schrieb	geschrieben	schriebe
schreien	shout		schrie	geschrieen	schriee
schreiten	stride	schreitet	schritt	geschritten (ist)	schritte
schweigen	be silent		schwieg	geschwiegen	schwiege
schwellen	swell	schwillt	schwoll	geschwollen (ist)	schwölle
schwimmen	swim		schwamm	geschwommen (ist)	schwömme
schwinden	vanish	schwindet	schwand	geschwunden (ist)	schwände
sehen	see	sieht	sah	gesehen	sähe
sein	be	ist	war	gewesen (ist)	wäre
senden	send	sendet	sandte (sendete)	gesandt (gesendet)	sendete
singen	sing		sang	gesungen	sänge
sinken	sink		sank	gesunken (ist)	sänke
sitzen	sit	sitzt	sass	gesessen	sässe
sollen	have to	soll	sollte	sollen (gesollt)	sollte
sprechen	speak	spricht	sprach	gesprochen	spräche
springen	jump		sprang	gesprungen (ist)	spränge
stehen	stand	steht	stand	gestanden	stände
stehlen	steal	stiehlt	stahl	gestohlen	stöhle
steigen	climb	steigt	stieg	gestiegen (ist)	stiege
sterben	die	stirbt	starb	gestorben (ist)	stürbe
stossen	push	stösst	stiess	gestossen	stiesse
tragen	wear	trägt	trug	getragen	trüge
treffen	meet	trifft	traf	getroffen	träfe
treiben	drive		trieb	getrieben	triebe
treten	tread	tritt	trat	getreten (ist)	träte
trinken	drink		trank	getrunken	tränke
tun	do	tut	tat	getan	täte
vergessen	forget	vergisst	vergass	vergessen	vergasse
verlieren	lose		verlor	verloren	verlöre
wachsen	grow	wächst	wuchs	gewachsen (ist)	wüchse
waschen	wash	wäscht	wusch	gewaschen	wüsche
weisen	point		wies	gewiesen	wiese
wenden	turn	wendet	wandte (wendete)	gewandt (gewendet)	wendete

Infinitive	Meaning	Present	Impf.	Past Part.	Impf. Subj.
werden	become	wird	wurde (ward)	geworden (ist)	würde
werfen	throw	wirft	warf	geworfen	würfe
wissen	know	weiss	wusste	gewusst	wüsste
wollen	will	will	wollte	wollen (gewollt)	wollte
ziehen	pull		zog	gezogen	zöge
zwingen	force		zwang	gezwungen	zwänge

VOCABULARY

THE gender of nouns is indicated by *m*. (masculine), *f*. (feminine), *n*. (neuter), and the plural is given in abbreviated form in brackets e.g. **Dorf** *n*. ($\ddot{}$**er**) = das Dorf. *plural* die Dörfer.

Separable verbs are denoted by a hypen between the prefix and the verbal stem, e.g. aus-gehen.

Strong verbs are indicated by the stem vowel of the Imperfect and Perfect participle in brackets, e.g. fahren (u.a.) = fahren, fuhr, gefahren.

Irregular verbs are marked* and should be checked in the List of Strong and Irregular Verbs (pp. 346–349).

ab-biegen (o.o.), to turn off
Abend *m*. (-e), evening
Abendessen *n*. (-), dinner
abends, in the evening
aber, but, however
ab-fahren (u.a.), to drive off, leave
Abfahrt *f*. (-en), departure
Abfahrtszeit *f*. (-en), time of departure
ab-fliegen (o.o.), to fly off, take off
Abflug *m*. ($\ddot{}$e), take-off
ab-geben (a.e.), to hand in, give out
abgemacht, agreed
Abhang *m*. ($\ddot{}$e), slope, hillside
ab-holen, to go and fetch, pick up
Abkürzung *f*. (-en), abbreviation
ab-lehnen, to refuse
ab-liefern, to deliver
Abonnement *n*. (-s), subscription
Abonnent *m*. (-en), subscriber
Abschied *m*. (-e), departure, leave
Abschiedsfeier *f*. (-n), farewell celebration

ab-schreiben (ie.ie), to copy
ab-spülen, to wipe up, clean
Abteil *n*. (-e), compartment
Abteilung *f*. (-en), compartment, section
ab-treten (a.e.), to retire, resign
***ab-wenden,** to turn away
Abwesenheit *f*. absence
acht, eight
achtzehn, eighteen
achtzig, eighty
Achtung *f*., heed, respect, look out!
Ade (Adieu) *n*., Goodbye
Adresse *f*. (-n), address
ähnlich, similar
Ahnung *f*. (-en), suspicion, inkling
Akkumulator *m*. (-en), accumulator
albern, silly
Album n. (Alben), album
Alkohol *m*. alcohol
allein, alone, only, but
all (-er, -e, -es), all, every, everything
Allee f. (-n), path

allerlei, all kinds of
allgemein, general, universal
Alliierte *m.* (-n), ally
allmählich, gradually
Alltags-, everyday, ordinary
als, when, as, than
also, and so, then
alt, old
Alter *n.,* age
altmodisch, old-fashioned
Amerikaner *m.* (-), American
Amtsgebäude *n.* (-), office
  building
amüsant, amusing
amüsieren, to amuse
an (*prep. with acc. or dat.*), on, to, at,
  in, of
ander, other, different
anderswo, somewhere else
anderthalb, one and a half
an-drehen, to turn on
Anekdote *f.* (-n), anecdote
* **an-gehen** (**es geht mich an**) to
  concern
an-fangen (**i.a.**), to begin
an-gehören, to belong
Angestellte (r) *m.* (*or f.*), employee
Angst *f.* (¨e), worry
ängstigen, to worry
Anklage *f.* (-n), complaint, charge
* **an-kommen,** to arrive
Ankunft *f.* (¨e), arrival
* **an-nehmen,** to accept
an-rühren, to touch
Ansager *m.* (-), announcer
an-schalten, to switch on
Anschlag *m.* (¨e), notice placard
an-sehen (**a.e.**), to look at, regard
an-schliessen (**o.o.**) sich
  (+ *dat.*), to join
Anschluss *m.* (¨e), connection
an-schnallen, to fasten (belt)
anstatt (*prep. with gen.*), instead of

an-stecken, to fix, place
Antenne *f.* (-n), radio aerial
Antwort *f.* (-en), answer, reply
antworten, to answer, reply
Anwärterliste *f* (-n), waiting list
Anzeigetafel *f.* (-n), notice-board
Anzeige *f.* (-n), advertisement
* **an-ziehen,** to put on, dress,
  attract
Anzug *m.* (¨e), suit
an-zünden, to light, ignite
Apfel *m.* (¨), apple
Apfelbaum *m.* (¨e), apple-tree
Apfeltorte *f.* (-n), apple tart
Apparat *m.* (-e), apparatus,
  camera, set
Appetit *m.,* appetite
Arbeit *f.* (-en), work
arbeiten, to work
Arbeitsamt *n.* (¨e), employment
  exchange
Arbeitgeber *m.* (-), employer
Arbeitslosigkeit *f.,*
  unemployment
arbeitslos, out of work,
  unemployed
Arbeitszimmer *n.* (-), study,
  work-room
Ärger *m.,* annoyance
arm, poor
Arm *m.* (-e), arm
Armenviertel *n.* (-), slum
Art *f.* (-en), sort, kind
artig, nice, well-behaved
Artikel *m.* (-), article, item
Arzt *m.* (¨e), doctor
Aspirintablette *f.* (-n), aspirin
Atem *m.,* breath
atemlos, breathless
Atemtest *m.,* breath-test
Atomgewicht *n.* (-e), atomic
  weight
auch, also, too, besides, either

auf (*prep. with acc. or dat.*), on, upon, in, at
auf-atmen, to breathe a sigh of relief
auf-bauen, to reconstruct, build up
Aufführung *f.* (-en), performance, conduct
Aufgabe *f.* (-n), exercise
auf-geben (a.e.), to give up
***auf-gehen,** to rise (sun), go up
auf-halten (ie.a.), to stop, hold up
auf-hören, to cease, stop
auf-machen, to open
auf-passen, to look out, see to
auf-räumen, to clear, tidy
auf-reissen (i.i.), to tear open
Aufsatz *m.* (¨e), essay
auf-schreiben (ie.ie.), to write down
auf-sehen (a.e.), to look up
***auf-stehen,** to get up, rise
Aufstehen *n.*, getting up
auf-steigen (ie. ie), to rise
Aufstieg *m.*, rise, ascendancy
auf-wachen, to wake up, awaken
auf-wachsen (u.a.), to grow up
Aufzug *m.* (¨e), act
Auge *n.* (-n), eye
Augenblick *m.* (-e), moment
augenblicklich, immediate(ly), at the moment
Augenbraue *f.* (-n), eyebrow
aus (*prep. with dat.*), out, out of
aus-bürsten, to brush out
Ausflug *m.* (¨e), excursion
Ausfuhr *f.*, export
ausführlich, detailed, particular
aus-füllen, to fill up
Ausgang *m.* (¨e), exit, way out
aus-geben (a.e.), to spend (money)
***aus-gehen,** to go out

aus-graben (u.a.), to dig up
***aus-kommen,** to come out, manage
Auskunft *f.* (¨e), information
Ausland *n.*, abroad, foreign
Ausländer *m.* (-), foreigner
Ausnahme *f.* (-n), exception
aus-probieren, to try out, test
aus-raufen, to pluck out
aus-rufen (ie.u.), to cry out, exclaim
aus-ruhen, to rest, finish resting
Ausschuss *m.* (¨e) committee
aus-sehen (a.e.), to seem, look
ausser (*prep. with dat.*), besides
ausserdem, besides, as well
ausserhalb (*prep, with gen.*), outside
äussern, to utter, express an opinion
aus-steigen (ie.ie.), to get out, alight
Ausstellung *f.* (-en), show, exhibition
aus-teilen, to give out, distribute
aus-treten (a.e.) to retire
aus-üben, to practise, exert
auswendig, by heart
Auto *n.* (-s), car
Autobahn *f.* (-en), motor-way
Autobus *m.* (¨e) bus
Auto-fahren (u.a.), to drive
Autofahrer *m.* (-), driver
Automat *m.* (-en), slot machine
Automobil *n.* (-e), motor-car

Bach *m.* (¨e), stream
Bäcker *m.* (-), baker
Bäckerladen *m.* (¨), bakery
Bad *n.* (¨er), bath
Badeanzug *m.* (¨e), bathing suit
baden, to bathe

Badezimmer n. (-), bathroom
Bahn f., railway
Bahnbeamter m., railway official
Bahnhof m. (¨e), railway station
Bahnsteig m. (-e), platform
Bahnstrecke f. (-n), permanent way
bald, soon
Balkon m. (-e), balcony
Band n. (¨e), ribbon
Bande f. (-n), gang, band
Bank f. (-en), bank
Bank f. (¨e), seat, bench
Bankangestellte(r) m. (or f.), bank clerk
Bär m. (-en), bear
Bart m. (¨e), beard
Bastei f. (-en), bastion
Batterie f. (-n), battery
Bau m. (-e) building
Bauchredner m. (-), ventriloquist
bauen, to build
Bauer m. (-n), peasant, farmer
Bauernhof m. (¨e), farm
Bauernkrieg m. (-e), peasants' war
Baukunst f., architecture
Baum m. (¨e), tree
Bayern n., Bavaria
Beamte(r) m., employee, official
bedecken, to cover
bedeuten, to mean, signify
bedeutend important
beeilen, sich, to hurry
befinden (a.u.) sich, to be, be found
befreien, to free, liberate
Befreiung f., liberation
befreunden sich (mit), to make friends
begabt, gifted
*****begehen,** to do, celebrate, commit

begegnen (with dat.), to meet
begeistert, enthusiastic, inspired
Begeisterung f., enthusiasm
begierig, anxious
beginnen (a.o.), to begin
begleiten, to accompany
behalten (ie.a.), to keep
behandeln, to treat, handle
Behandlung f. (-en), treatment
bei (prep. with dat.), at, with, in, at the house of
beide, both
Beifall m., applause, approval
Beifilm m. (-e), supporting film
Bein n. (-e), leg
Beinbruch m. (¨e), fractured leg
beisammen, together
bei-schliessen (o.o.), to enclose
beiseite, aside
Beispiel n. (-e), example; **z.B.** = e.g.
beissen (i.i.), to bite
Bekannte(r) m. (or f.), acquaintance
Bekanntmachung f. (-en), notice
beklagen, sich (über), to complain (about)
*****bekommen,** to get, receive
belegen, to cover; **mit Bomben belegen** = to bomb; **ein belegtes Brot** = a sandwich
beliebt, dear, favourite, popular
bellen, to bark
bemerken, to notice, remark
benutzen, to use
Benzin n., petrol
bequem, convenient, comfortable
bereit, ready, prepared
bereiten, to prepare
Berg m. (-e), hill, mountain
Bericht m. (-e), report, account
berichten, to report, inform
Beruf m. (-e), profession, job

berufsmässig, professional

Berufsschule *f.* (-n), technical school

berühmt, famous celebrated

beschäftigt, busy, occupied

Bescherung *f.*, giving of Xmas presents

beschleunigen, to accelerate

beschränkt, limited

besetzen, to occupy

besetzt, occupied, engaged

besichtigen, to inspect, view, look at

*****besitzen**, to possess

besonders, especially

besorgen, to see to, procure

Besorgnis *f.* (-se), care, worry

besser, better

bestätigen, to confirm

Besteck *n.* (-e), knife and fork; cover

*****bestehen (aus)**, to consist (of), to pass(an exam)

bestellen, to order

bestimmt, definite, certain

Besuch *m.* (-e), visit

besuchen, to visit

beten, to pray

betrachten, to observe, regard

betreten (a.e.), to step in, occupy

Bett *n.* (-en), bed

Beute *f.* (-n), prey, booty

bevor, before

bewachen, to watch, guard

bewundern, to admire

bezahlen, to pay

Biegung *f.* (-en), bend, turning

Bier *n.* (-e), beer, ale

bieten (o.o.), to offer

Bikini *m.* (-s), bikini

Bild *n.* (-er), picture, image

bilden, to form

billig, cheap, right, fair

Birke *f.* (-n), birch

bis, up to

Bissen *m.* (-), bite

bitte (bitte schön), please

Bitte *f.* (-n), request, plea

*****bitten**, to ask for, beg, demand

blass, pale

Blatt *n.* (⸚er), leaf

blau, blue

bleiben (ie.ie.), to remain, stay

blitzen, to lighten, flash

blitzschnell, quick as a flash

bloss, merely, simply

Blume *f.* (-n), flower

Blumenbeet *n.* (-e), flower bed

Bluse *f.* (-n), blouse

Blut *n.*, blood

Boden *m.* (⸚), floor

Bombe *f.* (-n), bomb

Bombenangriff *m.* (-e), air-raid

Bonbon *n.* (-s), sweet

Boot *n.* (-e), boat

Bootsfahrt *f.* (-en), boating (trip)

Bord *m.* (-e), board; **an Bord**, on board

böse (auf), angry (with), wicked

Boxkampf *m.* (⸚e), boxing match

Brand *m.* (⸚e), fire

Brauch *m.* (⸚e), custom, use

brauchen, to need, use

braun, brown

braungebrannt, tanned, sunburnt

brechen (a.o.), to break

breit, broad

breitschultrig, broad-shouldered

Bremse *f.* (-n), brake

bremsen, to brake

*****brennen**, to burn

Brief *m.* (-e), letter

Briefmarke *f.* (-n), stamp

Briefträger *m.* (-), postman

*****bringen**, to bring

Brot n. (-e), bread, loaf
Brücke f. (-n), bridge
Bruder m. (-·-), brother
Bube m. (-n), lad, boy
Buch n. (-·-e), book
Bücherschrank m. (-·-e), bookcase
Buchhalter m. (-), accountant
Bühne f. (-n), stage
Bund m. (-·-e), union
Bundesrepublik f., Federal Republic
bunt, coloured, gay
Burg f. (-en), citadel, fortress, town
Bürgermeister m. (-), mayor
Bürgersteig m. (-e), side-walk
Büro n. (-s), office
Bursche m. (n), lad
Bürste f. (-n), brush
bürsten, to brush
Busch m. (-·-e), bush, shrub
Butter f., butter
Butterbrot n. (-e), bread and butter

Cello n. (-s), cello
Charakter m. (-e), character
Chef m. (-s), chief, head, boss

da, there, then; (*verb last*) as, since
dabei, at the same time
*****dabei-sein,** to be 'in at'
dagegen, on the other hand
daher, therefore, and so
Dahlie f. (-n), dahlia
Dame f. (-n), lady
damit, with it; (*verb last*) so that
Dämmerung f., dawn, twilight
Dampf m. (-·-e), steam
Dampfkessel m. (-), boiler
Dank, m. thanks
danken, to thank
danke schön, thank you very much

dann, then
daraus, out of it
darum, therefore, about it
das, the, that
dass (*verb last*), that, so that
Dauerlauf m. (-·-), double, long distance run
dazu, as well, besides
Decke f. (-n), rug, ceiling, cover
demokratisch, democratic
*****denken,** to think
Denkmal n. (-·-e), monument
denn, for, because
dennoch, yet, nevertheless
der (die, das) (*def. art.*), the; (rel. pron.) who
der- (die-, das-) jenige, the one, he
der- (die-, das-) selbe, the same
deutlich, clear(ly)
deutsch, German
Deutschland n., Germany
Dialog n. (-e), dialogue
dich (*acc. of* **du**), thee
dicht, close, thick, near
dick, fat, big, thick
Dieb m. (-e), thief
Diebstahl m. (-·-e), theft
dienen, to serve
Diener m. (-), servant
Dienst m. (-e), service
Dienstag m., Tuesday
dies(-er, -e, -es), this, that, the latter
diesmal, this time
diesseits (*prep. with gen.*), this side of
direkt, straight, direct(-ly)
Direktor m. (-en), manager
doch, however, yet, but
Doktor m. (-en), doctor
Dom m. (-e), cathedral
Donner m., thunder

Donnerstag *m.*, Thursday
Doppelbett *n.* (**-en**), double bed
Dorf *n.* (**⸚er**), village
Dorfbewohner *m.*(**-**), villager
dort, there
Draht *m.*(**⸚e**), wire
Dram-a *n.* (**-en**), play, drama
drängen, sich, to crowd, press, throng
draussen, outside
drehen, to turn
drei, three
dreissig, thirty
dreizehn, thirteen
dringend, urgent pressing
Drittel *n.* (**-**), third
Druck *m.*(**⸚e**), *print, type, pressure*
drucken, to print
du, thou
dumm, stupid
Dummkopf *m.* (**⸚e**), idiot, fathead
dunkel, dark
durch (*prep. with acc.*), through
durch-führen, to carry out
Durchgangszug *m.* (**⸚e**) D-Zug, express
durchnässt, saturated, soaked
durch-schlagen, sich (**u.a.**), to make one's way
* **dürfen**, to be allowed to, may
durstig, thirsty
Dusche *f.* (**-n**), shower (bath)
duzen, to address familiarly

eben, even, just
echt, genuine, real
Ecke *f.*(**-n**), corner, angle
Eckplatz *m.* (**⸚e**), corner seat
edel, noble
ehemalig, former, previous
Ehrlichkeit *f.*, honesty, honour
Ei *n.* (**-er**), egg
Eiche *f.* (**-n**), oak

eigen, own, proper
eigensüchtig, selfish
eigentlich, real(ly), proper(ly)
Eile *f.*, hurry, haste
eilen, to hurry
Eilzug *m.* (**⸚**), fast train
ein (**-e**) (*indef. art.*), a, one
einander, one another, each other
Einbahnstrasse *f.* (**-n**), one-way street
ein-biegen (**o.o.**), to turn
einfach, simple, easy
ein-fallen (**ie.a.**), to occur to, think
einfältig, simple-minded
einförmig, monotonous
Einfluss *m.* (**⸚e**), influence
Eingang *m.* (**⸚e**), entrance
* **ein-gehen**, to enter, go in
einige, some
Einkauf *m.* (**⸚e**), purchase
* **ein-kommen**, to come in
ein-laden (**u.a.**), to invite
einmal, once (**noch einmal,** once more)
Einmaleins *n.*, multiplication table
* **ein-nehmen**, to take in, occupy
einsam, lonely
ein-schalten, to connect
ein-schlafen (**ie.a.**), to fall asleep
ein-schreiben (**ie.ie.**), to register
ein-sehen (**a.e.**), to realise, notice
ein-sperren, to lock up (in jail)
ein-steigen (**ie.ie.**), to get in, mount
ein-tragen (**u.a.**), to enter, gather
ein-treten (**a.e.**), to enter, step in
Eintritt *m.*, entry, entrance
Eintrittsgeld *n.*, admission fee
Einwohner *m.* (**-**), inhabitant
einzel, single, separate
Einzelbett *n.* (**-en**), single bed

einzig, only, single

Eis *n.*, ice

Eisen *n.*, iron

Eisenbahn *f.* (**-en**), railway

Eisenbahnschiene *f.* (**-n**), rail, track

Eisenbeton *m.*, ferro-concrete

eisern, iron (adj.)

Eislauf *m.*, skating

elektrisch, electric

elf, eleven

Eltern (*plural*), parents

Empfang *m.* (**⸚e**), reception

empfangen (**i.a.**), to receive

Empfänger *m.* (**-**), receiver

Empfangszimmer *n.* (**-**), reception room

empfehlen (**a.o.**), to recommend

empfehlenswert, worth recommending

empören, sich, to rebel

Ende *n.* (**-n**), end

endlich, finally, at last

endgültig, final(-ly), conclusive

Endung *f.* (**-en**), ending

England *n.*, England

Engländer *m.* (**-**) Englishman

englisch, English

Enkel *m.* (**-**), grandson

enteignen, to disinherit

entfalten, to unfold, reveal

entfernt, distant, far

entgegen (*prep. with dat.*), towards

entgegnen, to rejoin, reply

enthalten (**ie.a.**), to contain

* **entkommen,** to escape, get away

entlang (*prep. with acc.*), along

entlassen (**ie.a.**), to dismiss, let go

Entlassung *f.* (**-en**), dismissal

entschliessen, sich (**o.o.**), to resolve

entschuldigen, to excuse

entsetzlich, dreadful, horrible

* **entstehen,** to arise

Enttäuschung *f.* (**-en**), disappointment

entzückend, delightful

er, he

Erde *f.*, earth

Erdkunde *f.*, geography

Erfahrung *f.* (**-en**), experience

erfrischt, refreshed

Erfrischung *f.* (**-en**), refreshment

* **ergreifen,** to grasp, get hold

erhalten (**ie.a.**), to receive, preserve

erheben (**o.o.**), to raise; **sich,** to rise

erinnern, sich, to remember

* **erkennen,** to recognise

erklären, to explain, clear up

erlernen, to learn, master

ermorden, to murder

ermuntern, to encourage

* **ernennen,** to name, appoint

ernst, serious

erregen, to arouse, excite

erreichbar, within reach

erreichen, to reach, attain

Ersatz *m.*, substitute

erscheinen (**ie.ie.**), to appear

erst, first, only, not until

erstaunt, astonished

erstklassig, first-class

erstrecken, to stretch, reach

erwachsen, grown up, adult

erwarten, to expect, wait for

erwerben (**a.o.**), to acquire

erwidern, to reply

erzählen, to recount, tell

erzeugen, to produce

Erzeugnis *n.* (**-se**), product, production

Erziehung *f.*, education

es, it

Esel *m.* (**-**), ass, donkey

essbar, edible
*****essen,** to eat
Essen *n.*, meal, food, eating
Esswaren *f. pl.*, eatables, victuals
Esszimmer *n.* (-), dining room
etwa, possibly, about
etwas, something, a little, some
euch (*acc. and dat. of* **ihr**), ye, you
Europa *n.*, Europe
evakuieren, to evacuate
ewig, eternal(ly)
Exemplar *n.* (-e), copy
Experiment *n.* (-e), experiment

Fabel *f.* (-n), fable
Fabrik *f.* (-en), factory
Fach *n.* (⸚e), faculty, subject
Fahrbahn *f.* (-en), track, lane
fahren (**u.a.**), to drive, go, travel,
   ride
Fahrer *m.* (-), driver
Fahrkarte *f.* (-n), ticket
Fahrprüfung, *f.*, driving test
Fahrrad *n.* (⸚er), bicycle
Fahrschein *m.* (-e), ticket
Fahrstrasse *f.* (-n), road
Fahrt *f.* (-en), ride, trip
Fahrzeug *n.* (-e), vehicle
Faktur *f.* (-en), invoice
Fall *m.* (⸚e), case, fall (**im**
   Falle = in case)
falls, in case, if
falsch, false, wrong, fickle
Familie *f.* (-n), family
fangen (**i.a.**), to catch
Farbe *f.* (-n), colour
Farbfilm *m.* (-e), coloured film
farblos, colourless
fast, almost
Fastnacht (Fasching) *f.*,
   Shrovetide
Feder *f.* (-n), pen, feather, spring

fehlen, to lack, miss, fail, be absent
Fehler *m.* (-), mistake
fehlerfrei, free from error
Feier *f.* (-n), celebration
feiern, to celebrate
Feiertag *m.* (-e), holiday
fein, fine, refined, exquisite
Feld *n.* (-er), field
Fenster *n.* (-), window
Ferien (*pl.*), holidays
Fernsehapparat *m.* (-e), T. V. set
Fernsehen *n.*, television
fern-sehen (**a.e.**), to view (T.V)
Fernsehgerät *n.* (-e), T. V. set
fertig, ready, finished
*****fertig-werden,** to finish (up)
Fest *n.* (-e), festival, holiday
fest, firm, solid
Festspiel *n.* (-e), festival play
fest-stellen, to ascertain, confirm
Feuer *n.* (-), fire
Feuerzeug *n.* (-e), lighter
Film *m.* (-e), film
finden (**a.u.**), to find
finster, dark, gloomy
Firma *f.* (-en), firm
Fisch *m.* (-e), fish
Flamme *f.* (-n), flame
Flasche *f.* (-n), bottle
Fleisch *n.*, meat, flesh
fliegen (**o.o.**), to fly
fleissig, industrious, busy
fliessen (**o.o.**), to flow
Flucht *f.* (en) escape, flight
Flug *m.* (⸚e), flight
flugbereit, ready for take-off
Flügel *m.* (-), wing
Flughafen *m.* (⸚), airport
Flugplatz *m.* (⸚e), air-field
Flugzeug *n.* (-e), aircraft
Fluss *m.* (⸚e), river
folgen (*with dat.*), to follow
folgend, following

folglich, resultant, consequent
foltern, to torment
fordern, to demand
Form *f.* (**-en**), shape, figure
Formular *n.* (**-e**) form
Forsthaus *n.* (**ːer**), forester's lodge
fort-eilen, to hurry away
fort-fahren (**u.a.**), to go on, continue
fort-jagen, to chase away
fort-laufen (**ie.au.**), to run on, run off
fort-setzen, to continue
Frage *f.* (**-n**), question
fragen, to question, ask
Frankreich *n.*, France
Franzose *m.* (**-n**), Frenchman
französisch, French
Frau *f.* (**-en**), woman, wife, Mrs.
Fräulein *n.* (**-**), young lady, Miss
frei, free
frei-geben (**a.e.**), to free, let out
Freiheit *f.*, liberty
frei-lassen (**ie.a**), to liberate
Freitag *m.*, Friday
Freizeit *f.*, leisure
Fremde *m.* (**-n**), stranger foreigner
Fremdwort *n* (**-e, ːer**) foreign word
Frequenzband *n.*, frequency
fremd, strange, foreign
fressen (**a.e.**), to eat, gobble
Freude *f.* (**-n**), joy, pleasure
freuen, sich, to be pleased
Freund *m.* (**-e**), friend
Freundin *f.* (**-nen**), girl friend
freundlich, kind, friendly
Freundlichkeit *f.* (**-en**), kindness
freundlos, friendless
Freundschaft *f.* (**-en**), friendship
Friede *m.* (*gen.* **-ens, -n**), peace

friedlich, peaceful
frieren (**o.o.**), to freeze
frisch, fresh, new
froh, fröhlich, happy
früh, early
Frühling *m.*, spring
Frühstück *n.* (**-e**), breakfast
Fuchs *m.* (**ːe**), fox
fühlen, to feel
führen, to lead, conduct
Führer *m.* (**-**), leader
Führerschein *m.* (**-e**), driving licence
Führung *f.*, leadership
füllen, to fill
fünf, five
fünfzehn, fifteen
fünfzig, fifty
funktionieren, to work, function
für (*prep. with acc.*), for (**was für** = what sort of)
fürchten, to fear
furchtbar, terrible
Fürst *m.* (**-en**), prince, ruler
Fuss *m.* (**ːe**), foot
Fussball *m.* (**ːe**), football
Fussboden *m.* (**ː**), floor
Fussgänger *m.* (**-**) pedestrian

Gabe *f.* (**-n**), gift
Gabel *f.* (**-n**), fork
Gang *m.* (**ːe**), walk, passage
Gans *f.* (**ːe**), goose
ganz, quite, whole
gar, quite, at all
Garage *f.* (**-n**), garage
Garten *m.* (**"**), garden
Gas *n.* (**-e**), gas
Gasrechnung *f.* (**-en**), gas bill
Gast *m.* (**ːe**), guest
Gebäck *n.* (**-e**), pastry
gebären (**a.o.**), to give birth
Gebäude *n.* (**-**), building

geben (a.e.) to give (**es gibt** = there is)
Gebiet n. (-e) district, territory
gebrauchen, to use
Gebrauchtwagen m. (-), used car
Geburt f. (-en), birth
Geburtstag m. (-e), birthday
Gedränge n. crowd
gedruckt, printed
gefährlich, dangerous
gefallen (ie.a) (*impers. with dat.*), to please, like (**es gefällt mir** = I like)
Gefallen m. (-), pleasure
*****gefangen-nehmen,** to take prisoner
Gefängnis n. (-es), prison
Gefühl n. (-e), feeling, sentiment
gegen (*prep. with acc.*), against, towards
Gegend f. (-en), district
Gegenstand m. (÷), object
Gegenteil n. (-e), opposite
gegenüber (*prep. with dat.*), opposite
*****gegenüber-stehen,** to confront
gegenwärtig, present
*****gehen,** to walk, go
gehorchen, to obey
Geige f. (-n), fiddle, violin
Geist m. (-er), spirit, ghost
Geistliche(r) m., clergyman
gelb, yellow
Geld n. (-er), money
Geldstrafe f. (-n), fine
gelegen, suitable, convenient
Gelegenheit f. (-en), opportunity
gelegentlich, convenient(-ly)
gelernt, learned
gelingen (a.u.) (*impers. with dat.*), to succeed
Gemüse n. (-), vegetable
Gemüsegarten m. (÷), vegetable garden

gemütlich, cosy, easy-going
genau, exact(ly)
geniessen (o.o.), to enjoy
genug, enough
genügend, sufficient
Gepäck n., luggage
Gepäckträger m. (-), porter
gerade, straight, just
Gericht n. (-e), law, judgment
Gerichtshof m. (÷e), law court
gern(e), willingly (**gern haben** = to like)
Geschäft n. (-e), business
Geschenk n. (-e), gift
Geschichte f. (-n), story, history
geschickt, capable
Geschirr n. (-e), dishes
Geschwindigkeit f. (-en) *speed*; **Höchstg—,** top, (max.) speed
Geschwulst f. (÷e), swelling
Geselligkeit f., sociability
Gesellschaft f. (-en), company
Gesicht n. (-er), face
Gespräch n. (-e), dialogue, talk
gestern, yesterday
Gestalt f. (-en), form, shape
Geste f. (-n), gesture
*****gestehen,** to confess
gesund, healthy, well
Gesundheit f. (-en), health
*****gewahr-werden,** to perceive, become aware of
gewalttätig, violent
Gewehr n. (-e), gun, rifle
gewöhnlich, usual(ly)
Glas n. (÷er), glass
Glaube f. (-n), faith, belief
glauben, to believe, think
gläubig, credulous, believing
gleich, immediate(ly), equal
Gleichgewicht n., balance
Gleichschaltung f., co-ordination
Glied n. (-er), member, limb
Glück n., luck, fortune

glücklich, fortunate, lucky
glücklicherweise, luckily
Gold n., gold
Goldfink m. (-en), goldfinch
Gott m. (⸚er), god
Grab n. (⸚er), grave
*__gram sein__ (*with dat.*), to dislike
Gramm n. (-,-e) g., Gram
Gras n. (-er), grass
grau, grey
*__greifen,__ to grasp, seize
Greuel m. (-), horror
gross, big, large
grossartig, splendid
Grösse f. (-n), size
Grossmutter f. (⸚), grandmother
Grossvater m. (⸚), grandfather
grün, green
gründen, to found
Grundschule f. (-n), primary school
Gruppe f. (-n), group, circle
grüssen, to greet
gucken, to peep, peer
Gummistiefel m. (-), gum-boot
günstig, favourable, convenient
gut, good, well
Gut n. (⸚er), estate, farm, good
gutherzig, kind, good natured

Haar n. (-e), hair
*__haben,__ to have
Hafen m. (⸚), harbour, port
halb, half
halber (*prep. with gen.*), on account of
Hälfte f. (-n), half
Hals m. (⸚e), neck
halten (ie.a.), to hold, stop, keep
(**halten für** = to regard as)
Haltestelle f. (-n), bus stop
Hand f. (⸚e), hand
Handarbeit f. (-en), manual work
Handbuch n. (⸚er), manual, guide

Handel m., trade, commerce
handeln, to act
Handlung f. (-en), action
Handschrift f. (-en), writing
Handschuh m. (-e), glove
Handtasche f. (-n), handbag
Handwerker m. (-), manual worker
*__hangen__ (**hängen**), to hang
Hase m. (-n), hare
hässlich, ugly
Haupt n. (⸚er), head, chief
Hauptfach n. (⸚er), main subject
Hauptfilm m. (-e), main film
Hauptmann m. (**H-leute**), captain
Hauptschule f. (-n), secondary school
Hauptstadt f. (⸚e), capital
Hauptstrasse f. (-n), main street
Haus n. (⸚er), house (*zu*
Hause = at home; **nach**
Hause = home-wards)
Hausangestellte f. (-n), maid, servant
Hausgehilfin f. (-nen), maid, servant
Hausmädchen n. (-), maid, servant
heben (o.o.), to lift, raise
Heft n. (-e), exercise book
heilig, holy
Heimat f., home, homeland
heim-suchen, to haunt
Heirat f. (-en), marriage
heiraten, to marry
heiss, hot
heissen (ie.ei.), to be called, orde
heiter, cheerful
Heizer m. (-), stoker
Held m. (*gen.* -en, -en), hero
hell, bright
Hemd n. (-en), shirt
Hemdärmel m. (-), shirt sleeve

her-, here, this way
*****heraus-ziehen,** to pull out
herbei-laufen (ie.au.), to run up
Herbergsvater *m.* (⁔), host of Youth Hostel
Herbst *m.,* autumn
Herd *m.* (-e), even, hearth
*****herein-kommen,** to come in
*****her-kommen,** to derive, come from
Herr *m.* (*gen.* -n, *pl.* -en), master, gentleman, Mr.
herrlich, splendid
Herrschaft *f.* (-en), mastery, lady, gentleman
herrschen, to rule, sway, prevail
Herstellung *f.* (-en), production
Herz *n.* (*gen.* -ens, *pl.* -en), heart
heulen, to howl
heute, to-day (**heute abend** = this evening)
heutzutage, nowadays
Hexe *f.* (-n), witch
hier, here
Hiersein *n.,* presence, being here
hiesig, local
Hilfe *f.,* help
Himbeere *f.* (-n), raspberry
Himmel *m.,* heaven
hinab-steigen (ie.ie.), to climb down
*****hinauf-gehen,** to go up
hinaus-laufen (ie.au.), to run out
hinein-springen (a.u.), to jump in
hingewandt, turned towards
hinten, behind, at the back, aft
hinter (*prep. with acc. or dat.*), behind, at the back of
*****hinunter-gehen,** to go down
hinzu-fügen, to add
hinzu-setzen, to add
Hirsch *m.* (-e), stag
hitzig, heated, warmly

hoch (hoh-), high
höchst, highest, most
Hof *m.* (⁔e), court, farm, yard
hoffen, to hope
hoffentlich, it is to be hoped that
höflich, polite
Höhe *f.* (-n), height
höher, higher
hohl, hollow
holen, to fetch, bring
Holz *n.* (⁔er), wood
hölzern, wooden
Honig *m.,* honey
hören, to hear
hübsch, pretty
Huhn *n.* (⁔er), chicken, fowl
Humor *m.* (-s), humour, frame of mind
Hund *m.* (-e), dog
hundert (*adj.*), hundred
Hundert *n.* (-e), a hundred
Hunger *m.,* hunger
hungrig, hungry
Hut *m.* (⁔e), hat
Hütte *f.* (-n), hut; iron-works
Hüttenwerk *n.* (-e), metallurgical plant

ich, I
ihn (*acc. of* **er**), him
ihnen (*dat. of* **sie**), them, to them
Ihnen (*dat. of* **Sie**), you, to you
ihr (*nom.*) ye, you; (*dat.*) her, to her
ihr (*poss. adj.*), her, their
Ihr (*poss. adj.*), your
im (*abbrev.* = **in dem**), in the
immer, always
*****imstande-sein,** to be able
in (*prep. with acc. or dat.*), in, to, at, into
inbegriffen, included
indem, while
indessen, meanwhile
Inflation *f.,* inflation

Ingenieur *m.* (**-e**), engineer
Innere *n.*, inside
innerhalb (*prep. with gen.*), within
Instrument *n.* (**-e**), instrument
Intendant *m.* (**-en**), producer
Interesse *n.* (**-n**), interest
interessant, interesting
interessieren, sich (**für**), to be interested (in)
inzwischen, meanwhile
ironisch, ironical(ly)
irren, sich, to make a mistake
ist (*see* **sein**), is
Italiener *m.* (**-**), Italian
italienisch, Italian

ja, yes, indeed
Jacht *f.* (**-en**), yacht
Jacke *f.* (**-n**), coat, jacket
Jahr *n.* (**-e**), year
Jahreszeit *f.* (**-en**), season
Jahrhundert *n.* (**-e**), century
Jagd *f.* (**-en**), hunt, chase
jagen, hunt, chase
Jäger *m.* (**-**), hunter
jed-er (**-e, -es**), each, every
jedermann, everybody
jedoch, however, still
jemand, someone
jen-er (**-e, -es**), that, that one, the former
jenseits (*prep. with gen.*), beyond, on the far side of
jetzt, now
Jugend *f.*, youth (abstract)
Jugendherberge *f.* (**-n**), Youth Hostel
jung, young
Junge *m.* (**-n**), boy
Justiz *f.*, justice

Kabine *f.* (**-n**), cabin, hut
Kaffee *m.* (**-s**), coffee
Kaffeekanne *f.* (**-n**), coffee pot

Kai *m.* (**-s**), quay, dock
Kaiser *m.* (**-**), emperor
kalt, cold
Kälte *f.*, cold
Kamerad *m.* (**-en**), friend, comrade
Kameradschaft *f.* (**-en**), friendship
kämmen, to comb
Kammer *f.* (**-n**), bedroom, chamber
Kampf *m.* (**-̈e**), fight, struggle
kämpfen, to fight, struggle
Kanal *m.* (**-̈e**), canal
Kanone *f.* (**-n**), cannon, gun
Kantine *f.* (**-n**), canteen, mess
Kanu *n.* (**-s**), Canoe
Kanzler *m.* (**-**), chancellor
Kapelle *f.* (**-n**), chapel, band
Kapital *n.* (**-ien**), capital
Kapitän *m.* (**-e**), captain
Kapitel *n.* (**-**), chapter
kaputt, broken, finished
Karfreitag *m.*, Good Friday
Karren *m.*(**-**), barrow
Karte *f.* (**-n**), card, ticket
Kartoffel *f.* (**-n**), potato
Kasse *f.* (**-n**), cash desk
Kätzchen *n.* (**-**), kitten
Katze *f.* (**-n**), cat
Katzenjammer *m.*, hang-over
kaufen, to buy
Kaufhaus *n.* (**-̈er**), departmental store
kaum, scarcely
kein (**-e**), none, not any, no
Keks *m.* (**-n**), biscuit
Keller *m.* (**-**), cellar
Kellner *m.* (**-**), waiter
***kennen,** to know, be acquainted with
Kenner *m.* (**-**), connoisseur
Kerl *m.* (**-e or -s**), fellow
Kerze *f.* (**-n**), candle, plug

Kette, *f.* (**-n**), chain
Kilometer *n.* (**-**), kilometre
Kind *n.* (**-er**), child
Kindheit *f.*, childhood
Kinn *n.* (**-e**), chin
Kino *n.* (**-s**), cinema
Kiosk *m.* (**-s**), stall, booth, box
Kirche *f.* (**-n**), church
Kirchenfest *n.* (**-e**), church
　festival
Kiste *f.* (**-n**), crate, box
Kitsch *m.*, (**und Quatsch**)
　rubbish, junk
klagen, to complain
klar, clear
Klasse *f.* (**-n**), class
Klavier *n.* (**-e**), piano
kleben, to stick
Kleid *n.* (**-er**), dress, clothes
kleiden, to dress
Kleiderschrank *m.* (**-̈e**),
　wardrobe
klein, little, small
klettern, to climb, clamber
klingeln, to ring
Klinik *f.* (**-en**), clinic, hospital
klopfen, to knock
Klub *m.* (**-s**), club
klug, clever
Knabe *m.* (**-n**), boy
knapp, short (of), scarce
Knechtschaft *f.*, servitude
kochen, to cook, boil
Koffer *m.* (**-**), bag, suit case
Kohle *f.* (**-n**), coal
Kohlengrube *f.* (**-n**), coal-mine,
　pit
Kokain *n.*, cocaine
Kolonialwarenhändler *m.* (**-**),
　grocer
Kommandobrücke *f.* (**-n**),
　bridge
*****kommen,** to come

Komödie *f.* (**-n**), comedy
Komponist *m.* (**-en**), composer
König *m.* (**-e**), king
können, can, be able
Konsul *m.* (**-en**), consul
Kontinent *n.* (**-e**) continent
Kontrolle *f.* (**-n**), check, control
kontrollieren, to examine,
　control
Kopf *m.* (**-̈e**), head
Kopfweh *n.*, headache
Korb *m.* (**-̈e**), basket
Korn *n.* (**-̈er**), corn, grain
Körper *m.* (**-**), body
körperlich, physical
Korrespondent *m.* (**-en**),
　correspondent
Korridor *m.* (**-en**), corridor
korrigieren, to correct
kosten, to cost
Kraft *f.* (**-̈e**), strength
Kraftwagen *m.* (**-**), car
kräftig, strong, powerful
krank, sick, ill
Krankenhaus *n.* (**-̈er**), hospital
Krankheit *f.* (**-en**), illness
Kranz *m.* (**-̈e**), wreath, garland
Krawatte *f.* (**-n**), tie, necktie
Kreis *m.* (**-e**), circle, district
Kreuz *n.* (**-e**), cross
Kreuzung *f.* (**-en**), crossing
Krieg *m.* (**-e**), war
kriegen, to get, obtain
kriechen (**o.o.**), to creep
Krippe *f.* (**-n**), crib, manager
Krone *f.* (**-n**), crown
krönen, to crown
Küche *f.* (**-n**), kitchen
Kuchen *m.* (**-**), cake, bun, pie
Kugel *f.* (**-n**), bullet, ball
Kugelschreiber *m.* (**-**), ball
　(**-point**) pen
kühl, cool, cold

Kühlschrank m. (-̈e), 'fridge'
Kunde m. (-n), customer
Kunst f. (-̈e), art, trick
Kunstseide f. (-n), artificial silk
Kunststoff m. (-e), artificial cloth
Kupfer n. copper
Kurfürst m. (-en), Electoral Prince
Kurs m. (-e), course
kurz, short
kurzsichtig, short-sighted

lachen, to laugh
laden (u.a.), to load
Laden m. (-̈), shop
Lage f. (-n), position, place
Laie m. (-n), amateur
Lampe f. (-n), lamp
Lampenfieber n., stage fright
Land n. (-̈er), country
Landarbeiter m. (-), farm worker
landen, to land
Landkarte f. (-n), map
Landschaft f., scenery
Landungskarte f. (-n), landing ticket
Landungssteg m. (-e), gangway
lang, long, tall
langsam, slow(ly)
längst, long since
langweilen, to bore
Lärm m. (-e), noise
lassen (ie.a.), to let, leave
Last (-kraft-) wagen m. (-), lorry
Laufbursche m. (-n), messenger boy
Lauf m. (-̈e), run, course
laufen (ie.au.), to run
laut, loud
Laute f. (-n), lute
lauten, to sound, read
läuten, to ring, ring a bell

Lautsprecher m. (-), loudspeaker
leben, to live
Leben n. (-), life
lecker, tasty
Leder n. (-), leather
Lederhose f. (-n), leather trousers
leer, empty
leeren, to empty
legen, to put, place (**sich legen** = to lie down)
Legende f. (-n), legend
Lehnstuhl m. (-̈e), arm-chair
lehren, to teach
Lehrer m. (-), teacher
Lehrerin f. (-nen), female teacher
Lehrzeit f., apprenticeship
Leid n. (-en), sorrow, grief
*****leiden,** to suffer
leider, unfortunately
*****leid-tun,** to be sorry
Leidenschaft f. (-en), passion
leidenschaftlich, passionate
leihen (ie.ie.), to lend
leisten, to perform: **Widerstand 1—,** to offer resistance
Leiter m. (-), leader
Leitung f. (-en), lead, wiring
Lektüre f. (-n), reading
lenken, to steer
Lenkrad n. (-̈er), steering wheel
Lenkstange f. (-n), handle-bar
lernen, to learn
lesen (a.e.), to read
letzt, last
Leute pl., people
Licht n. (-er), light
Lichtspielhaus n. (-̈er), cinema
Lichtung f., clearing
lieb, dear
Liebe f., love
lieben, to love
liebenswürdig, amiable
Liebhaber m. (-), lover, amateur

Lieblings-, favourite
Lied *n.* (**-er**), song
Lieferung *f.* (**-en**), delivery
liegen (**a.e.**), to lie, be situated
Liegestuhl *m.* (**⁼e**), deck chair
Lindenbaum *m.* (**⁼e**), lime tree
link, left (**links** = on the left)
Linoleum *n.* (**-s**), linoleum
Lippe *f.* (**-n**), lip
Lippenstift *m.* (**-e**), lipstick
Liste *f.* (**-n**), list
locker, loose
Löffel *m.* (**-**), spoon
Loge *f.* (**-n**), box (theatre)
Lohnerhöhung *f.*, rise in wages
Lohn *m.* (**⁼e**), reward, wages
lohnen, to reward
lohnen, sich, to be worth while
los, off, away, up (**was ist
   los** = what is up?)
lösen, to loosen, redeem, solve
Löwe *m.* (**-n**), lion
Luft *f.* (**⁼e**), air
Luftpost *f.*, air mail
Luftverkehr *m.*, air traffic
Lust *f.* (**⁼e**), pleasure, joy

machen, to make, do
Macht *f.* (**⁼e**), might, power
mächtig, powerful
Machtübernahme *f.*, seizure of
   power
Mädchen *n.* (**-**), girl
Mädel *n.* (**-s**), girl
Magd *f.* (**⁼e**), maid
mähen, to mow
Mahlzeit *f.* (**-en**), meal
mahnen, to warn
Mal *n.* (**-e**), time
mal (*abbrev.* **einmal**), just, only
malerisch, picturesque
man, one, somebody, they

manch (**-er, -e, -es**), many a
Mangel *m.*, want, lack (**an** = of)
Mann *m.* (**⁼er**), man
Mannschaft *f.* (**-en**), crew, team
Mantel *m.* (**⁼**), coat, overcoat
Mark *f.*, mark (coin)
Marke *f.* (**-n**), stamp, brand
Markt *m.* (**⁼e**), market
Maschine *f.* (**-n**), engine
Mass *n.* (**-e**), measure:
*Mass-nehmen, to take
   measurements
Massenerzeugmis *n.* (**-se**),
   mass-produced goods
Mast *m.* (**-e**), mast
Mathematik *f.*, mathematics
Matrose *m.* (**-n**), sailor
Mauer *f.* (**-n**), wall
Maul *n.* (**⁼er**), mouth, snout
Maus *f.* (**⁼e**), mouse
Mechaniker *m.* (**-**), mechanic
Medizin *f.*, medicine
mehr, more
meinen, to think, opine, mean
meist, most (**meistens** = mostly)
Meister *m.* (**-**), master
melden, to report, announce
Meldung *f.* (**-en**), announcement
Mensch *m.* (**-en**), man, human
   being
merken, to notice, observe
merkwürdig, noteworthy
messen (**a.e.**), to measure
Messer *n.* (**-**), knife
Metzger *m.* (**-**), butcher
Mikrophon *n.*, microphone
Milch *f.*, milk
mindestens, at least
Ministerium *n.* (**-ien**), ministry
Minute *f.* (**-n**), minute
mir, me, to me (*dat. of* **ich**)
Misthaufen *m.* (**-**), muck-heap
mit (*prep. with dat.*), with

miteinander, together
Mitgift f. (-en), dowry
Mithilfe f., co-operation
Mitleid n., sympathy
Mitglied n. (-er), member
Mittag m., midday
Mittagessen n. (-), lunch
Mittelalter n., Middle Ages
mittelmässig, moderate
* **mit-nehmen,** to take with one
mit-stimmen, to agree
Mitstudent m. (-en), fellow
  student
Mitte f. (-n), middle
Mittelpunkt m. (-e), centre
Mittwoch m., Wednesday
Möbelstück n. (-e), furniture
Modell n. (-e), model
* **mögen,** may, to like
möglich, possible
Monat m. (-e), month
Mond m., moon
Montag m., Monday
Mord m., murder
Morgen m. (-), morning
morgen, to-morrow (**morgen
  früh** = to-morrow morning)
Motor m. (-en), engine, motor
Motorrad n. (¨er), motor-bicycle
Motorstörung f., engine trouble
Motte f. (-n), moth
müde, tired
Mund m. (-e), mouth
murmeln, to murmur, mumble
Muse-um n. (-en), museum
Musik f., music
musikalisch, musical
Musiker m. (-), musician
Muskel f. (-n), muscle
Muster n. (-), pattern, sample
mustern, to examine
Mut m., courage, inclination
Mutter f. (¨), mother

Nabe f. (-n), hub
nach (prep. with dat.), to, after,
  according to
Nachbar m. (-n), neighbour
nachdem, after
nachdenklich, thoughtful
Nachfolger m. (-), successor
Nachfrage f., demand
nachher, afterwards
nach-laufen (ie.au.), to run after
Nachmittag m. (-e), afternoon
Nachricht f. (-en), news
nach-sehen (a.e.), to see to
Nachspeise f. (-n), desert, 'afters'
nächst, next
Nacht f. (¨e), night
Nagel m. (¨), nail
nah, near, close
Nähe f., vicinity
nähern, sich (with dat.), to
  approach
nämlich, namely, as a matter of
  fact
Name(n) m. (gen. **-ns,** pl. **-n**),
  name
Nase f. (-n), nose
nass , wet
Natur f., nature
Naturlehre f., nature study
natürlich, natural(ly)
neben (prep. with acc. or dat.), near
  to, beside, next to
Nebenstrasse f. (-n), side-road
* **nehmen,** to take
nein, no
Nelke f. (-n), carnation
* **nennen,** to name
Nest n. (-er), nest
nett, nice, decent
Netz n. (-e), net, rack
neu, new, fresh
neugierig, curious
Neujahr n., New Year

neulich, recently
neun, nine
neunzehn, ninteen
neunzig, ninety
nicht, not
nichts, nothing
nicken, to nod
nie (-mals), never
Niedergang m. downfall, ruin
Niederlage f. (-n), defeat
niemand, nobody
noch, yet, again, still (**noch ein** = another)
Nord-, Norden m., north
Norwegen n., Norway
Not f., need, necessity
Notfall m. (¨e), emergency
notieren, to take notes, note
nötig, necessary, in need of
Notizbuch, n. (¨er), diary
Novelle f. (-n), short story
Nummer f. (-n), number
nun, now, now then
nur, only
nützlich, useful

ob, if, whether
oben, upstairs, on top
Ober-, head, chief
Oberkellner m. (-), head waiter
Oberschule f. (-n), grammar school
Oberschulrat m. (¨e), chief inspector
obgleich, although
Obst, n., fruit
oder, or
Ofen m. (¨), stove, oven
Ofenplatte f. (-n), oven plate
offen, open
öffentlich, public
öffnen, to open

oft, often
ohne (*prep. with acc.*), without
Öl n., oil: **Ölkanne** f., oil-can
Omnibus m.(-se), omnibus
Onkel m. (-), uncle
Oper f. (-n), opera
Orchester n. (-), orchestra
Ordnung f. (-en), order
organisieren, to organise
Ort m. (-e), place
Ost-, Osten m., east
Österreich n. Austria
Ostermontag m., Easter Monday
Ostern, Easter
Ostflüchtling m. (-e), refugee from the East

Paar n. (-e), pair (**ein paar** = a few)
Päckchen n. (-), packet
packen, to seize, pack
Paket n. (-e), packet, parcel
Palast m. (¨e), palace
Panne f. (-n), puncture, breakdown
Pappe f., cardboard
Papst m. Pope
Park m. (-s), park
Parkplatz m. (¨e), parking space
Partei f. (-en), party
Parterre n., stalls, pit
Pass m. (¨e), passport
Passagier m. (-e), passenger
passen (*with dat.*), to fit (**passen zu** = to match)
passieren, to happen, pass
Patient m. (-en), patient
Pause f. (-n), pause, interval
Pelzmantel m. (¨), fur coat
Person f.(-en), person

Personenzug *m.* (¨e), slow train
Pfarrer *m.* (-), parson
Pfeife *f.* (-n), pipe, whistle
Pfennig *m.* (-e), penny
Pferd *n.* (-e), horse
Pfingst (-en) *m.* Whitsun
Pflanze *f.* (-n), plant
pflegen, to look after, be used to
Pflicht *f.* (-en), duty, obligation
Pfund *n.* (-,-e), pound
Pilot *m.* (-en), pilot
Pilz *m.* (-e), mushroom
Plan *m.* (¨e), plan, project
Platte *f.* (-n), plate
Platz *m.* (¨e), place, seat
platzen, to burst
plaudern, to chat
plombieren, to fill (a tooth)
plötzlich, sudden(ly)
Plural *m.* (-e), plural
Polen *n.* Poland
Politik *f.*, politics
Polizei *f.*, police
polizeilich, by the police, officially
Polizist *m.* (-en), policeman
Portion *f.* (-en), portion, share
Posse *f.* (-n), farce
Post *f.*, post, post office
Postamt *n.* (¨er), post office
Postanweisung *f.* (-en), money-order
Posten *m.* (-), post, position
Postkarte *f.* (-n), postcard
Postleitzahl *f.* (-en), code number
prahlen, to boast
praktisch, practical, useful
Preis *m.* (-e), price, prize
Prinz *m.* (-en), hereditary prince
Probe *f.* (-n), test, trial, rehearsal
probieren, to try, try on
Problem *n.* (-e), problem

Programm *n.* (-e), programme
Propaganda *f.* propaganda
Prospekt *m.* (-e), prospectus
Proviantkorb *m.* (¨e), provision basket
prüfen, to test
Prüfung *f.* (-en), examination
prügeln, to beat, chastise, whip
Publikum *n.* audience
Pudel *m.* (-), poodle
pudern, to powder
Puls *m.*, pulse
Pumpe *f.* (-n), pump
pumpen, to pump
Puppe *f.* (-n), doll
putzen, to polish, clean

Rad *n.* (¨er), wheel, bicycle
radeln, (rad-fahren v.a.), to cycle
Radfahrer *m.* (-), cyclist
Radio *n.* (-s), radio
Radioapparat *m.* (-e), radio set
Radler (Radfahrer) *m.* (-), cyclist
Rand *m.* (¨er), edge, fringe
rasch, quick(ly)
Rasen *m.* (-), lawn
rasen, to rage, speed
Rasenplatz *m.* (¨e), lawn
rasieren, to shave
Rat *m.*, advice, counsel
raten (ie.a.), to advise, to guess
Ratgeber *m.* (-), adviser
Rathaus *n.* (¨e), Town Hall
Räuber *m.* (-), thief, robber
Rauch *m.*, smoke
rauchen, to smoke
Raum *m.* (¨e), room, space
räumen, to clear, move out
rechnen, to add up, calculate
Rechnen *n.*, arithmetic

Rechnung *f.* (**-en**), bill, calculation

recht, right (**rechts,** on the right)

Recht *n.* (**-e**), right, law (**recht haben,** to be right)

rechtzeitig, in good time

reden, to speak

Regel *f.* (**-n**), rule

regelmässig, regular(-ly)

Regen *m.* rain

Regierung *f.* (**-en**), government

regnen, to rain

regnerisch, rainy

reich, rich

Reich *n.* (**-e**), realm, empire

reif, ripe

Reife *f.*, maturity: **mittlere Reife,** O-Level Exam

Reifen *m.* (**-**), tyre

Reihe *f.* (**-n**), row, turn, series

reimen, to rhyme

rein, clean, pure

Reis *n.* (**-er**), twig, sprig

Reis *m.*, rice

Reise *f.* (**-n**), trip, journey

reisen, to journey, travel

Reisende *m. or f.*, traveller

* **reiten,** to ride

* **rennen,** to run

Reparatur *f.* (**-en**), repair

reparieren, to repair

Republik *f.* (**-en**), republic

reservieren, to reserve

Rest *m.* (**-e**), remainder, residue

Restaurant *n.* (**-s**), restaurant

retten, to save, rescue

Retter *m.* (**-**), saviour, rescuer

Rettung, *f.*, saving, rescue

Rettungsboot *n.* (**-e**), lifeboat

Rettungsjacke *f.* (**-n**), lifebelt

richten, to judge, direct, adjust

Richter *m.* (**-**), judge

richtig, correct, right

riechen (**o.o.**), to smell

Ritter *m.* (**-**), knight

Röhre *f.* (**-n**), tube, valve

Rohstoff *m.* (**-e**), raw material

Rollbahn *f.* (**-en**), run-way

Rolle *f.* (**-n**), role, part

Roman *m.* (**-e**), novel

Rose *f.* (**-n**), rose

Rost *m.* rust: **rostfrei,** unrusted

rot, red

Rübe *f.* (**-n**), turnip, beet

rücken, to move

Rückkehr *f.*, return

Rücklicht *n.* (**-er**), rear-light

Rucksack *m.* (**¨e**), knap-sack

Rücksitz *m.* (**-e**), back seat

Rückweg *m.* (**-e**), way back, return

rufen (**ie.u.**), to call

Ruhe *f.* (**-n**), rest, quiet

ruhen, to rest, repose

ruhig, quiet, peaceful

rühren, to touch, move

Ruine *f.* (**-n**), ruin

Rumpelkammer *f.* (**-n**), lumber room

rund, round, circular

Rundfunk *m.* (**-e**), wireless

Rundgang *m.* (**¨e**) round trip

Rundschreiben *n.* (**-**), circular

Russland *n.* Russia: **der Russe** *m.* (**-n**): **russisch** Russian

Saal *m.* (**Säle**), room, hall

Sache *f.* (**-n**), thing, business, cause

Sack *m.* (**¨e**), bag, sack

Sage *f.* (**-n**), legend

sagen, to say, tell

sägen, to saw

Salat *m.* (**-e**), salad, lettuce

sammeln, to collect, gather

Sammelpunkt *m.* (**¨e**), assembly point.

Sammlung *f.* (**-en**), collection
Samstag *m.*, Saturday
Sarg *m.* (¨**e**), coffin
satt, satisfied, enough
Sattel *m.* (**-**), saddle
sauber, clean
Säure *f.* (**-n**), acid
Schade *f.* (**-n**), hurt, damage
  (**es ist schade** = it is a pity)
Schaf *n.* (**-e**), sheep
schaffen, to make, create
Schaffner *m.* (**-**), guard
schälen, to peel, skin
Schallplatte *f.* (**-n**) disc, record
Schalter *m.* (**-**), ticket office
Schande *f.* (**-n**), shame
scharf, sharp
Schatten *m.*(**-**), shadow, shade
schauen, to look, see, gaze
Schauspiel *n.* (**-e**), play, comedy
scheinen (**ie.ie.**), to seem, shine
Scheinwerfer *m.* (**-**) head-light
Schenke *f.* (**-n**), small inn
schenken, to present, give
scheuen, to be frightened
scheuern, to scrub, clean
scheusslich, dreadful
Schicht *f.* (**-en**), shift, layer
schicken, to send
schiessen (**o.o.**), to shoot
Schiff *n.* (**-e**), ship
Schiffahrt *f.*, navigation
Schilaufen *n.* skiing
schimmernd, shining
Schinken *m.* (**-**), ham
Schinkenbrot *n.* (**-e**), ham
  sandwich
Schirm *m.* (**-e**), protection,
  umbrella
Schlaf *m.*, sleep
schlafen (**ie.a.**), to sleep
Schlafrock *m.* (¨**e**), dressing gown
Schlafzimmer *n.* (**-**), bedroom

Schlag *m.* (¨**e**), blow
schlagen (**u.a.**), to beat, hit, strike
Schläger *m.* (**-**), bat, racket
schlau, sly, cunning
schlecht, bad, wicked
schliessen (**o.o.**), to close, lock
schliesslich, final(ly)
Schlips *m.* (**-e**), tie
Schloss *n.* (¨**er**), castle, lock
Schluss *m.* (¨**e**), end, conclusion
Schlüssel *m.* (**-**), key
schmecken, to taste
Schmerz *m.* (*gen.* **-es, -en**), pain
schminken, to powder, make up
schmutzig, dirty
Schnaps *m.* (¨**e**), brandy
Schnee *m.*, snow
schneien, to snow
***schneiden,** to cut
Schneider *m.* (**-**), tailor
schnell, quick(ly)
Schnurrbart *m.* (¨**e**), moustache
schon, already
schonen, to spare, save
schön, handsome, beautiful
Schönheit *f.* (**-en**), beauty
Schornstein *m.* (**-e**), chimney,
  funnel
Schraube *f.* (**-n**), screw
Schraubenschlüssel *m.* (**-**),
  spanner
Schreck (**-en**) *m.*, terror
Schrei *m.* (**-e**), shout
Schreibblock *m.* (¨**e**), writing pad
schreiben (**ie.ie.**), to write
Schreibtisch *m.* (**-e**), writing-desk
schreien (**ie.ie**), to shout, call
Schrift *f.* (**-en**), writing
schriftlich, written, in writing
Schriftsteller *m.* (**-**), writer
Schritt *m.* (**-e**), step, stride
Schuh *m.* (**-e**), shoe, boot
Schuld *f.* (**-en**), guilt, fault

schuldig, guilty, owing, in debt
Schule *f.* (**-n**), school
Schüler *m.* (**-**), schoolboy, pupil
Schutz *m.*, protection, shelter
schwach, weak
Schwanz *m.* (¨**e**), tail
schwarz, black
schwarzhaarig, black-haired
Schwebebahn *f.*, overhead railway
Schweden *n.*, Sweden
schwedisch, Swedish
schweigen (ie.ie.), to be silent
schweigsam, taciturn, silent
Schwein *n.* (**-e**), pig
Schweinefleisch *n.*, pork
Schwelle *f.* (**-n**), threshold, step
schwer, heavy, difficult
Schwester *f.* (**-n**), sister, nurse
schwesterlich, sisterly
schwierig, difficult
Schwimmdock *m.* (**-s**), floating dock
schwimmen (a.o.), to swim
sechs, six
sechzehn, sixteen
sechzig, sixty
Sechssitzer *m.* (**-**), six-seater
See *f.* (**-n**), sea
See *m.* (**-n**), lake
seefest, seaworthy
Seemann *m.* (**Seeleute**), sailor
Seereise *f.* (**-n**), voyage
Segel *n.* (**-**), sail
segeln, to sail
Segelschiff *n.* (**-e**), sailing ship
sehen (a.e.), to see, look
sehenswert, worth seeing
Sehenswürdigkeit *f.* (**-en**), 'sights'
sehr, very, very much
Seife *f.* (**-n**), soap
*** sein,** to be

sein (-e), his, its
seit (*prep. with dat.*), since
seitdem, since
Seite *f.* (**-n**), page, side
Seitengang *m.* (¨**e**), side path
seither, since, since then
Sekretärin *f.* (**-nen**), secretary
Sekunde *f.* (**-n**), second
selber, self
selbst, self, even
Selbstopfer *n.* (**-**), self sacrifice
*** senden,** to send
Sender *m.* (**-**), sender, station
Sendung *f.* (**-en**), emission, broadcast
setzen, to put, place (**sich setzen** = to sit down)
sicher, safe, sure
Sicherheitsgurt *m.* (¨**e**) safety belt
sie, she, her; they, them
Sie, you
sieben, seven
siebzehn, seventeen
siebzig, seventy
Siedlung *f.* (**-en**), settlement, colony
Sieg *m.* (¨**e**), victory
siegen, to conquer, win
Silber *n.*, silver
singen (a.u.), to sing
Sitz *m.* (**-e**), seat, place
*** sitzen,** to be seated
Skifahrt *f.* (**-en**), ski run
sobald, as soon as
Sofa *n.* (**-s**), sofa
sogar, even
sogenannt, so-called
sogleich, at once, immediately
Sohn *m.* (¨**e**), son
solch (-er, -e, -es), such (a)
*** sollen,** to have to, ought
Sommer *m.*, summer

sondern, but (after negative)

Sondersendung *f.* (**-en**), special broadcast

Sonnabend *m.*, Saturday

Sonne *f.* (**-n**), sun

Sonnenuntergang *m.*, sunset

Sonntag *m.*, Sunday

Sonntagsanzug *m.* (**⁻e**), best suit

sonst, otherwise, or else

Sorge *f.* (**-n**), care, worry

Spanien *n*, Spain

Spannung *f.* (**-en**), tension

sparen, to save

Spass *m.* (**⁻e**), joke

spasshaft, comical

spät, late

Spaten *m.*(**-**), spade

spazieren, to walk

Spaziergang *m.* (**⁻e**), walk

Speise *f.* (**-n**), food, dishes

Speisekarte *f.* (**-n**), menu

Speisesaal (**-säle**), dining-room

Speisewagen *m.* (**-**), dining car

Spiegel *m.* (**-**), mirror

Spiel *n.* (**-e**), play, game

spielen, to play

Spieler *m.* (**-**), player

Spielzeug *n.*, play-toy

Splitterpartei *f.* (**-en**), splinter party

Spitzname *m.* (**-n**), nickname

Sport *m.*, sport

Sportplatz *m.* (**⁻e**), playing field

spotten, to mock, make fun of

Sprache *f.* (**-n**), language, speech

sprechen (**a.o.**), to speak

Sprechstunde *f.* (**-n**), consultation

Sprechzimmer *n.* (**-**), consulting room

springen (**a.u.**), to jump

Spuk *m.* (**-e**), ghost, spirit

Spur *f.* (**-en**), spoor, trace

Staat *m.* (**-en**), state

Staatsbürger *m.* (**-**), citizen

stabil, stable

Stadt *f.* (**⁻e**), town, city

Stahl *m.*, steel

Stamm *m.* (**⁻e**), stem, trunk, race

stammeln, to stutter, stammer

stammen, to derive from

stark, strong

Stärke *f.*, strength

Starter *m.* (**-**), starter

Station *f.* (**-en**), station, stage

statt (*prep. with gen.*), instead of

statt-finden (**a.u.**), to take place

Staub *m.*, dust

Staubsauger *m.* (**-**), vacuum cleaner

stecken, to stick, put

Stecker *m.* (**-**), plug

*** stehen,** to stand

steigen (**ie.ie.**), to climb, mount

Stein *m.* (**-e**), stone

Stelle *f.* (**-n**), place, position

stellen, to place, put

Stellung *f.* (**-en**), position, situation

stempeln, to stamp

Stenotypistin *f.* (**-nen**), shorthand-typist

sterben (**a.o.**), to die

Stern *m.* (**-e**), star

stets, continually

Steuermann *m.* (**⁻er, -leute**), helmsman

Stewardess *f.* (**-es**), air-hostess

Stimme *f.* (**-n**), voice, vote

stimmen, to tune, vote, be right

Stimmung *f.* (**-en**), mood, tune

Stock *m.* (**⁻e**), stick

Stockwerk *n.* (**-e**), storey, floor

Stoff *m.* (**-e**), stuff, material

Stollen *m.* (**-**), bun, loaf

stolz, proud

stören, to disturb
stossen (ie.o.), to push
Strafe f. (-n), punishment
strafen, to punish
strahlen, to shine, radiate, flash
Strasse f. (-n), street
Strassenbahn f., tram
Strassennetz n. (-e), network of roads
Strassensperre f. (-n), road block
Strassenstockung f., traffic-jam
Strassenunfall m. (⁼e) road accident
Strecke f. (-n), stretch, journey
strecken, to stretch
Streich m. (-e), trick, stroke
Streik m. (-s), strike
streng, strict
stricken, to knit
Strom m. (⁼e), river, current
strömen, to stream
Strumpf m. (⁼e), stocking
Strumpfhose f. (-n), tights
Stube f. (-n), room
Stück n. (-e), piece, play
Student m. (-en), student
studieren, to study
Studierzimmer n. (-), study
Stuhl m. (⁼e), chair
Stunde f. (-n), hour, lesson
Sturm m. (⁼e), storm
stürmisch, stormy
suchen, to search, look for
Süd- Süden m., South
sühnen, to atone
Sünde f. (-n), sin
Supermarkt m. (⁼e), supermarket
Suppe f. (-n), soup
süss, sweet
Szene f. (-n), scene

Tabelle f. (-n), table

Tablett n. (-e), tray
tadeln, to blame, find fault
Tag m. (-e), day
Tagesraum m. (⁼e), day-room, lounge
täglich, daily
Tal n. (⁼er), valley
Talent n. (-e), talent
Tankstelle f. (-n), filling-station
Tanne f. (-n), fir, pine
Tannenbaum m. (⁼e), pine tree
tanzen, to dance
Tasche f. (-n), pocket
Tasse f. (-n), cup
taufen, to dip, baptise
tausend, thousand
Tausend n. (-e), a thousand
Taxe f. (-n), taxi
Technik f. (-en), technique
Techniker m. (-), technician
Tee m. (-e), tea
Teenager m. (-), youth, girl
Teil m. or n. (-e), part
*****teil-nehmen,** to take part
Teilnehmer m. (-), participator
Telefon n. (-e), telephone
telefonieren, to telephone
Telegramm n. (-e), telegram
Teller m. (-), plate
Temperatur f. (-en), temperature
Tennisplatz m. (⁼e), tennis court
Teppich m. (-e), carpet
teuer, dear
Textilien pl., textiles
Theater n. (-), theatre
Them-a n. (-en), essay, theme
Thermosflasche f. (-n), thermos
tief, deep
Tier n. (-e), animal, beast
Tip m. (-s), tip, hint
Tisch m. (-e), table
Tochter f. (⁼), daughter
Tod m., death

Toilette *f.* (**-n**), toilet
Ton *m.* (**-e**), sound, note
Topf *m.* (**-e**) *pot*
tot, dead
tragen (**u.a.**), to carry, wear
Traktor *m.* (**-en**) *tractor*
Trainingsanzug *m.* (**-e**), track-suit
Trauer *f.*, mourning, sorrow
Träne *f.* (**-n**), tear
traurig, sad
*** treffen,** to hit, meet, strike
trefflich, excellent
treiben (**ie.ie.**), to drive, do
trennen, to divide, separate
Treppe *f.* (**-n**), stairs
treten (**a.e.**), to step, tread
treu, true, faithful, loyal
Treue *f.*, loyalty, faith
Trickfilm *m* (**-e**), cartoon
trinken (**a.u.**), to drink
Trio *n* (**-s**), trio
Tritt *m.* (**-e**), step, pace, tread
Tropfen *m.* (**-**), drop, drip
Trost *m.*, comfort
trösten, to comfort
trotz (*prep. with gen.*), in spite of
trotzdem, nevertheless
Trunkenheit *f.*, drunkenness
Tuch *n.* (**-er**), cloth, material
tüchtig, doughty, thorough
Tugend *f.* (**-en**), virtue
*** tun,** to do, make
Tür *f.* (**-en**), door
Turnen *n.*, gymnastics
typisch, typical
Tyrann *m.* (**-en**), tyrant

üben, to practise
über (*prep. with acc. or dat.*), over, above

überall, everywhere
*** übergehen,** to change over, switch
überholen, to overtake
überlassen (**ie. a.**), to hand over, leave
überlegen, to consider
übermächtigen, to overpower
Überraschung *f.* (**-en**), surprise
überraschen, to surprise
*** überschreiten,** to cross, stride over
übersetzen, to translate
Übersetzung *f.* (**-en**), translation
übertragen (**u.a.**), to transmit
Übertragung *f.* (**-en**), transmission
übrig, remaining, left over
  (**im übrigen** = for the rest)
Ufer *n.* (**-**), bank, shore
Uhr *f.* (**-en**), watch, clock, hour, o'clock
um (*prep. with acc.*), around, about
um. . .willen (*prep. with gen.*), for the sake of
um . . . zu, in order to
umfassen to include
Umgebung *f.* (**-en**), environs
Umgegend *f.* (**-en**), district
umgekehrt, vice-versa, upside down
*** umher-gehen,** to go round
Umkreis *m.* (**-e**), radius
Umlaut *m.* (**-e**), modification
um-sehen (**a.e.**) **sich,** to look round (for = **nach**)
Umschlag *m.* (**-e**), envelope
umsonst, in vain, for nothing
um-steigen (**ie.ie.**), to change
um-wenden, sich, to turn round
unangenehm, disagreeable
unbefohlen, without being asked
unbestimmt, indefinite

unbeweglich, motionless, immobile
und, and
unfreundlich, unkind, unfriendly
ungefähr, about, approximately
ungeheizt, unheated
unglücklich, unfortunate(ly)
unglücklicherweise, unfortunately
Universität *f.* (**-en**), university
unmöglich, impossible
Unordnung *f.* (**-en**), disorder
Unruhe *f.*, unrest
uns (*acc. and dat. of* **wir**), us, to us
unschuldig, innocent
unser (**-e**), our
unten, below, at the bottom, underneath
unter (*prep. with acc. or dat.*), under, below, beneath
unterbrechen (**a.o.**), to interrupt
*****unter-gehen,** to set, go down
unterhalten, sich (**ie.a.**), to converse, enjoy oneself
Unterhaltung *f.* (**-en**), conversation, entertainment
*****unternehmen,** to undertake
Unterricht *m.*, instruction
unterscheiden (**ie.ie.**), to distinguish
Unterschied *m.* (**-e**), difference
unterstützen, to support
untersuchen, to investigate, examine
Untersuchung *f.* (**-en**), examination
Untertan *m.* (**-en**), subject, vassel
unterwegs, on the way
unterzeichnen, to sign
unzufrieden, dissatisfied
Urlaub *n.*, leave
Urteil *n.* (**-e**), judgment

Variation *f.* (**-en**), variation
Vater *m.* (**ᵘe**), father
Veranstaltung *f.* (**-en**), event
verbessern, to improve
Verbesserung *f.* (**-en**), improvement
verbieten (**o.o.**), to forbid
verbinden (**a.u.**), to unite, oblige
Verbindung *f.* (**-en**), obligation, compound
verbleiben (**ie.ie.**), to remain
verblendet, blinded
Verbot *n.* (**e**), ban
verbrechen (**a.o.**), to commit a crime
Verbrecher *m.* (**-**), criminal
*****verbringen,** to spend (of time)
verdanken, to owe
Verdeck *n.* (**-e**), deck
verdutzt, confused
vereinigen, to unite
Verfahren *n.*, process
Verfassung *f.* (**-en**), constitution
vergeben (**a.e.**), to forgive
*****vergehen,** to perish, decay, die, fade, pass
vergessen (**a.e.**), to forget
vergiessen (**o.o.**), to shed, pour off
Vergleich *m.* (**-e**), comparison
Vergnügen *n.*, pleasure
verheiraten, sich, to marry
verhetzen, to harass
verhindern, to prevent
verhüllen, to conceal
verkaufen, to sell
Verkehr *m.*, traffic
Verkehrsschild *n.* (**-er**), traffic-sign
Verkehrsspitze *f.*, rush (peak) hour
verlangen, to demand
verlassen (**ie.a.**), to leave, forsake
verlegen, embarrassed

verliebt, in love
verlieren (o.o.), to lose
verloben, sich, to get engaged
vermeiden (ie.ie.), to avoid
vermindert, decreased
vermuten, to surmise, expect
vermutlich, it is to be supposed that, presumably
Vernichtung *f.*, annihilation
vernünftig, reasonable
verschieden, different, various
Versicherung *f.*, assurance
verschwinden (a.u.), to disappear
Verspätung *f.*, delay
versprechen (a.o.), to promise
verständlich, understandable, understood
*****verstehen,** to understand
Versuch *m.* **(-e),** trial, attempt
versuchen, to try
verteidigen, to defend
verteilen, to distribute
vertreiben (ie.ie.), to drive out, away
verurteilen, to condemn
Verwaltung *f.*, administration
verweigern, to refuse
verzerrt, distorted
verzollen, to tax, pay duty
viel (-e, -es), much, many
vielleicht, perhaps
vier, four
Viertel *n.* **(-),** quarter
vierzehn, fourteen
vierzig, forty
Violine *f.* **(-n),** violin
Vogel *m.* **(⁓),** bird
Volk *n.* **(⁓er),** people, nation
Volkslied *n.* **(-er),** folk song
Volksschule *f.* **(-n),** elementary school
volkstümlich, popular

voll, full
vollbesetzt, full up
vollenden, to complete
von *(prep. with dat.),* from, of, by, about
vor *(prep. with acc. or dat.),* before, in front of
vorbei-eilen (an), to hurry past
Vorbereitung *f.* **(-en),** preparation
vorbei-führen (an *with dat.***),** to lead (past)
vorgestern, the day before yesterday
*****vor-haben,** to intend
Vorhalle *f.* **(-n),** lounge, lobby
Vorhang *m.* **(⁓e),** curtain
vorig, previous, last
*****vor-kommen,** to happen
Vormittag *m.*, forenoon, morning
vorne, at the front, forward
Vorort *m.* **(-e),** suburb
Vorschlag *m.* **(⁓e),** proposal
vor-schlagen (u.a.), to propose
Vorsicht *f.* **(-en),** care, precaution
vorsichtig, careful
Vorspeise *f.* **(-n),** hors d'oeuvre
vorspringend, projecting
Vorstellung *f.* **(-en),** introduction performance
Vortrag *m.* **(⁓e),** lecture
vor-treten (a.e.), to step forward, represent
vor-zeigen, to show, produce

Wache *f.* **(-n),** sentry, guard room, police station
wachen, to watch, wake
wachsen (u.a.), to grow
Wachtmeister *m.* **(-),** sergeant
Wagen *m.* **(-),** waggon, car, cart
Wahl *f.* **(-en),** choice, vote

wählen, to choose, vote
Wahlrecht *n.,* right to vote
wahr, true (**nicht wahr?** isn't that so?)
während (*prep. with gen. or dat.*), during; (*conj. with verb last*), while
Wald *m.* (¨**e**), wood, forest
Waldung *f.* (**-en**), clearing
Waldweg *m.* (**-e**), woodland path
walzen, to turn, roll
Wand *f.* (¨**e**), wall
wandern, to wander, hike
Wanderung *f.* (**-en**), hike
Wange *f.* (**-n**), cheek
wann, when
*****war** (*past of* **sein**), was
Warenhaus *n.* (¨**er**), big shop, store
warm, warm, hot
warten, to wait (**auf** = for)
Warteraum *m.* (¨**e**), waiting room
Wartesaal *m.* (**-säle**), waiting room
Wartezimmer *n.* (**-**), waiting room
warum, why
was, what (**was für** = what sort of)
Wäsche *f.* (**-n**), underclothes
Waschen (**u.a.**), to wash
Waschmaschine *f.* (**-n**), washing machine
Wasser *n.* (**-**), water
wecken, to waken, arouse
wedeln, to wag
Weg *m.* (**-e**), way, path
wegen (*prep. with gen.*), on account of
*****weg-gehen,** to go away
Weh *n.,* ache, pain
*****weh-tun,** to hurt
Weihnachten *f. or pl.,* Christmas

weil, because
Wein *m.* (**-e**), wine
weinen, to weep
Weise *f.* (**-n**), way, manner
weisen (**ie.ie.**), to point, show
weiss, white
weit, far, distant
weiter, further
weiter-fahren (**u.a.**), to continue
welch- (**-er, -e, -es**), which, what
Welle *f.* (**-n**), wave
Welt *f.* (**-en**), world
weltbekannt, world-famous
*****wenden,** to turn
Wendung *f.* (**-en**), turning, expression
wenig, little (**weniger** = less; **wenigstens** = at least)
wen (*acc. of* **wer**), whom
wenn, if, when
wer, who
*****werden,** to become
werfen (**a.o.**), to throw: **in die Post w–,** to post
Werft *f.* (**-en**), shipyard
Werk *n.* (**-e**), work
Werkstatt *f.* (¨**en**), work-shop
Werkzeug *n.* (**-e**), tool
West-, Western *m.,* west
Weste *f.* (**-n**), vest, waistcoat
wetten, to wager, bet
Wetter *n.,* weather
Wetterbericht *m.* (**-e**), weather report
wichtig, important
wickeln, to wrap
wider (*prep. with acc.*), against
Widerstand *m.,* resistance
*****widerstehen,** to resist
wie, how, what, what . . . like
wieder, again
Wiederaufbau *m.,* reconstruction
Wiedersehen *n.,* seeing again (**auf**

W- = Goodbye)
Wiese *f.* (-n), meadow, field
wieso, how is that?
Wille *m.* (*gen.* -ns, *pl.* -n), will
Wind *m.* (-e), wind
winken, to beckon, wave
winseln, to whimper
Winter *m.*, winter
wir, we
wirklich, real(ly)
Wirt *m.* (-e), landlord
Wirtshaus *n.* (¨er), inn
*** wissen,** to know, have knowledge
Witwe *f.*(-n), widow
wo, where
Woche *f.*(-n), week
wochenlang, for weeks on end
Wochenschau *f.* (-en), weekly news, news-reel
woher, where from, whence
wohin, where to, whither
wohl, well, possibly, indeed
wohnen, to dwell, live
Wohnblock *m.* (-s), block of flats
Wohnung *f.* (-en), dwelling, flat
Wohnviertel *n.*(-), residential quarter
Wohnzimmer *n.* (-), living room
Wolke *f.* (-n), cloud
Wolkenkratzer *m.* (-), skyscraper
Wolle *f.* wool
*** wollen,** to wish, will
Wort *n.* (-e and ¨er), word
Wörterbuch *n.* (¨er), dictionary
Wortspiel *n.* (-e), pun
wunderbar, marvellous
wundern, sich, to wonder, marvel
wunderschön, very lovely
wunschen, to wish
Würst *f.* (¨e), sausage

Zahl *f.* (-en), number

zahlen, to pay
zählen, to count
zahllos, countless
Zahn, *m.* (¨e), tooth
Zahnarzt *m.* (¨e), dentist
Zahnpaste *f.* (-n) toothpaste
Zahnweh *n.*, toothache
zehn, ten
zeichnen, to draw
Zeichnen *n.* drawing
zeigen, to show
Zeile *f.* (-n), line
Zeit *f.* (-en), time
Zeitung *f.* (-en), newspaper
zerbrechen (a.o), to smash
zerbrechlich, fragile, brittle
Zersplitterung *f.* (-en), dispersal
zerstören, to destroy
zertrümmern, to ruin, devastate
Zettel *m.* (-), chit, form
*** ziehen,** to draw, drag, pull, move
ziemlich, fairly
zieren, to decorate
Zigarette *f.* (-en), cigarette
Zigarettenetui *n.* (-s), cigarette case
Zimmer *n.* (-), room
zivilisiert, civilised
Zollrevision *f.*, customs inspection
Zone *f.* (-n), zone
zornig, angry
zu (*prep. with dat.*), to, at, with; too
Zucker *m.*, sugar
zuerst, at first
zufrieden, contented, satisfied
Zug *m.* (¨e), train, trait, feature
zu-geben (a.e.), to admit
*** zu-gehen,** to go up (auf = to)
zugleich, at the same time
*** zugrunde-gehen,** to perish, go to ruin

zu-hören, to listen to
Zukunft *f.*, future
zuletzt, last, finally
zu-machen, to close
zunächst, to begin with, next
Zunge *f.* (**-n**), tongue
zurecht-legen, to put straight
zurück, back
zurück-fahren (u.a.), to drive back
*** zurück-gehen,** to return, go back
zurück-kehren, to return
zurück-legen, to put back, cover (a distance)
zusammen, together

Zuschauer *m.* (**-**), spectator
zu-stimmen, to agree
*** zustande-bringen,** to achieve
zu-treten (a.e.), to step up, approach
*** zuvor-kommen,** to anticipate
zwanzig, twenty
zwar, indeed, as a matter of fact
zwei, two
zweifeln, to doubt
Zweig *m.* (**-e**), twig, branch
zweimal, twice
zwischen (*prep. with acc. or dat.*), between
zwölf, twelve